EMILIANO TARDIF

UN HOMBRE DE DIOS

María A. Sangiovanni

Primera edición en Colombia – Abril de 2003
2.000 ejemplares

Diagramación:
Lida Natalia Herrera G.
Alexandra P. Castellanos T.

Fotografía de la carátula:
Jacques Assal y tomada en Alepo, Siria.

Diseño de carátula:
Gisele Sangiovanni

Los textos bíblicos usados fueron tomados de la Biblia Latinoamérica (Edición X), cuando se use otra versión se indicará.

ISBN
958-8027-62-4

Pedidos a:
ASOCIACIÓN MARÍA SANTIFICADORA
Carrera 36 No. 104 - 90
Teléfonos: (571) 236 45 30 – 256 14 47
Fax: (571) 616 92 09
Visítenos en nuestra web: www.ams.org.co
E-mail: amsad@epm.net.co
Bogotá, D.C., Colombia

Impreso por Esfera Editores Ltda.

Bogotá, D.C., Colombia
Impreso en Colombia
Printed in Colombia

Dedicatoria

Dedico estas páginas a la memoria del padre Emiliano Tardif, misionero del Sagrado Corazón.

Contenido

Agradecimientos

A Dios Padre, que llamó al padre Tardif desde siempre para ser sacerdote del Altísimo.

A Dios Hijo, que le concedió la experiencia viva de su Presencia.

A Dios Espíritu Santo, que le llenó de poder para ser testigo hasta los confines de la tierra.

A la familia Tardif, que regaló un hijo para servir a la Iglesia.

A los misioneros del Sagrado Corazón, quienes permitieron que el padre Tardif acompañara a los laicos en la Nueva Evangelización por todo el mundo.

A papá y mamá, quienes me dieron la vida y me mostraron, con su fe, el primer rostro de Dios.

A mis hijos, que han sido tan generosos en respetar y animar mi llamado misionero.

A Ivo Raza, mi yerno, quien por años me ha animado a escribir sobre la obra de Dios en las almas.

A mi nieto Alejandro, que con sólo nueve años ha pasado horas escuchando y comentando la lectura de los manuscritos.

Al padre Víctor Masalles, quien desde Roma me ha corregido y guiado con sabiduría y dedicación, para que este libro, sobre todo, glorifique a Dios.

A Leonor Alcántara, quien fuera secretaria del padre Emiliano, por su generosa labor dedicada a transcribir manuscritos, sacar copias y traducir, así como por animarme con alegría y entusiasmo para la publicación de este libro.

A Carmen Josefina de Torrón, hermana generosa e incansable, que ha pasado innumerables horas frente al computador, transcribiendo mis manuscritos, traduciendo, corrigiendo, aconsejándome, sin cuya ayuda no hubiera podido terminar este libro.

A todos mis hermanos de la Comunidad Siervos de Cristo Vivo, por su amor y gran ayuda.

A todos: ¡Gracias del Alma!

María A. Sangiovanni

Presentación

En 1956, cuando tenía 17 años de edad, conocí personalmente al padre Emiliano Tardif. Él acababa de llegar de Canadá y apenas balbuceaba algunas palabras en Español.

Dos años después de haber terminado el bachillerato e iniciado los estudios de filosofía, lo encontré y me acerqué a él en el Seminario Misionero de San José de las Matas. Durante el año de prenoviciado, fue mi consejero y director espiritual.

Debo confesar que en los meses en que me dediqué a conocer de cerca la Congregación de los Misioneros del Sagrado Corazón y a probar mi vocación, me impresionó profundamente este religioso en esa plenitud humana de sus treinta años, pues además de su madurez y sensatez se destacaba su inmenso calor humano, su audacia y libertad de espíritu, su sentido común y también ¡su sentido del humor!

Como sucede comúnmente en la vida religiosa, el padre Emiliano fue después mi superior durante siete años y, más tarde, a mí me correspondió ser el superior de él por once años.

En la mañana del 6 de junio de 1999, tuve la gracia de acompañarlo en su cumpleaños y de celebrar con él la Eucaristía, en la Casa de la Anunciación.

Muchas cosas habían transcurrido desde que nos conocimos cuarenta y tres años atrás. En el verano de 1973, enfermedad y sanación fueron las caras de una misma moneda. La tuberculosis pulmonar aguda y la sanación fueron dos momentos de una misma experiencia de Dios que lo transformaron y lo impulsaron a dar la vuelta al mundo por veinte veces (¡una de ellas sin maleta!), gritando a las multitudes: ¡Jesús está vivo!

Sin embargo, al conocerlo en 1956 y verlo ir y venir evangelizando, desde 1973, ese bendito domingo del 6 de junio de 1999 le pude decir: "Emiliano, ciertamente tú has recibido muchos dones del Señor, permíteme dar gracias a Dios por el don de no haber cambiado. Todo lo que ha sucedido, a partir de 1973, no se te ha subido a la cabeza, eres el Emiliano de siempre: sencillo, alegre, cercano, indefenso, casi como un niño".

Su vida fue lineal en su coherencia y en su fidelidad a un carisma misionero, considerado por él como un don del Espíritu, en favor de la evangelización con preferencia a los enfermos. Hay una secuencia en su trayectoria humana, eclesial, pastoral, religiosa, que empieza el mismo día de su nacimiento en el hogar de los Tardif y pasa por el envío misionero, por la enfermedad y la sanación; por Pimentel, Nagua y, sobre todo, por la oración. Emiliano fue un hombre de oración y compasión, **"un hombre de Dios"**.

¡Qué bien ha sabido captarlo y transmitirlo María A. Sangiovanni. ¡Gracias, María!

En sus largos años de cercanía, en la convivencia, en la predicación y en la fundación de los Siervos de Cristo Vivo, María A. Sangiovanni ha ido creciendo en admiración por el sacerdote, por el hombre de fe, por el misionero apasionado del corazón de Cristo, por el padre y el hermano a la vez.

De nuevo, ¡gracias, María!

Termino expresando un deseo: Que también este libro dé la vuelta al mundo para la mayor gloria de Dios. Para que sea más amado en todas partes el Sagrado Corazón de Jesús.

Darío Taveras, MSC

En memoria del padre Emiliano Tardif

He tenido varias veces la dicha de ejercer mi ministerio junto con el padre Emiliano Tardif: en Italia, en Australia, en la República de Panamá y la última vez en su tierra natal, Canadá, en 1998. Mediante su ministerio de sanación, él atraía grandes multitudes en cada encuentro en el que participaba y esto producía una gran ventaja para quien, como yo, tenía que anunciar, en el mismo encuentro, la Palabra de Dios.

Siempre he admirado la sencillez de corazón del padre Emiliano. Una vez, en Milán, en la basílica de San Eustorgio, yo presidía la celebración y él, después de la comunión, hizo una oración de sanación que resultó de gran riqueza, tanto en signos como en frutos. Apenas terminó de orar y de anunciar sanaciones, en voz baja, sobre el altar, me hizo una confidencia: "Hay que cerrar los ojos y volverse como niños para hacer esto. Mientras ejerzo mi ministerio siento una gran seguridad; pero cuando termino, vuelvo a ser yo mismo y me asaltan muchas dudas. ¿Cómo he podido decir aquellas cosas? ¿Y si me hubiese equivocado?".

Entendí que él cada vez necesitaba mucha fe, para dejarse usar por el Señor.

Un padre de la Iglesia dice: *"El canal a través del cual se ejerce el carisma de las sanaciones es la compasión"*. Jesús sanaba porque tenía compasión; y aún hoy, junto con el carisma de sanación, el Señor da el don de tener una gran compasión por los enfermos. En el ministerio del padre Emiliano, era visible esta compasión que lo sostenía en su, a menudo, extenuante trabajo, y que le daba también una visible alegría al desarrollarlo.

Soy muy cauto en lo referente al ministerio de sanación, conociendo cuán expuesto está a imitaciones ficticias y hasta a abusos. Pero, en cuanto al padre Emiliano, no he podido nunca dudar de la autenticidad de su ministerio. He visto, con mis propios ojos, casos impresionantes. Recuerdo dos de ellos: Una vez, durante una misión en Australia, una mujer se acerco a mí muy contenta, diciendo que había oído muchas veces mi voz en casetes, pero que ahora podía finalmente verme también. "¿No se acuerda de mí?", decía. Recordé entonces a una persona que, en una anterior estadía en aquella ciudad, había visto caminar con el bastón blanco de los ciegos. ¿Qué había sucedido? Durante una oración de sanación, el padre Emiliano había anunciado que Dios estaba sanando a dos personas con problemas de la vista. Ella no pensaba en sí misma, sino que estaba orando por un hermano, también ciego, que no se resignaba a su desgracia. Hubo una repentina ráfaga de viento y ella gritó: "¡El cuadro de Cristo sobre el palco está por caer!". Fue así como se dio cuenta de que veía. La imagen de Cristo había sido la primera en entrar en sus ojos y en sanarlos.

Otra vez, el padre Emiliano, durante la oración por los enfermos, anunció: "El Señor sana a una persona ausente que está enferma de un tumor en el estómago, por quien alguien de los presentes está orando". Yo estaba justamente orando por una persona querida que sufría de este mal y que tenía que ser operada. Esta persona fue sanada y, a lo largo de los años, todavía está bien.

El padre Emiliano no se consideraba ni un santo ni un poseedor del don de milagros, sino simplemente una persona que había recibido un carisma y lo ejercía "para la utilidad de todos". Me uno al grupo de aquellos que agradecen a Dios por la vida del padre Emiliano y se alegran al pensar que este siervo fiel está ahora "en la alegría de su Señor".

P. Raniero Cantalamessa, O. F. M. Cap.

Introducción

La noticia me cayó como un rayo. Sabía la verdad, pero me resistía a creer lo que escuchaba.

Sentí como un sablazo que hirió lo más profundo de mi ser. En mi interior se agolparon sentimientos de sorpresa, temor y asombro. "¡No puede ser! ¡No puede ser!", repetía sin parar, mientras me sentía devastada.

La telefonista de la Casa de la Anunciación tenía el triste encargo de llamar a todos los siervos para darles la infausta noticia:

–Doña María, llamó Evaristo para decir que el padre murió.

Un largo "¿queée?", fue mi respuesta.

–¿Qué padre?, pregunté con alarma, deseando en lo más íntimo de mi ser que no me dijera lo que ya mis entrañas habían entendido.

–El padre Emiliano, doña María. Evaristo llamó para decir que esta mañana, a las 7, hora de Argentina, el padre falleció de un infarto fulminante.

Eran las 8:30 de la mañana de aquel 8 de junio, día de la Pascua de nuestro amadísimo hermano. Recuerdo que no pude articular más palabras que "no puede ser", "no puede ser", y comencé a llorar.

Era cierto lo que tantas veces temimos quienes tuvimos la gracia de compartir, vivir y predicar junto a él. Aunque por ley natural y racionalmente sabíamos que esto tendría que llegar algún día, no nos sentíamos preparados para recibirlo tan pronto, tan de repente y tan lejos...

Múltiples pensamientos me llegaron a la mente en medio de mi sorpresa. Muchas veces le dijimos: "No trabajes tanto, descansa un poco, a ese ritmo de vida te va a dar algo, te vas a morir lejos...". Ahora entiendo por qué no hacía caso a nuestras recomendaciones. Él tenía prisa.

Nosotros no lo comprendíamos entonces; pero, ahora vislumbramos lo que le sucedía, él no escatimaba tiempo para gritarle al mundo lo que veintiséis años atrás había experimentado, cuando fue sanado de una tuberculosis pulmonar doble: "¡Jesús está vivo y está en medio de nosotros!".

Dios lo había llamado aquel día 8 de junio, finalmente, a su presencia para que allí lo contemplara por toda la eternidad.

"La vida es corta", predicó un día lleno de emoción en Los Prados, después de haber escuchado la voz del Señor ante el Sagrario.

Ese martes, 8 de junio de 1999, la Comunidad Siervos de Cristo Vivo, los Misioneros del Sagrado Corazón, la Iglesia dominicana y el mundo entero se estremecían ante esa realidad que escuchamos un día de sus labios: "La vida es corta".

A los setenta y un años, dos días después de haberle celebrado su cumpleaños en la Casa de la Anunciación, el padre Emiliano Tardif partió para morar en la Jerusalén celestial.

Había emprendido el último viaje, del que años antes había escrito como final de su libro **Jesús está vivo** y que transcribo a continuación:

> "Quiero terminar este libro con un curioso incidente: después de una serie de retiros en la Polinesia por quince días, me senté en el asiento del avión para descansar. Mientras el avión se elevaba por encima de las nubes y tenía la impresión de casi tocar el cielo, comencé a escuchar un casete de John Littleton que cantaba: 'No se han terminado; tus viajes no se han terminado'.
>
> Estas palabras me llegaron al corazón como una profecía y dije en voz alta: 'Amén'. La persona que estaba sentada junto a mí, leyendo el periódico, me miró por arriba de sus lentes y pensó que yo era un loco que hablaba solo...
>
> Ciertamente, mi viaje comenzó hace cincuenta y cinco años, cuando vine a este mundo por un acto infinito

del amor eterno de Dios. Ahora, ya he emprendido el retorno a la patria definitiva, a la Jerusalén celestial, donde no hay luto, llanto, enfermedad o muerte. Cada día estoy más cerca de la Casa siempre abierta, en la que el buen Jesús me prepara un lugar entre todos los santos.

Sueño con el amanecer en que llegaré delante de las puertas de cuarzo y las murallas asentadas en jaspe. Ya me veo caminando por las calles de oro a la ribera del mar de cristal de la Nueva Jerusalén; adornada con rojos rubíes, verde esmeralda y topacios amarillos. Me bañaré en el agua de vida, brillante como la plata, que brota del trono de el Cordero, al lado de los árboles que retoñan y dan frutos medicinales doce veces por año.

El viaje se ha iniciado y no tiene retorno. Como la cierva anhela las corrientes de agua viva, así mi carne languidece y mi corazón grita de alegría a causa del Dios vivo. Un remolino centrípeto me atrae más aceleradamente a la Jerusalén de arriba. Sólo por una razón quisiera que se alargara mi viaje: por el embriagante vértigo que me hace esperar lo que espero.

En un abrir y cerrar de ojos al toque de la trompeta, le conoceré cara a cara; me poseerá y lo poseeré junto a las murallas de la santa Sión.

Grabada con la sangre de Cristo, me ha llegado una invitación personal para participar en las Bodas del Cordero. La novia ha sido engalanada con dones y carismas, embellecida con una diadema de estrellas y sol. Su vestido está esmaltado de virtud y sus ojos brillan con el fulgor de su Amado.

En estos últimos años he sido testigo de las obras del amor y la misericordia de nuestro Dios. Si Él es tan grande en sus obras, ¿cómo será el Sol de Justicia que es Él? Si en la fe se advierten sus rasgos, ¿cómo será en la visión que no engaña?

Por eso, mientras vuelo en avión o monto en burro, siempre voy cantando:

> ¡Qué alegría cuando me dijeron: vamos a la Casa del Señor. Ya se posan mis pies en tus umbrales, Jerusalén!
>
> Mi Señor y mi Dios, quiero dirigirte a Tí mis últimas palabras:
>
> Dios mío, tú me escrutas y me conoces; sabes cuándo me siento y cuándo me levanto; mis pensamientos calas desde lejos; odservas si voy de viaje o si me acuesto, familiares te son todas mis sendas.
>
> No está aún en mi lengua la palabra, y ya Tú, Dios mío, la conoces entera.
>
> Me aprietas por detrás y por delante, y tienes puesta sobre mí tu mano.
>
> ¿A dónde iré lejos de tu espíritu, a dónde de tu rostro podré huir? Si hasta los cielos subo, allí estás tú, si en *sheol* me acuesto, allí te encuentro. Si tomo las alas de la

aurora, si voy a parar a lo último del mar, también allí tu mano me conduce, tu diestra me aprehende.

Aunque diga: 'me cubra al menos la tiniebla, y la noche sea la luz en torno a mí, la misma tiniebla no es tenebrosa para tí, y la noche es luminosa como el día.

Porque tú mis riñones has formado, me has tejido en el vientre de mi madre; te doy gracias por tan grandes maravillas: prodigio eres, prodigios son tus obras.

Mi alma conocías cabalmente, y mis huesos no se te ocultaban, cuando yo era hecho en lo secreto, tejido en las honduras de la tierra.

Mis acciones tus ojos las veían, todas ellas estaban en tu libro; escritos mis días, señalados, sin que ninguno de ellos existiera.

¡Cuán insondables, oh Dios, tus pensamientos, qué incontable su suma! ¡Son más, si los recuento, que la arena! y al terminar, ¡todavía me quedas tú!".

(Jesús está vivo, capítulo 9).

Mientras contemplaba su cuerpo que yacía muerto, y mientras desfilaba ante él, durante tres días, una multitud de personas, la mayoría de ellas agradecidas por haber sido tocadas por Dios, mediante su ministerio sacerdotal, yo pensaba: "Se fue sin maletas, pero se fue lleno de Dios".

Y es que Dios lo había tomado de tal manera, que ya no podían seguir separados por el cuerpo mortal, por más tiempo. Ahora eran, como decía el Santo Cura de Ars, "como dos trozos de cera, que unidos, ya nadie puede separar".

Dedico estas páginas a la querida memoria del padre Emiliano. Después de haber tenido la gracia de estar tan cerca de él, junto con muchos otros hermanos de la Comunidad Siervos de Cristo Vivo; después de haber vivido y experimentado tantos momentos llenos de la presencia de Dios al lado de él; he querido compartir algunos momentos atesorados en el corazón, con el fin de que muchos conozcan un poco más de cerca a este buen sacerdote, a través del cual Dios nos bendijo, tanto en la República Dominicana como en otros países del mundo.

¡Que Dios le haya concedido el premio por haber corrido la buena carrera de la fe!

Y que la intercesión poderosa de Nuestra Señora del Sagrado Corazón haga que las personas, al leer estas páginas, sean capaces más y más de contemplar, como ella lo hizo en el Calvario, a su hijo Jesús, con el corazón traspasado de su amor por nosotros. Dicha contemplación fue la motivación de la vida espiritual del padre Emiliano.

¡Que sea amado en todas partes el Sagrado Corazón de Jesús!

María A. Sangiovanni

Bautizado al nacer 1

El padre Emiliano Tardif nació el 6 de junio de 1928 en *Saint Zacharie*, Quebec, Canadá, en el seno de una familia numerosa, de catorce hijos.

Descendiente, en la octava generación, de Olivier Le Tardif, nacido en el año 1601, quien era originario de la parroquia de Etable en la diócesis de *Saint Brieuc (Côtes-du-Nord)* en Bretaña, Francia. Se casó en Quebec el 3 de noviembre de 1637 con Louise Couillard, hija de Guillaume y Guillemetre Hébert.

Olivier Le Tardif se desempeñó como intérprete de lenguas indígenas para el gobernador Samuel de Champlain, comisionado de Transporte, comisionado general de la Compañía de la Nueva Francia y, además, señor y juez Magistrado del lado de Beaupré. También fundó el Castillo Richer.

Recibió la confirmación el 2 de febrero de 1660 cuando tenía cerca de sesenta años y fue enterrado el 28 de febrero de ese mismo año.

Leonidas Tardif, padre de Emiliano Tardif

Leonidas Tardif, su padre, contrajo matrimonio el 22 de julio de 1912 con la señora Anna Larochelle quien procedía de St. Prosper, Dorchester, Canadá. Emiliano fue el noveno hijo, fruto de la unión de los esposos Tardif-Larochelle.

A su madre, a quien amó profundamente, le recomendaron que no tuviera el hijo recién concebido y, en el octavo mes de embarazo, su estado de salud era tan precario que los médicos pensaron que su condición seguramente provocaría la muerte, tanto a la madre como al hijo que llevaba en las entrañas.

¡Cómo recordamos ahora las veces en que el padre Emiliano nos contó este episodio lleno de emoción! "A mi madre le recomendaron que me abortara, pero ella era una buena cristiana y no lo hizo".

Anna Larochelle, madre de Emiliano Tardif

Se nos cuenta que doña Anna, ante la sugerencia de los

médicos de abortar al pequeño hijo que había concebido, manifestó que mejor prefería morir en gracia, antes que cometer semejante atrocidad que la llevaría a morir en pecado.

El padre Tardif fue un tenaz defensor de la vida. En múltiples ocasiones, lo escuchamos hablar en contra del aborto. Recuerdo que siempre se le quebraba la voz cuando se refería a aquellas mujeres que, embarazadas, en vez "de ocuparse en prepararle una cunita a sus hijos, lo que les preparaban era un bote de basura".

Él ponía su propia vida de ejemplo. Y como compartía su experiencia como testimonio, los corazones que lo escuchaban eran fuertemente tocados por su palabra. "Yo no estaría vivo si no hubiese sido por la fe inconmovible de mi madre que decidió correr el riesgo de su propia vida antes que matarme". Cuando decía esto, nosotros también nos sentíamos agradecidos y bendecíamos la generosidad de esta buena mamá.

Dos de los hermanos de Tardif, Louis de 4 años y Emilia de 3 años.

Ante la amenaza de muerte, tanto para la madre como para el hijo, el nacimiento del pequeño Emiliano fue asistido por dos médicos y por el sacerdote, el padre Poirier, que estaba allí preparado para asistir espiritualmente a la moribunda y bautizar al niño que, según los médicos, no sobreviviría.

Viene a mi memoria su sonrisa cuando en sus conferencias, ante miles de personas, él proclamaba lo evidente: "¡Y no me morí. Y mi mamá tampoco se murió! Y no sólo eso, sino que después de mí, nacieron cinco hijos más. Tuvo catorce en total, de los cuales cuatro fuimos religiosos".

Misterio insondable del amor de Dios. La bendición del mundo que depende del "sí" confiado de una mujer, es los que nos hace recordar el "Hágase en mí", de nuestra Madre del Cielo. Por su "Sí" confiado, tuvimos a Jesucristo, el Salvador del mundo.

Sé que, al leer estas páginas, muchos que hoy gozan de salud, de consuelo y de perdón, por la gracia del ministerio sacerdotal del padre Emiliano, agradecen tanto como yo a doña Anna por su generosidad y decisión al cumplir la voluntad de Dios.

"Gracias, Padre celestial, porque le diste a doña Anna la fe para confiar en Ti en medio de las dificultades. Gracias, porque a través de esa confianza, ella permitió que la vida de su hijo se mantuviera y que, por medio de él, muchas personas fuéramos bendecidas. ¡Gracias, Señor!".

El niño nació felizmente, y el párroco que estaba allí presente, lo bautizó al nacer, sumergiéndole en las aguas regeneradoras del bautismo y fue recibido en el seno de la Iglesia como hijo de Dios y heredero de su gloria.

Recuerdo la emoción con la que contaba este hecho cuando hablaba del sacramento del Bautismo; sobre todo en el año de 1997, Año de Jesucristo, cuando su predicación respondía a la invitación de su santidad Juan Pablo II, de prepararnos para el Gran Jubileo del año 2000.

El cristiano está consagrado a Cristo por el bautismo: Dios realiza en el bautizado una transformación que lo hace santo, lo inserta en la vida divina y le da un nuevo nacimiento que lo hace hijo de Dios. Cristo toma posesión del bautizado, posesión expresada por la invocación del nombre de Jesús sobre el bautizado. El bautismo es el medio por el que Dios nos saca de la esfera de lo profano y del pecado, y nos introduce en la esfera de lo divino, uniéndonos a las tres personas de la Santísima Trinidad.

El padre Tardif solía decir: "El Señor quiso que yo no tardara ni un día de mi vida para estar en gracia, y por eso fui bautizado el mismo día en que nací".

Hoy pensamos que fue un verdadero detalle del amor de Dios para este hombre. Como también lo fue la familia en la cual se formó. Para todos los que estuvimos cerca de él, ver la relación tan llena de amor que siempre mantuvo con todos los miembros de su familia, fue un gran testimonio. Periódicamente les escribía hermosas cartas, contándoles acerca de sus trabajos misioneros, animándoles a una vida de piedad, compartiendo los sentimientos de su corazón e impulsándolos a mantener la unión y las tradiciones familiares. Esta es una carta enviada al señor Terry Sloan y a su esposa Irene Tardif:

La familia donde fue formado fue un detalle del amor de Dios.

"Espero que todos ustedes estén bien, como se encontraban en nuestro encuentro en La Sarre el verano pasado. Me sentí muy orgulloso de ver a sus hijos tan educados, gentiles y buenos. Me da mucho placer ver que las tradiciones cristianas de nuestra familia han sido bien transmitidas junto con la convicción que tienen ustedes, los padres, quienes las enseñan. Son más que unas tradiciones, son un legado, un legado de fe recibido, y que debe ser conservado en toda su grandeza y belleza".

Estoy convencida de que en esta familia, Tardif-Larochelle, el padre Tardif hizo una lectura de la vida diaria, con el ejemplo de los padres. La familia fue el libro abierto de la enseñanza de las virtudes más excelsas.

En el transcurso de los años, sería llamado, a través del sacerdocio, a vivir la pobreza como estilo de vida y camino de santidad. Los Tardif era una familia de labradores, quienes después de haber vivido en St. Zacharie, emigraron a la región de Abitibi. Al papá no le fue bien en los negocios y le pareció conveniente hacer un cambio. A continuación transcribimos **una entrevista realizada por el canónigo Z. Alory a don Leonidas Tardif y que fue publicada en el periódico *La Voz Nacional* en 1956,** con motivo de la ordenación del padre Emiliano:

"En la tarde, nos fuimos a la finca del señor Leonidas Tardif, colono establecido en Abitibi hacía 15 años.

– Llegué el 10 de mayo de 1940 con uno de mis hijos para construir la casa. Mi esposa y los otros niños llegarían dos meses después. En este sitio nos establecimos al comienzo; sin embargo nos quedaba muy lejos de la iglesia, por lo que nos mudamos a los dos años a un lugar más cercano.

– ¿Cuántos hijos tiene?

– Catorce. Una hija, Aurelia, se ahogó hace quince años. Hoy tengo diez hijos vivos.

– ¿Todos viven cerca de usted?

– ¡Oh, no! Éste es el orden: el hermano Armand, M.S.C. es religioso; Ivonne, es auxiliar del clero; Louis-Philippe, agricultor, padre de seis hijos, establecido a una milla de aquí; Rose-Alma, casada, madre de seis hijos, vive en St. Pacôme; Irène, casada, vive en Iroquois Falls; el hermano Louis, O.M.I.; Emiliano, mi sacerdote; Adrien, que permanece conmigo en este lugar; la hermana Adrienne, religiosa de las Auxiliadoras de Nuestra Señora y Armandine, institutriz en Rouyn.

La Familia Tardif en Abitibi, Quebec, el 6 de julio de 1941.

– Todo esto que yo veo aquí, la casa tan bella, con magníficas dependencias, las granjas, los hangares, los gallineros, ¿son el resultado de trece años de esfuerzo?

– Exactamente. Nuestra primera parcela está desyerbada y ahora la ocupa uno de mis hijos. Las dos parcelas vecinas me pertenecen, las hemos preparado para el cultivo; por lo que en total corresponden aproximadamente a 40 hectáreas.

– Este trabajo en un esfuerzo increíble, ¿cierto?

– Hemos luchado por esto, puedo decirle. Pero hemos trabajado en equipo. No hay nada como la colaboración para lograr que una labor sea exitosa.

– ¿No echa usted de menos haber dejado St. Zacharie?

– ¡Eh!, no. Mire usted: fue mejor dejar la vieja parroquia y llegar a Abitibi. Allá, yo no hubiera podido levantar mi familia como debía, y educar bien a los niños. Estaba lleno de deudas. Aunque tenía muy buena voluntad, no veía la forma de salir

Algunos de los hermanos Tardif.

de ellas. Entonces, abandoné mi terruño. Pero imagínese que mi hijo, el religioso, fue el que me metió en la cabeza la idea de partir. Claro, en ese tiempo, él estaba en Ville Lasalle. El domingo, oyó un sermón sobre la colonización –¿quizás era usted el predicador?–, entonces, dos días más tarde, nos escribió y nos contó acerca del sermón. Hablamos, discutimos, sopesamos los pro y los contra, recogimos información, y se decidió la partida.

Los cinco hermanos Tardif: Armand, Louis-Philippe, Louis, Emiliano y Adrien.

– ¿No se ha arrepentido nunca?

– ¿Arrepentido?

El señor Tardif nos enseña esa bella propiedad que le pertenece: tres parcelas en cultivo. Un bello establo con doce vacas lecheras, dos caballos, ciento cincuenta gallinas y setenta y cinco pavos. Un poco más cerca, todos los instrumentos para el arado de un campesino moderno y en progreso: un

Bello establo con doce vacas lecheras.

tractor mecánico, una abonadora, una segadora, una sembradora, una carreta, un rastrillo, etc. Y, ¿ahora, la casa? Construida sólidamente, equipada con todas las comodidades que hacen la vida atrayente y fácil para las mujeres, baño, agua corriente en la casa y en el establo, grandes ventanas por donde entraba el sol.

– Resumiendo, ¿es usted feliz?

– Yo sería un mal agradecido si me quejara, ahora que me siento satisfecho. He trabajado. Los muchachos han trabajado, lo puedo decir. Pero la tierra, como usted puede ver, uno la lleva en la sangre. El trabajo se transforma en placer con el tiempo, siempre y cuando uno vea los bosques alejarse para dar lugar a campos de granos. Pero, entonces, dígame, ¿parezco como si hubiese escrito una epopeya? No hay nada de

Terreno de la granja de la familia Tardif en Abitibi, Quebec.

extraordinario. Es la historia de los colonos en estas doce parroquias situadas al sur de La Sarre. ¡Es el hombre que hace la tierra!

– Y la tierra hace los hombres –agregó, concluyendo.

Emiliano y un compañero seminarista en la granja de la familia.

La familia Tardif es otro ejemplo de la fuerza del coraje y la paciencia, unidas al espíritu de iniciativa. El papá tiene su prédica acerca de, por ejemplo, el misterio de la tierra y la mamá posee su oficio en las almas de los niños, al inculcarle la mística de la religión, del sacrificio y del amor. De la unión de estas dos místicas han nacido estos hijos que hacen a la vez un honor a la patria y a la Iglesia.

Debemos recordar la bella definición sobre la colonización que el añorado cardenal Villeneuve hizo un día: 'La colonización en los designios de la Providencia tiene por finalidad construir el Reino de Dios en nuestro vasto país'".

Fue en este ambiente de colonizadores, trabajadores de la tierra y de familias unidas, donde el padre Tardif vio pasar sus primeros años. Al conocer ahora esto, puedo entender el amor tan grande que sentía por los campesinos. El padre

Emiliano amaba profundamente a su familia. En su habitación siempre conservaba un retrato de su madre y a menudo hablaba de sus hermanos con los que mantuvo siempre una estrecha relación, visitándoles cada año durante el verano. Todos en la Comunidad veíamos cómo esperaba con ilusión los quince días que reservaba durante el verano para *les vacances* en Canadá. Cada año, como un modo de mantenerse unido a ellos, les escribía largas cartas en las que les contaba sobre la obra que el Señor iba haciendo en su vida y a través de él, a medida que pasaba el tiempo.

De su padre solía decir, refiriéndose a su carácter sencillo y humilde: "Es que papá tenía el carisma de la pobreza. Si hubiéramos sido ricos, no seríamos lo que somos con nuestra vocación". Ésta fue la respuesta dada a una de sus hermanas que se quejó diciendo: "En casa siempre hemos sido pobres".

Y nosotros, cercanos a él, en muchas ocasiones, lo escuchábamos hablar acerca de la pobreza.

"Cuando Jesús propone al joven rico dejarlo todo, dar a los pobres lo que tiene y seguirle, Él le pone sencillamente la experiencia que va a vivir todo hombre el día de su muerte. Jesús quiere que ese joven sea feliz, y Él sabe que en la pobreza se encuentra la felicidad, la paz y la

El padre Emiliano amaba profundamente a su familia y pasaba quince días del verano junto a ella.

alegría: el Reino de Dios en la tierra. La pobreza hace que la vida espiritual sea más fácil, pues el pobre cuenta con Dios en todo. El que tiene alma de pobre sabe servirse de los bienes de este mundo; pero, estando a su vez atento de corazón a las necesidades de los demás".

Soy testigo de que el padre Emiliano era un hombre pobre, a pesar de que lo veíamos bien vestido y sabíamos que por sus manos pasaban a veces grandes sumas de dinero. En algunas ocasiones, durante su vida, oí calumnias de personas que comentaban que él se enriquecía con todos esos encuentros multitudinarios; en los que en realidad se pedía una contribución para cubrir los gastos, dinero que no llegaba a las manos del padre Tardif. Generalmente, le daban una pequeña ofrenda con la que cubría sus gastos de viaje.

El padre se veía siempre correctamente vestido, aunque con sencillez. La gente misma le regalaba, a manos llenas, las mejores prendas que él, generosamente, compartía luego con los demás.

En verdad él no daba mucha importancia a estas cosas. Muchas veces nos reímos ante la falta de conocimiento que tenía de las marcas y de las modas de lo que le regalaban.

Un día, caminábamos por una calle con Evaristo (cofundador de la Comunidad Siervos de Cristo Vivo) y Yolanda. De repente, caí en la cuenta de que llevaba una camisa de Ives St. Laurent, una correa de Cartier y unas medias de Pièrre Cardin. Le dije bromeando, a la vez que me reía: "Pero, padre, ¡usted está vestido de diseñador!". Él se detuvo y se puso a mirar las diferentes letras que nosotros señalábamos en sus prendas de vestir, y muy sorprendido decía: “Pero, cómo, ¿qué significan esas letras? ¿Es que esta ropa es muy cara? ¡Pero si todo me lo regalaron!”. Parecía que se le caía la cara de vergüenza, mientras los tres nos reíamos de su candidez. Al otro día, recogió todo y se lo regaló a Evaristo.

Su viaje a Tahití también me trae gratos recuerdos. ¡Gozó tanto en ese viaje! Llegó con una maleta nueva que la misma gente le tuvo que comprar para que empacara los regalos y, específicamente, las dieciocho camisas que le regalaron entre muchas otras cosas. En los días siguientes, todos los hombres de nuestra comunidad lucieron sus camisas de flores de todos los colores que él había compartido; y ninguna de nosotras, las mujeres, nos quedamos sin los hermosos collares de múltiples caracolitos que nos regaló.

Luego de ese viaje, nos contaba que hubiese necesitado un “cuello de jirafa” para que pudiera colocarse todas las

¡Hubiese necesitado un cuello de jirafa! Tahití, 27 de octubre de 1982.

coronas de flores que le pusieron durante la bienvenida en el aeropuerto. "Esa gente es muy simpática", decía con su acento francés.

La Comunidad Siervos de Cristo Vivo es testigo de su gran generosidad y de su inmensa fe y confianza en Dios. Los que trabajábamos con él, nos sentíamos con frecuencia un poco nerviosos, ya que a nosotros no se nos había concedido esa confianza en la Providencia de Dios que él sí tenía. En ocasiones nos parecía que sus proyectos eran exagerados y sentíamos temor. Cuando le reclamábamos por su audacia, él respondía: "¿Cuándo nos ha fallado Dios?". Dios Padre nos enseñaba una lección a través de él.

> *"Miren cómo las aves del cielo no siembran, ni cosechan, ni guardan en bodegas, y el Padre celestial, Padre de ustedes, las alimenta. ¿No valen ustedes más que las aves? ¿Quién de ustedes, por más que se preocupe, puede alargar su vida? Y ¿por qué preocuparse por la ropa? ¡Miren cómo crecen los lirios del campo! No trabajan ni tejen, pero créanme que ni Salomón con todo su lujo se puso traje tan lindo. Y si Dios viste así a la flor del campo que hoy está y mañana se echará al fuego, ¿no hará mucho más por ustedes, hombres de poca fe?". (Mateo 6:26-30).*

Así fuimos viendo cómo se construían y se compraban las casas de oración y de acogida de la Comunidad; la obra que él tanto amó: las escuelas de evangelización donde se preparan los evangelizadores; así como también el centro médico Pan y Vino, al servicio de los más pobres; y el estudio de televisión que acogió el ministerio Lumen 2000, de la Comunidad de Siervos de Cristo Vivo, para uso de los medios de comunicación, el cual adquirió gran importancia para el padre, debido a que conocía el alcance de esta obra.

Pero él, en su interior, era profundamente desprendido y amante de los necesitados a quienes tendía la mano con generosidad. ¡Muchos hoy en día dan testimonio de las ayudas materiales que recibieron de él y que tanto bendijeron sus vidas!

En una ocasión le oímos decir: "El hombre que tiene un alma de pobre tiene un espíritu receptivo y un corazón acogedor; sabe escuchar; sabe respetar el sufrimiento de los demás y nunca tiene la tentación de creer que puede remediar todas las situaciones. El hombre que tiene un alma de pobre no es tacaño, sino sensible a las necesidades de los individuos y de las naciones".

Pienso que en su vida sacerdotal siempre se ocupó de los pobres de una manera concreta. Recuerdo el caso de aquella señora que había asistido al retiro para mujeres dedicadas a la prostitución, que dimos en el año de 1978. La historia que me contó entre sollozos durante el retiro, tocó mi corazón inmensamente. Ella estaba en esa vida y no quería seguir. Era muy pobre y se desesperaba cuando no tenía nada para darle de comer a su pequeña hija. Entonces, como último recurso, iba al prostíbulo.

"Cuando el hombre se levantaba de la cama –me contaba con voz entrecortada por las lágrimas–, yo me tiraba de rodillas en el suelo y le pedía al Señor que me ayudara a salir de esta vida y a no caer más en pecado".

En ese retiro, esta mujer, como muchas otras, fue profundamente tocada y se confesó con el padre Emiliano, sinceramente arrepentida y con la decisión de no caer más en pecado.

Esta sufrida mujer volvió a su casa y trató de buscar trabajo; pero al no encontrarlo, al cabo de muchos días, empezó a vivir la tragedia del hambre y del llanto de su niña. "Aquella noche –cuenta– me dormí desesperada, pues no podía soportar el sufrimiento de mi hija a quien vi dormirse finalmente rendida de hambre, entre gritos y sollozos. Antes de dormir, me dije: 'No puedo más, mañana vuelvo al prostíbulo'. Mientras dormía, tuve un sueño. En ese sueño veía un camino muy largo y lleno de luz que se abría delante de mí. Al final del mismo estaba Jesús que, abriéndome los brazos, me invitaba a caminar con confianza, a la vez que me decía: 'Al que anda en este Camino, no le falta nada' ".

Ella cuenta que en ese momento se despertó y se arrodilló en el suelo, pidiéndole perdón a Dios por su decisión de la noche anterior. Con gran arrepentimiento y entre lágrimas, le dijo que en vez de ir a pecar, iría a casa de los hermanos a pedir oración, y así lo hizo temprano en la mañana. Cuál sería su sorpresa cuando, al llegar al lugar de trabajo de uno de ellos, se encontró con el padre Emiliano, quien muy alegremente le dijo: "¡Qué bueno que te encuentro, hermana! Ahora mismo te íbamos a mandar a buscar. Mira, recibí una donación desde Canadá para ayudar a los pobres, y hemos decidido dártela a ti para que empieces un negocito y puedas mantener dignamente a tu hija".

"En ese momento –confiesa ella– recordé las palabras de Jesús la noche anterior: 'Al que anda en este Camino, no le falta nada' ".

Al escribir estas líneas, han pasado veinte años de esta experiencia, y a partir de ese momento esta mujer siguió viviendo una verdadera vida de fidelidad y entrega a Dios, felizmente casada. Son muchos los que dan gracias a Dios por el "papá" que fue el padre Emiliano para ellos. Hay muchos testigos de la Providencia del Dios invisible que se hizo visible a través de las manos pobres, pero generosas de este hombre de Dios.

Sin embargo, él mantenía la pobreza como estilo de vida llegando incluso a momentos de necesidad personal.

En lo profundo de mi corazón tengo grabado lo que sucedió en uno de nuestros viajes. Yo tenía que predicar con él en Nueva York. Primero, él predicaría sólo en francés a los haitianos, y luego nos reuniríamos para predicar a los hispanos en Nueva Jersey. Viajamos juntos en el avión, pero, al llegar al aeropuerto, nos separamos. Él se fue con los padres franciscanos que lo recogieron y acogieron en un monasterio en Manhattan, y yo tomé un taxi para dirigirme hacia la casa de mi hija mayor, Gisele, que vive en dicha ciudad. El programa era reunirnos dos días más tarde para ir a la catedral de San Juan Bautista en Patterson, Nueva Jersey.

A las pocas horas de llegar, muy entrada la noche, recibí una llamada de la secretaria del padre Emiliano, que me dejó muy alarmada. La noticia era que el médico del padre le había informado que era urgente localizarlo, ya que en el cultivo del esputo, hecho dos días antes, aparecía que había contraído dos bacterias patógenas: una Pseudomona y una Clepsiela, en su reciente viaje al África, y que era necesario darle tratamiento inmediatamente. Mi madre había estado muy grave unos meses antes con este mismo cuadro y sabía que, sin ser tratado, el padre corría un gran peligro.

Me puse en contacto con un médico dominicano que se ofreció atenderlo al día siguiente en el hospital. Muy entrada la noche, llamé al monasterio con mucha vergüenza, dicho sea de paso, para que me comunicaran con él, quien, con voz de sueño, me escuchó. Renuente al principio como un niño, finalmente me dijo que iría y que lo pasara a buscar al otro día. Sabiendo lo que cuesta la medicina en los Estados Unidos, le dije a mi hija que fuéramos a un cajero automático (era pasada la medianoche) para sacar dinero y así prever los gastos.

Muy temprano me levanté, tomé un taxi, pasé a buscar al padre y ambos nos dirigimos hacia el hospital. Cuando llegamos nos condujeron a la admisión, y lo primero que dijeron fue que, para admitirlo a un simple chequeo, debía pagar 400 dólares.

Para mí, hoy es, y por muchos años lo ha sido, uno de los momentos más hermosos vividos ante este hombre de Dios. Con alarma, abrió grandemente los ojos y se volvió hacia mí diciéndome: "¡Cuatrocientos dólares!, pero si yo no tengo tanto dinero".

Lo miré con ternura. Miles de pensamientos se agolparon en mi mente. Pensé en cuánto dinero había pasado por las manos de este hombre para, a través de él, edificar el Reino de Dios, cuántas obras de caridad, cuánta gente bendecida... y él no tenía para sí mismo con qué pagar una necesidad suya.

Recuerdo que se me llenaron los ojos de lágrimas (como se me llenan hoy cuando escribo estas líneas, lo cual hago con reverencia ante su memoria), y en voz baja le dije, poniéndole la mano en el hombro: "No te preocupes, padre, Gisele y yo pensamos en esto anoche, y tengo el dinero que se necesita".

Pero como el que todo lo da, todo lo recibe, ni siquiera tuve que pagar el dinero, ya que el mismo médico que lo atendió se ocupó de sufragar los gastos del hospital. ¡La infinita Providencia de Dios!

Emiliano Tardif fue un hombre rico en gracias divinas y de gran sencillez de corazón.

Hombre que, en la escuela de su hogar, aprendió la pobreza y vivió siempre con ella hasta su muerte. Es así como, al morir, fue vestido con un alba y una estola regalada por uno de los sacerdotes que asistía al retiro.

Señor Jesús, ayúdanos a apreciar
la gracia de nuestro bautismo,
a través del cual nos has hecho
profetas, sacerdotes y reyes.
Ayúdanos a comprender que hemos venido
de Dios y a Dios debemos volver.
Que este mundo es pasajero y que pasajeras
son las riquezas que él nos ofrece.
Ayúdanos a tener un corazón pobre y humilde
pero abierto a todas las gracias y bendiciones
que Tú nos quieras dar para ponerlas al
servicio de los hermanos.
¡Gracias, Señor!

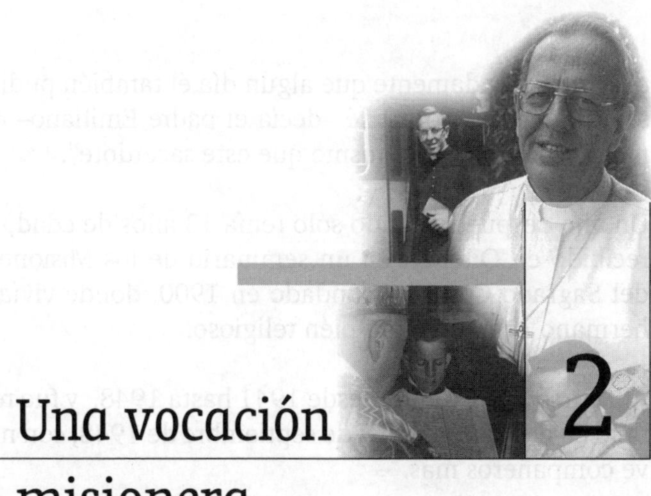

Una vocación misionera 2

El padre Tardif solía contar cómo sintió el llamado del Señor para que fuera misionero. En ese entonces, tenía 12 años cuando escuchó, en la parroquia a la que asistía junto con su familia, a un sacerdote dominico que se despedía de la comunidad porque partía para las misiones del Japón.

Emiliano en el año de 1949, en el noviciado de los Misioneros del Sagrado Corazón.

Ese anhelo misionero del joven sacerdote tocó lo más íntimo del corazón de aquel niño que escuchaba, y lo hizo desear profundamente que algún día él también pudiera ser misionero. "Yo pensé –decía el padre Emiliano– que me gustaría hacer lo mismo que este sacerdote".

Un año después, cuando sólo tenía 13 años de edad, fue recibido en Quebec, en un seminario de los Misioneros del Sagrado Corazón, fundado en 1900, donde vivía su hermano Armando, también religioso.

Allí cursó sus estudios desde 1941 hasta 1948, y fue recibido en el noviciado el 8 de septiembre de 1948, con nueve compañeros más.

Como nos compartiera su provincial, el padre Darío Taveras; el 3 de julio de 1952, el joven religioso M.S.C. **Emiliano Tardif escribió esta carta a su superior provincial:**

"Deseo sinceramente consagrarme a Dios en la Congregación de los Misioneros del Sagrado Corazón para servirle como religioso y como sacerdote. Después de pedir las luces del Espíritu Santo y, después de haberlo reflexionado mucho, yo le pido, reverendo padre, la admisión a los votos perpetuos. Mi confesor me anima a seguir la vocación de Misionero del Sagrado Corazón. Ese es mi más vivo deseo".

El joven Emiliano en el año de 1948.

Después de su año de noviciado en Sainte Clotilde, recibió su formación filosófica en la casa de estudios que su congregación tenía en Watertown, al norte del Estado de Nueva York.

Hizo su profesión perpetua el 8 de septiembre de 1952 y fue ordenado sacerdote por monseñor Desmarais, obispo de Amos, Canadá, el 24 de junio de 1955 en la parroquia de *Rapide Danseur* de Abitibi, donde vivía su familia.

Al leer unas notas del padre Emiliano, hechas durante su retiro preparatorio al sacerdocio, entre los días 29 de mayo y 4 de junio de 1955, me conmoví profundamente, pues es muy claro ver en ellas la devoción que tenía al Espíritu Santo. Sus palabras iniciales al comenzar el retiro fueron:

"Me sumerjo en el Espíritu Santo...".
"Baptizabimini in Spiritu Santo...".
"Con la Virgen del Cenáculo imploro la luz y la fuerza del Santo Espíritu".

¡Cuántas veces, años después, le escucharíamos decir las mismas palabras! El deseo de estar sumergido en el Espíritu Santo y dejarse mover por su fuerza vivificadora, fue una realidad que experimentó hasta su muerte.

Su programa para el retiro lo resumió en tres palabras: oración intensa, generosidad y meditación. Un programa de retiro que se extendió durante toda una vida, ya que todas las personas cercanas a él en las diferentes etapas de su existencia, podemos dar testimonio de que fue un hombre de intensa vida de oración, de una generosidad sin límites al servicio de todos y que dedicaba parte de su tiempo a la meditación, a pesar de tantos trabajos y compromisos que tenía.

La ordenación del padre Tardif fue todo un acontecimiento en la región agrícola de Rapide Danseur. La familia y los miembros de la parroquia de San Bruno se reunieron para el acto presidido por el reverendo monseñor Desmarais. A continuación se transcribe **el artículo publicado en el periódico *La Voz Nacional*,** en marzo de 1956, acerca de la región de Rapide Danseur:

"El río Duparquet, desembocadura del lago del mismo nombre, se vierte sobre el lago Abitibi, situado un poco más al Norte. En su curso, se reduce y toma velocidad; la corriente de agua impetuosa, casi con cólera, choca contra las rocas. Estos son los rápidos, los rápidos que 'danzan'.

¡Es Rapide Danseur!
Dice una leyenda que los indígenas fueron quienes le dieron a este lugar dicho nombre tan evocador y fino, lleno de encanto y poesía.

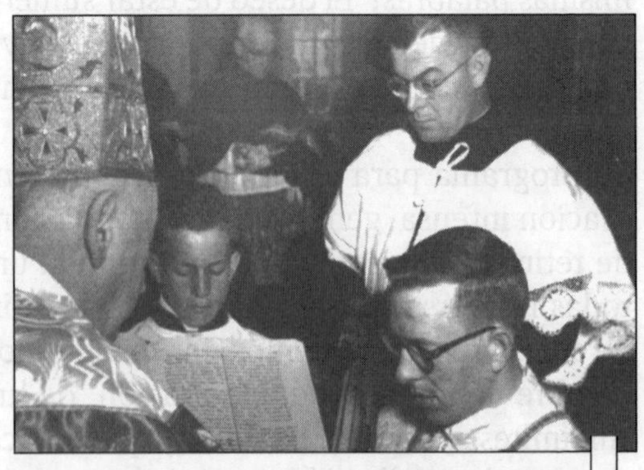

Ordenación sacerdotal del padre Emiliano el 24 de junio de 1955, en Rapide-Danseur, Quebec.

Ellos se veían forzados a hacer una parada en su recorrido y como no podían descender los rápidos en canoa, montaban sus tiendas sobre la playa y organizaban sus danzas bajo la luz de la luna.

Este nombre se mantiene a pesar de que la parroquia de Rapide Danseur se llama en realidad San Bruno. Una parroquia joven y nueva, en la que todo el mundo es practicante y donde se celebran las exequias de los seres queridos. De este modo, enraizada en el pasado, y sin embargo, resueltamente mirando hacia el futuro, la población, fuerte y sana, se mantiene fiel a la tierra y obtiene de ella las virtudes de la paciencia y la tenacidad.

Una multitud reunida

La multitud reunida en la escalinata de la iglesia, la mañana del 24 de junio, ¿qué espera? Su mirada se vuelve hacia el presbiterio, a sesenta pasos.

Esta iglesia toda de bloque, sólida, situada coquetamente sobre una loma, cerca del río, es la imagen de un paisaje completo. Una iglesia que está hecha de hermosas piedras redondas, lisas, piedras de arena. El sacerdote, desde un comienzo, el dinámico padre Augusto Dion, quiso que así fuera su iglesia: hizo que los parroquianos la construyeran con sus manos, con madera y piedras recogidas de esos alrededores. Así pues, esta iglesia es doblemente de ellos.

La multitud mira hacia el presbiterio, espera al diácono Emiliano Tardif, a quien el reverendo monseñor Desmarais debe ordenar sacerdote esta mañana. Las familias Tardif, Larochelle, sus familiares, sus amigos y otros que han venido desde lejos están presentes.

Las puertas del presbiterio se abren. Aparece el obispo revestido de los ornamentos pontificales, llevando la mitra y la cruz brillante como el sol, y a su lado, el futuro sacerdote, con la insignia del sacerdocio en su brazo derecho, la casulla, la cual le será conferida en un momento.

Foto tomada el día de la ordemación sacerdotal del padre Emiliano Tardif(✪), en Rapide Danseur, el 22 de junio de 1995. Le acompañan entre una multitud de parientes y amistades: sus hermanos (1)Louis, y Armand; sus progenitores (3) Leonidas y (4) Anna. Otros hermanos y hermanas: (5) Philippe, (6) Ivonne, (7)Adriana, (8) Rosa, (9) Armandina, (10) Irene y (11) Adrián.

La iglesia construida con las manos de los parroquianos. Por eso es doblemente de ellos.

Se inicia el cortejo. Al comienzo, la cruz y dos acólitos que llevan unos candelabros, después seis niños del coro, y los sacerdotes, los prelados, unos veinticuatro, un número considerable para una pequeña parroquia rural; y, cerrando el cortejo, el obispo y el ordenado.

Qué devoción la del joven sacerdote, y qué abrumado y emocionado se encuentra con esta ceremonia tan cercana. Vemos de qué manera avanza pálido, emocionado, con las manos juntas.

La ordenación

El cortejo entra en la iglesia y luego lo hace la multitud.

Ante el Sagrario se arrodilla el obispo vestido con una casulla blanca. El ordenado se pone de rodillas, se postra, con las manos cruzadas en la frente. Permanece inmóvil mientras el clérigo entona la Letanía de los Santos.

Protegido por los ángeles y los arcángeles, patriarcas, profetas, apóstoles, evangelistas, mártires, confesores, vírgenes, viudas, eremitas, penitentes... ¡Y el mismo Cristo! Te rogamos...

Estos son los ritos propios de la ordenación, la exhortación del Pontífice, las amonestaciones... "Es con un gran temor como uno debe

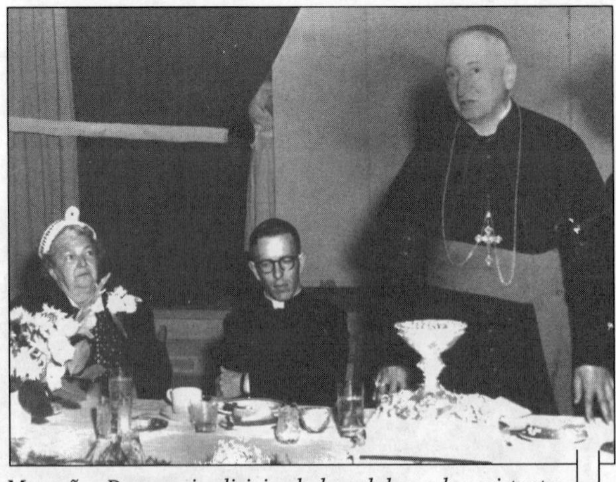

Monseñor Desmarais, dirigiendo la palabra a los asistentes.

La familia Tardif junto al nuevo ordenado.

llegar a esta gran dignidad... Es necesaria la sabiduría del cielo, una conducta probada, una larga práctica de la justicia que, a su vez, deben recomendar los elegidos... para que ellos cuiden del pueblo".

Desde lo alto del púlpito, un sacerdote explica en francés el sentido de la ceremonia y traduce las oraciones en latín.

El sacerdote, que está acostado entre el pueblo y el altar, se arrodilla frente al consagrante que unge sus manos unidas, con el santo crisma. En un instante recibirá el cáliz y la patena, pronunciará en unión con su obispo, las palabras de la consagración... Recibe el poder de ofrecer el sacrificio tanto por los vivos como por los muertos. Una vez más se arrodilla delante del obispo y le promete obediencia.

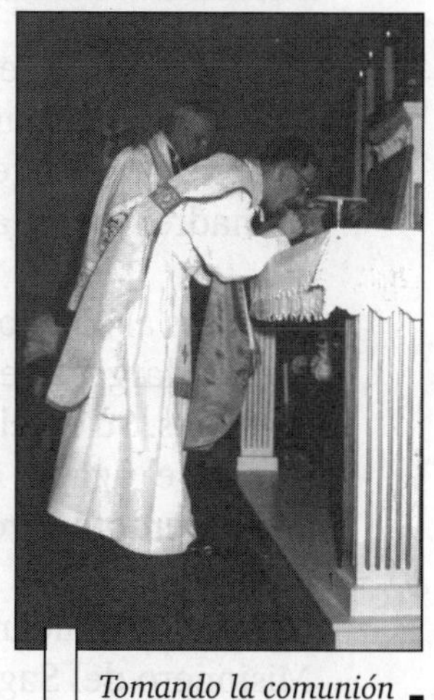
Tomando la comunión en su primera misa.

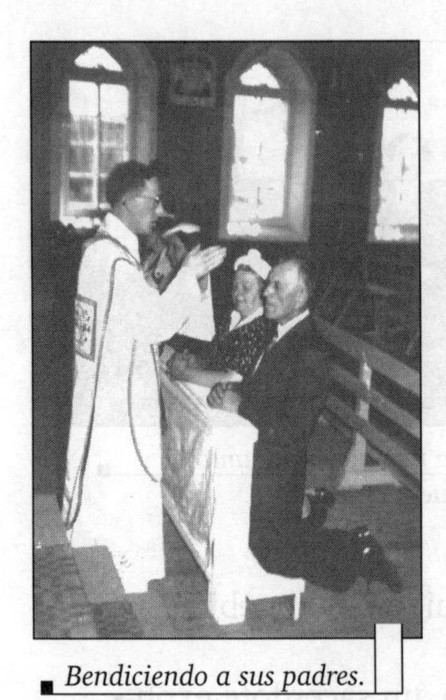

Bendiciendo a sus padres.

El primer acto de su sacerdocio es la concelebración con el celebrante. Todos aquellos que siguen deberán unirse al obispo en subordinación a la autoridad, la cual se deriva de su calidad de sacerdote y pastor. El joven sacerdote comienza su vida sacerdotal bajo el signo de la subordinación y la cumplirá de inmediato.

La ceremonia finaliza con un canto de acción de gracias. ¡Tedéum!

Ágape de hermanos

Todo el mundo se acerca al nuevo sacerdote quien, con sus manos acabadas de consagrar, se apresta a bendecir, primero a su padre y a su madre; luego, a los familiares y amigos.

Bajamos al sótano de la iglesia donde encontramos largas mesas arregladas y llenas de manjares. Su excelencia, monseñor Desmarais preside el ágape. Al final de la comida, el joven sacerdote Tardif toma la palabra.

Habla de su alegría de ser sacerdote, de ser Misionero del Sagrado Corazón.

> Desde niño ha tenido un gran libro abierto y cada página le ha dado una lección: el libro de la casa, de la familia, de los campos y de los bosques; el libro del establo y del corral; el libro de las cuatro estaciones; el libro de la ciudad y el de la iglesia, el del sol y el de las estrellas... El deber, lo aprendió a leer en las letras luminosas de un libro del que nunca se ha cansado: el libro de la vida de su madre... Su excelencia monseñor Desmarais recuerda que el primer jardín y el más natural, donde debe germinar y hacer crecer las flores de un santuario, será siempre la familia verdadera y profundamente cristiana. La vocación sacerdotal es una edificación que nace de la tierra y cuya cima es el cielo. Es la familia, normalmente, la que impone los cimientos.

El actual párroco, el padre Lafrenière, y el anciano sacerdote, el padre Dion, se complacían dándole un homenaje a la familia, tranquila y activa; la familia franco canadiense, cuyas tradiciones seguían floreciendo hasta formar pueblos fuertes. Los hombres de la tierra no sacan beneficios. Son hombres que viven lejos de la aventura y de la agitación, engrandecidos por el trabajo y libres bajo el gran cielo. La tierra es un semillero de hombres y de sacerdotes...

Nosotros mismos interrogamos a la señora Tardif. Su emoción, su orgullo de ser madre de un joven sacerdote, su alegría, sus lágrimas de gozo, y todos sus sentimientos se explican, se comprenden. Ella recordó lo siguiente, sin esconder su pudor: en los primeros tiempos en que vivíamos en nuestra casa de colonos, ¡cuántas lágrimas vertí!

Éstas de hoy son más dulces, ellas borran el sufrimiento de todas las demás, y las dejan como un simple recuerdo".

Este es el **primer sermón pronunciado por el padre Emiliano** y cedido amablemente por su hermana Irene Tardif Sloan; quien a su vez encontró esta hermosa nota, escrita directamente por el padre Emiliano:

Extracto de mi primer sermón dado en Rapide Danseur después de mi ordenación, y transcrito a mano por mamá... Esta página fue encontrada por Irene entre los papeles de mamá y conservada por mí, Emiliano.

"Un día, los primeros cristianos celebraban una gran fiesta e invitaron al apóstol san Juan a que les dirigiera la palabra. Este anciano, que había conocido a Cristo, era el más amado por los cristianos de esa época. Como un abuelo honorable, amaba tiernamente a sus fieles y les manifestaba mucha ternura. Sólo le reprochaban una cosa: se quejaban de que empezaba a chochear... ya que repetía siempre la misma cosa en sus sermones: siempre le repetía a los cristianos que se amaran los unos a los otros. Y en ocasión de esta gran fiesta, los cristianos lo invitaron para que les dirigiera la palabra, con la esperanza de que este discípulo del Sagrado Corazón pudiera hablarles del Maestro, revelándoles nuevos secretos de la vida de Jesús, el Hijo de Dios. Entonces, el santo anciano se acercaba dulcemente y repetía lo que él había predicado toda su vida: 'Hijitos míos, ámense los unos a los otros'.

¿Cómo era, mis hermanos, que este apóstol que había tenido la suerte de escuchar todos los sermones de Nuestro Señor y que había aprendido todos los secretos de su Corazón, cómo era que este gran evangelista que había escrito unas páginas tan elocuentes en su Evangelio, no encontraba más que una cosa para predicar: 'Hijitos míos, ámense los unos a los otros'? La respuesta está contenida en el Evangelio de esta mañana, mis hermanos, y es muy clara. Observen a este doctor de la Ley que quiere hacerse el sabio y le hace a Jesucristo esta pregunta: 'Maestro: ¿cuál es el mandamiento más grande?' 'Ama al Señor, tu Dios, con todas tus fuerzas, con todo tu corazón y con toda tu alma, y a tu prójimo como a ti mismo'. Éste es el mandamiento más grande.

La caridad es el mandamiento más grande. Amarás al Señor y amarás a tu prójimo. La caridad es el gran mandamiento del Maestro. Si solamente haces esto, dice el mismo san Juan, es suficiente. Cristo quiere vernos practicar la caridad con el prójimo, caridad que Él mismo considera su gran mandamiento, el mandamiento más grande de la nueva ley. Amarás al Señor tu Dios. Y el segundo se le parece. Amarás a tu prójimo como a ti mismo. Amarás no solamente a aquellos que te hacen el bien. ¿No hacen lo mismo los paganos? Pero tú amarás a todos los hombres.

El deber lo aprendió a leer en las letras luminosas del libro de la vida de su madre.

Ámense los unos a los otros como yo mismo les he amado, dice el Señor. Y ¿cómo nos ha amado? Él nos ha amado con un amor inmenso, sin límite. Nos ha amado hasta dar su vida por nosotros, su corazón, su sangre hasta la última gota y, al final, nos ha dado su madre antes de morir. Nos ha dicho que no hay prueba más grande de amor que dar su vida por aquellos que uno ama, y Él ha dado su vida por nosotros. Él nos ha dado un signo auténtico por el cual sus discípulos serán reconocidos: 'Por esta señal reconocerán que ustedes son mis discípulos, –dice– si ustedes se aman los unos a los otros'. Los primeros cristianos comprendieron muy bien este mandamiento del Maestro, ellos mismos asombraban a los paganos y estos decían de ellos: 'Miren cómo se aman' ".

Sabemos que durante su último año de teología, cuando ya era sacerdote, el padre Emiliano estuvo reflexionando sobre su futuro ministerio. El 8 de diciembre de 1955 solicitó, a través de una carta que le escribió a su superior provincial, venir a República Dominicana:

> "La historia de los orígenes de nuestra Congregación nos dice que esta fiesta de la Inmaculada Concepción es un día muy favorable para obtener un gran favor de Dios. A mí me parece que es una ocasión favorable para pedirle algo a usted, quien es para mí el representante de Dios. Yo estaría feliz de ir a ejercer mi apostolado misionero a Santo Domingo o a otras partes... La razón de mi preferencia es la gran pobreza de la gente que está privada de los sacramentos, y también, porque me parece que en el apostolado misionero yo podría hacer fructificar mejor los pocos talentos que Dios me ha dado... Confío esta petición a Nuestra Señora del Sagrado Corazón".

Bien hizo el joven sacerdote en confiar su petición a la Virgen Santísima. Los que hemos descubierto la riqueza de la devoción a Nuestra Señora del Sagrado Corazón, sabemos que su intercesión de madre es poderosa; por eso, no se hizo tardar la respuesta positiva del provincial. El padre Emiliano, a los 28 años de edad, el 16 de septiembre de 1956, llegaba a tierra de misiones, tal como lo había deseado desde los doce años, cuando oyó hablar al dominico que le encendió el corazón hacia las misiones y le hizo decir: "Algún día yo también seré como él".

Como dato curioso quiero compartir lo que nos contó el padre Tardif, cincuenta años después, cuando al estar predicando retiros en el Japón, se encontró con aquel padre dominico que, aún a pesar de su avanzada edad, permanecía de misionero en la región. Para el padre Tardif fue motivo de gran alegría encontrarlo y, sobre todo, poder compartir con él el hecho de que por aquel sermón de despedida, cincuenta años atrás, el padre Emiliano había recibido su llamado al sacerdocio.

El 16 de septiembre de 1956, el misionero parte hacia República Dominicana.

El anciano dominico se puso muy contento cuando escuchó la historia y jocosamente le dijo: "¡Entonces ya puedo decir que en mi vida, al menos, mi predicación produjo un milagro: la vocación del padre Tardif!".

Este es el **texto de la carta que le escribió el padre a sus superiores, al llegar a República Dominicana**, contándoles sus primeras impresiones en tierra de misiones. La retomamos aquí por considerarla un documento hermoso, de gran valor en la vida del padre Emiliano:

Primera misión a República Dominicana.

"Perdido de lleno en las Antillas, quiero, aunque sea cuando regrese, hacer una pequeña visita a la oficina de Anales para saludar a nuestro querido director y a sus asociados, padres Jos, Doyon y Quinn, y saludarles de parte de todos los compañeros de Santo Domingo.

Usted va a decir que me cuesta escribir. Para ser sincero, no hay nada de eso. Quiero enviarle simplemente estas líneas que hablarán un poco de mi primera impresión.

Estoy muy contento de haber seguido el consejo que usted me dio el pasado otoño, de que me ofreciera para el apostolado en Santo Domingo, siempre y cuando me interesara. Después de mi llegada pude hacer contacto con algunas parroquias, con la vida dominicana, con el ministerio aquí de los Misioneros del Sagrado Corazón, y francamente estoy contento de haber venido a trabajar aquí. El ministerio me parece muy interesante, y el parecer de los sacerdotes es que aquí se verán los resultados que llenarán de entusiasmo.

Algunos sacerdotes están agobiados de trabajo, pero ninguno trabaja más de 24 horas al día, y la salud de algunos luce muy buena. Así mismo, vemos que existe mucho cansancio acumulado en los más viejos. Después de unas visitas a los campos, comprendo un poco mejor por qué muchos de nuestros compañeros encanecen aquí como los Sacerdotes de la

Oficina de Anales. Esta semana salgo para nuestro Seminario Misionero de Las Matas donde pasaré algunas semanas practicando únicamente el español, con un profesor laico que le da unas lecciones de cursos de español a los padres Trottier, Goulet y Naud, y entonces iré a Julia Molina en donde he sido nombrado vicario. Después de tres semanas de vida aquí, no tengo mucho que contarle... mi experiencia es limitada. De todas formas, aquí le pongo mis primeras impresiones:

Una fiesta nacional

He llegado hace apenas tres días a la República... y ¡ya hay una gran fiesta a la vista! La fiesta de Nuestra Señora de las Mercedes, el 24 de septiembre. Aquí es una fiesta nacional, como la de San Juan Bautista en Quebec. Y ni aun el pueblo más pequeño deja de celebrarla con grandes solemnidades.

El padre París ha decidido visitar ese día la población de Canabacoa, ya que la capilla de ese pueblo está dedicada a Nuestra Señora de las Mercedes, y celebrará allí una fiesta especial a la Virgen, Patrona de la República. Él me ha invitado para que le acompañe. Para un primer contacto con el fervor dominicano, dice él, nada mejor que una visita a una capilla en el campo.

El 23 en la noche, a eso de las seis de la tarde, nuestra camioneta hace su entrada al pueblo.

De todas partes nos saludan con gritos de alegría. ¡Un recibimiento de lo más simpático! Y seguido, el guardián de la capilla se dispone a prender los "cohetes", unos fuertes petardos que explotan con estruendo para anunciar a los fieles más lejanos la llegada del sacerdote misionero.

Ya la noche comienza a caer. Una verdadera sorpresa para un muchacho del norte... ya que no son más que las seis de la tarde. Aquí el sol, tan caliente en el día, se oculta muy temprano y, para satisfacción de todos, cerca de la hora de la cena invita a la luna a salir a presidir las largas noches tropicales.

Nuestra camioneta, un regalo de unos generosos benefactores canadienses, transporta todo lo que se necesita para la misa: una maleta con los ornamentos sacerdotales, el cáliz, dos grandes copones llenos de hostias para consagrar, el misal, el vino de misa y hasta el agua bautismal para los recién nacidos que esperan la llegada del sacerdote para convertirse en hijos de Dios. En la parte de atrás de nuestro vehículo también tenemos un generador que nos suministra electricidad para la luz y el altoparlante.

Lo primero, la luz. El Padre pone el generador en marcha y la capilla se ilumina. Una capilla grande de 23 x 9 metros, con un techo de paja de caña y un buen piso de tierra que refresca los pies calientes. El micrófono se instala cerca del altar. El padre saluda a sus 'muy queridos hermanos', les anuncia que habrá dos misas al día siguiente para permitir que todos los fieles puedan asistir, y se pone en el cuello la estola para las confesiones.

¿No ayuda usted al padre París?

En las afueras de la capilla me ocupo de conversar con un grupo de curiosos. Me hacen toda clase de preguntas... ¿De dónde viene usted? ¡Ah, de Canadá!... ¿Cuántos días le tomó hacer el trayecto? ¿Hace mucho que usted es sacerdote? ¿Son muchos en su casa? ¿Dónde trabaja su papá? Con todas estas preguntas, me gozo en estudiar sus rostros nuevos. Todo, hasta la piel de los niños, me recuerda que estamos en un país abrasado por el sol. Y a la luz vacilante de las bombillas, me doy cuenta de que muchos chiquillos probablemente han dejado sus vestimentas en la tienda... lo cual quizás cuesta menos y es más fresco para los pequeñines.

Unos minutos más tarde, una persona viene a preguntarme por qué no voy a ayudar al padre París a confesar... ya que la fila de los penitentes es muy larga y el pobre padre está bañado en sudor. Yo me excuso y le explico que vengo de Canadá, y no se mucho español. Entonces, con mucha cortesía, ellos me aseguran por todos lados: "¡Ah, padre, usted habla ya muy bien! ¡Usted aprenderá muy rápido!". No creo nada de eso y el padre confesor continúa sudando solo.

A las diez y cuarto, el padre anuncia que atenderá las otras confesiones en la mañana siguiente, y nos vamos a acostar a la casa cural, un pequeño presbiterio construido por el estilo de la capilla. Una mesa, dos sillas y dos camas nos esperan. No hace falta nada más. Cada cama tiene su mosquitero que se debe volver a cerrar para evitar que los mosquitos se acuesten a dormir con uno. Al apagar el generador hay una completa oscuridad con una calma profunda y un gran silencio. El padre Raynald, que se mantiene siempre cercano a nuestros compañeros de Canadá, comienza a bombardearme con preguntas, como si fuera un periodista que tiene un artículo muy importante que redactar. Así se prolonga la vigilia hasta las once y cuarto de la noche, charlando de los buenos viejos tiempos.

¡Callados! Hay que dormir, ya que en la mañana, a las cuatro y media, llegan los fieles a la capilla para la oración y las confesiones.

Cada cama tiene su mosquitero.

Los parroquianos nos despiertan de madrugada

Y de hecho, apenas había conciliado el sueño, ya teníamos que levantarnos. ¡Las cuatro y media! Entre las tablas de la pared, distingo una multitud de fieles que hablan ruidosamente en la puerta de la capilla. ¡Deprisa, padre! Es la hora de absolver los pecados. Diez minutos para lavarse y el padre gordo camina hacia la capilla, prodigando a cada uno una gran sonrisa. Yo soy más afortunado que él, pues celebraré la misa más tarde... ¡a las ocho de la mañana!, por lo que me doy vuelta en la cama para dormir un poco, antes de la meditación.

El joven sacerdote en un momento de lectura.

A las ocho menos cuarto, se prepara la segunda misa. El sacerdote se encuentra en un callejón sin salida... La asistencia de los fieles es más numerosa, sobrepasa el tamaño de la capilla. La gente que ha venido para la primera misa, se ha quedado para oír la segunda. Ya que el sacerdote no viene todos los domingos, hay que sacarle provecho.

El padre París decide que yo celebre la misa afuera. Así, todo el mundo podrá asistir. Se lleva una mesa cerca de la capilla y, con una piedra y un mantel, tendremos un hermoso altar. Como resultado, todo está listo.

De repente, el padre Jacques Godbout (aquí le llaman el padre Santiago) nos llega de prisa de Licey, una capilla vecina situada a 24 kilómetros de aquí. Él había celebrado la misa muy temprano para poder así responder a la invitación del padre París y venir a dar el sermón correspondiente en Canabacoa. El padre Santiago, gran predicador de la Virgen, era el hombre que necesitábamos para darle lucidez a esta gran fiesta.

Comienza la misa. "Introibo ad altare Dei...". El padre Santiago, parado sobre un banco, inicia la misa y hace cantar a la multitud. Con la ayuda del micrófono, unas 1.400 personas que están allí paradas lo escuchan, bajo un pleno sol. Seguimos la misa con fervor, lo más cerca posible del altar. Durante el Gloria, necesito abrirme camino para sentarme en una silla, situada un poco lejos.

Junto a dos misioneros del Sagrado Corazón.

Las distracciones no faltan pero jamás, quizás, había celebrado la misa con tanto fervor.

El padre Santiago ve, a noventa metros de la capilla, a una vendedora que comienza a acaparar monedas de sus licores y chocolates... Sobrecogido de una santa ira, sale a buscarla, pues durante la consagración no se hace venta de ninguna clase. *"Mi casa será llamada Casa de Oración. Pero ustedes la han convertido en una cueva de ladrones"* (Mateo 21:13).

La gente entona preciosos cantos a la Virgen, durante el *Kyrie*[1] y el *Sanctus*[2]. En el sermón, nuestro predicador saca su más bella voz y, embargado por el entusiasmo de la multitud, no me permite entonar el Credo hasta después de la media hora de su gran predicación, al estilo de san Bernardo. De tiempo en tiempo, el sermón se veía interrumpido por vivas hechas por el padre para que los asistentes las repitieran. ¡Viva la Virgen! ¡Viva Nuestra Señora de las Mercedes! ¡Viva la Patrona de República Dominicana!

La comunión fue numerosa. Distribuimos un poco más de un millar. Entre los comulgantes, una respetable abuela, toda extasiada, olvidó

1. *Kyrie:* en griego "Señor ten piedad". Momento del Señor ten piedad en la Eucaristía.
2. *Sanctus:* en latín "Santo". Momento del santo en la Eucaristía.

el rito necesario para comulgar y el señor que sostenía la patena, hizo que me avergonzara, al gritarle: "¡La lengua! ¡La lengua!". Aquí están todos muy empeñados en rendir un servicio, sobre todo durante las ceremonias litúrgicas.

Los bautizos

Finalizada la misa, el padre París me pide que bautice en la capilla, mientras él se reúne con sus jóvenes catequistas para una charla especial, antes de nuestra partida. En la capilla esperaban diez bebés en los brazos maternos. Después de algunos minutos se formó un episodio de llanto y de gritos causados, quizás, por el sabor de la sal. Después de un año de ordenado en Canadá, yo tenía acreditado sólo tres bautizos y, en esta primera visita a una capilla, efectué diez... con los bellos nombres de Altagracia, José de Jesús, Reina de los Ángeles, no todos con lindos vestidos de bautizo, pero todos hijos de Dios, puestos en la tierra para conocer, amar y servir. Creía que había

"Después de un año ordenado en Canadá, yo tenía acreditados sólo tres bautizos y en esta primera visita a una capilla, efectué diez".

El padre Emililano feliz de haber aceptado su apostolado en República Dominicana.

hecho una gran sesión de bautizos, pero el padre Santiago me dijo: "Esta es sólo una pequeña jornada. En algunas capillas, usted hará hasta treinta bautizos en una mañana".

Eran las once y media cuando hablaron de volver al presbiterio central, en Santiago. Una jornada de parada en este gran presbiterio, verdadero oasis después de la visita a estas capillas. Los misioneros partieron, de nuevo, cada uno por su lado, para visitar otras parroquias del campo, en camioneta o a caballo, según la localidad.

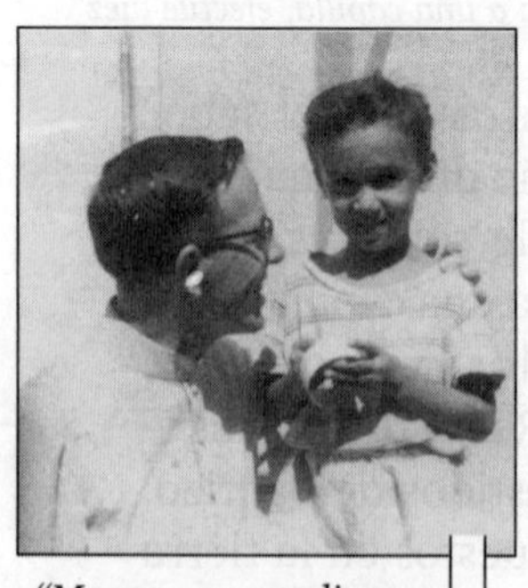

"Me gozo en estudiar sus rostros nuevos" -decía.

Cuando el padre París se despedía de la gente de Canabacoa, les anunció que volvería en un mes para celebrar una misa, confesar y bautizar a los niños. Y sus rostros, hasta ese entonces alegres, se ensombrecieron. Estos católicos fervientes se entristecieron de quedarse solos, una vez más, sin un sacerdote y por un largo mes. ¿Por qué el Padre no se quedaba en medio de ellos para ayudarles? Había demasiadas parroquias sin sacerdotes por lo que era imposible quedarse allí... a no ser que otros jóvenes vinieran y dejaran otras parroquias solas. Los misioneros se preguntaban con respecto a esos jóvenes: ¿Tendrán ellos en el corazón la llama que sobrepasa el temor de multiplicar por diez las fuerzas... esa fe que quiere arder siempre más lejos y más alta? ¿Tendrán ellos suficiente sed de almas? Y las lamentaciones del profeta me vienen a la memoria: *"Piden los niños pan, pero no hay nadie que se lo dé"* (Lamentaciones 4:4 B. Dios habla hoy). Los pequeños piden pan, el pan de la Eucaristía, y no hay suficientes sacerdotes para dárselo.

He aquí, querido padre, mis primeras impresiones. Ellas están llenas de entusiasmo. Yo se las he resumido antes de darle una buena noticia: Santo Domingo es un país maravilloso, y hace todo el calor que usted desee... el cielo es de un azul mágico y la lengua española no es tan difícil de aprender".

Fraternalmente en el Corazón de Jesús,

Padre Emiliano Tardif, M.S.C.

¡Esa era el alma de misionero que ardía por el celo de la salvación de las almas! ¡Cómo no agradecer al Señor por esta gracia que le concedió a República Dominicana, mediante este hombre de Dios!

Así que al llegar a República Dominicana, se entregó al trabajo misionero en las diferentes áreas que su congregación le confió en el transcurso de los años. Fue profesor del Seminario Misionero de Las Matas, director de la revista *Amigo del Hogar*, la cual renovó para luego fundar la imprenta conocida con el mismo nombre. Trabajó en diferentes parroquias atendidas por los misioneros; fue superior de la congregación desde 1966 hasta 1973, llevando grandes proyectos de su congregación como el Centro Vocacional de Licey, el Centro de Promoción de Nagua y la residencia donde hoy está situada la Casa Provincial en Los Prados. Fue presidente de la Conferencia de Religiosos (CONDOR), trabajó en los cursillos de cristiandad, en el Movimiento Familiar Cristiano y, de una manera especial, después de que el Señor lo sanó, ayudó a extender la Renovación Carismática en República Dominicana y en el mundo entero, gracias al llamado que tuvo hacia la Evangelización, con el poder del Espíritu.

A lo largo de todos sus años de trabajo en República Dominicana, no escatimó esfuerzos en su obra evangelizadora, pues siempre mantuvo el gran deseo de ayudar a todos, especialmente a los más necesitados del alma y del cuerpo.

En el año 1972 le escribió a su familia:

> "Desde mi regreso de Roma, encontré muchas cartas esperándome sobre mi escritorio, así como mucho trabajo; sin embargo, he logrado ponerme al día y todo está bien. Este año vamos a construir un centro de promoción humana y cristiana en la región más necesitada

de la misión, dirigido a la capacitación y promoción de nuestra gente. Esta es una obra muy positiva al servicio del pueblo dominicano. Vamos a inaugurar este centro de promoción a finales del mes de febrero. Allí daremos cursos de preparación para el matrimonio, cursos de catequesis para adultos, cursos para la pastoral juvenil y cursos de cooperativas para nuestros agricultores.

También hemos construido un pequeño y hermoso santuario a Nuestra Señora del Sagrado Corazón en el Centro Vocacional, el cual servirá de capilla para nuestros seminaristas y de centro de reflexión cristiana para los devotos de la Virgen que vengan a visitarlo. El santuario tendrá una capacidad de 250 personas. Será sencillo, bonito, moderno y muy acogedor.

Creo que éstas serán todas las construcciones. En estos meses, de los dos años que me quedan como superior, he completado el programa que me tracé y el último año de mi término podré respirar un poco. Mi sucesor no tendrá dinero en caja, pero tampoco deudas. Él recibirá la situación como yo la recibí hace siete años. Sin embargo, salí adelante buscando el dinero por donde podía encontrarlo, y creo que ahí están las obras que serán más útiles para el bien de nuestros cristianos dominicanos.

La situación política del país ha mejorado mucho, así como la situación económica.

Es muy diferente a lo que encontré cuando llegué hace dieciséis años. Tenemos realmente la impresión de que nuestra Iglesia progresa y que estamos preparando a nuestro pueblo para unas "mañanitas que cantan". Tenemos también bellas vocaciones que se preparan para el sacerdocio. Este año contamos con cuatro novicios y veintiún jóvenes que se preparan para el noviciado. No es mucho, pero es mejor que otras veces en las que no hemos tenido ninguna vocación.

Los dejo, por el momento, en esta noche, enviándole un beso grande para la mamá y los niños, y a todos, mis mejores deseos para el año nuevo.

Un misionero que piensa mucho en todos ustedes.

Emiliano".

Quiero compartir con ustedes, queridísimos lectores que, gracias a la lectura que hice de las cartas que la familia Tardif-Larochelle bondadosamente me envió después de la muerte del padre, pude adentrarme más en el conocimiento del corazón generoso de este misionero que ofrecía día a día su vida al servicio de su Amado, muchas veces, a pesar de sus deseos y de sus necesidades, a pesar de haberlo acompañado, por muchos años, en diversos lugares del mundo y en la vida diaria de nuestra comunidad.

No puedo dejar de compartir con ustedes un **extracto de la carta que el padre Emiliano le escribió a**

una hermana, al conocer el fallecimiento de su padre:

"Decidí hacer el sacrificio de no viajar para asistir al funeral, ya que fui dos veces a Canadá debido a la enfermedad de papá, pues le vi en el mes de septiembre y conversé largamente con él. Pero déjame decirte que el día de los funerales, justo en el momento del oficio, me sentí enormemente lejos de la familia. Sentí más que nunca la soledad de aquel que está lejos, en ocasión de la muerte de su padre o de su madre. El domingo, como estaba solo en la misa parroquial de ese día, anuncié yo mismo a todos los fieles de la parroquia sobre la muerte de papá, pidiéndoles que oraran por él. Te puedo asegurar que tuve mucha dificultad para terminar la misa en voz alta. La misma situación se repitió en la misa de funeral que celebré por él, con los religiosos y los empleados de esta residencia, el día de su entierro. Es una experiencia que nunca antes había vivido y me parece que hubiera sido bueno estar allá con toda la familia ese día, y habernos consolado

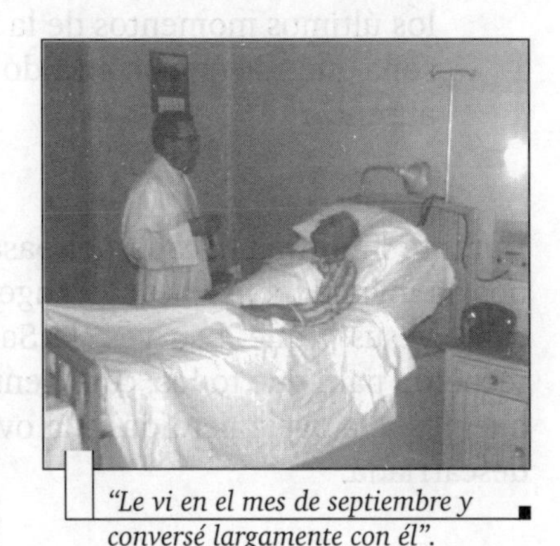

"Le vi en el mes de septiembre y conversé largamente con él".

mutuamente en el calor del cariño fraternal. Pero, en fin, el buen Dios me pidió este sacrificio, y lo he ofrecido con resignación por el reposo del alma de papá y de todos los difuntos de la familia.

Ahora que han transcurrido varios días, siento que papá está muy contento de pasar las Navidades en el cielo con mamá y con Aurelia. Nosotros todos unidos le pediremos que nos conceda la misma fortaleza que él tenía y que también nos de el mismo espíritu de fe en todas nuestras acciones y sufrimientos, con un valor de eternidad.

Agradezco a todos aquellos que me han escrito para contarme acerca de los funerales, especialmente a Armand y a Louis, quienes me enviaron unas cartas muy hermosas que me han hecho llorar, ya que ustedes saben cómo se desea tener detalles de los funerales cuando uno está lejos, y más los detalles de los últimos momentos de la vida de una persona querida que ha partido durante nuestra ausencia".

Durante la última década del pasado milenio, la Iglesia nos ha invitado a la Nueva Evangelización. Este es el grito de Jesús y que a su vez, la Santa Madre Iglesia nos recuerda para que todos, conscientes de escucharlo, busquemos a la oveja perdida, a la oveja herida y a la oveja descarriada.

Es el grito eterno de la misericordia de Dios Padre que tiene eco en la Iglesia de Dios, la cual se renueva como un llamado personal en cada uno de nuestros corazones, por la acción del Espíritu Santo.

Para mí, la vida de Emiliano Tardif, misionero del Sagrado Corazón, es una respuesta a este grito de amor de Dios. Pienso y creo firmemente, y así mismo lo hemos creído muchos de nosotros y otros tantos alrededor del mundo, que él ha sido, es y será un modelo extraordinario de la Nueva Evangelización a la que todos estamos llamados, experimentándola en nuestra propia vida como respuesta a la gracia que hemos recibido por el bautismo.

En estos días, después de su muerte, muchos sacerdotes se han referido al padre Emiliano con palabras hermosas que describen su vocación sacerdotal. El padre Mateo Andrés, S.J., decía en su **artículo "Don de Dios a Santo Domingo y al mundo", publicado en la revista *Amigo del Hogar* de julio–agosto de 1999:**

> "El padre Emiliano fue un predicador especialísimo, dotado de un poder de atracción asombroso, único y realmente carismático. El padre Emiliano fue solicitado en todas partes, como ningún otro predicador. Sabemos de sus viajes, largos y continuos, sin descanso, a cualquier parte del mundo a donde era invitado".

En otro lugar de su artículo, resalta:

¡Misionero del corazón de Cristo!

> "La irradiación de fe vívida y gozosa, característica de este hombre de Dios; una fe y una alegría que contagiaban incluso a los no creyentes o seguidores de otras creencias, distintas de la fe católica. Sus libros son testimonio de ese poder de irradiar. Es preciso reconocerlo: el padre Emiliano era, ante todo, testigo del Invisible. No orador, sino testigo. No predicador, sino un hombre que vivía su fe de manera auténtica".

El padre Vinicio Disla, de la Diócesis de Santiago, decía:

> "Tuve la suerte de compartir con el padre Emiliano durante los cuarenta y tres años de su presencia entre nosotros. Vino como misionero del amor del Corazón de Cristo. No vino como conquistador, sino como servidor contento. No vino como inquisidor, ni como arrogante sabelotodo, sino con la humildad de quien tenía que aprender de nosotros los del Tercer Mundo. Con el don de la sonrisa a flor de labios y el optimismo de quien es movido por el amor".

Monseñor Juan Antonio Flores Santana, arzobispo de Santiago le habló a la multitud reunida en el estadio Cibao, el día del funeral del padre en aquella ciudad:

"Desde que éramos jóvenes, nos conocíamos muy bien y a los dos nos tocó trabajar aquí en Santiago. Siempre noté en él al 'hombre de Dios', que vivía a cabalidad su vida sacerdotal y religiosa y, por otra parte, de grandes dotes humanas: inteligencia, mística de trabajo, diligencia y gran capacidad de organización y tenacidad para realizar sus proyectos evangélicos y humanos, venciendo con la gracia de Dios, con fuerza de voluntad y con sensatez, las innumerables dificultades que se le presentaban".

El padre Miguel José Vázquez, M. S. C., se refiere a él como:

"Testigo de la Misericordia", quien, "a pesar de convocar multitudes y ser reclamado internacionalmente por su ministerio de sanación, mostraba siempre una auténtica sencillez en el trato y una fraterna cercanía hacia las personas... Trató siempre de configurar su vida con Cristo, muy enraizada en la espiritualidad de su corazón, compasivo y misericordioso".

El padre Miguel Curran, superior general de los Misioneros del Sagrado Corazón, se refería a él en una carta de condolencia desde Roma, dirigida al padre Darío Taveras:

> "La muerte de nuestro estimado padre Emiliano Tardif nos ha afectado a todos profundamente en nuestra comunidad. Todos, entre estudiantes y miembros de la administración general, lo conocimos y quisimos mucho. Ayer estuvimos hablando de su bondad, de su predicación por tantos países del mundo, del impacto que tuvo en Indonesia el año pasado, de sus visitas a Italia, Roma, Francia, en donde se quedaba con gusto en nuestras comunidades... Hombre de profunda paz, de vida de oración y de pasión apostólica, pienso que vivió siempre en una profunda comunión con el Señor".

Las hermanas Clarisas Capuchinas comentaron:

> "Él ha sido un testimonio para nosotras y para toda la Iglesia. Testimonio de fe y confianza en el poder sanador del Señor Jesús y en la fuerza del Evangelio y de la Eucaristía. Testimonio de un apóstol entregado e infatigable, que muere en el mismo apostolado".

Su eminencia, el cardenal López Rodríguez, arzobispo de Santo Domingo, en una entrañable homilía en la misa de cuerpo presente, decía:

> "Me consta el inmenso bien que hizo a innumerables sacerdotes en el mundo. En más de

una ocasión, compartí con él algunos retiros internacionales. Recuerdo muy bien que en esos años él tenía un particular interés por ayudar a los sacerdotes en crisis, en problemas. Yo le decía a su superior que me parecía que el padre merecía estar en ese ministerio, libre de otras responsabilidades, para que él continuara trabajando en esa línea. Yo fui testigo de su ministerio, cuando predicaba los retiros a sacerdotes y siempre lo estimulé, pues hizo un bien inmenso. Ustedes saben lo que el padre Emiliano hizo en República Dominicana. Esa labor que sólo el Señor la puede evaluar en toda su dimensión. A quienes se beneficiaron de su servicio, hoy les digo: ¡Alégrense! Porque si Dios, por su misteriosa voluntad, ha dispuesto la partida de Emiliano, ahora él se constituye en el gran intercesor de todos ante el Señor, y esto nos consuela".

Podríamos incluir aquí innumerables testimonios sobre la vida y el ministerio sacerdotal del padre Emiliano. Los que lo veíamos a diario podemos decir que él gozaba plenamente su sacerdocio. Recuerdo haberlo escuchado decir que siempre fue muy feliz en el transcurso de los años, y que nunca tuvo dudas del llamado que el Señor le había hecho para el sacerdocio.

Como anécdota, quiero contarles que en el año de 1981, Evaristo Guzmán, el padre Emiliano y yo, hicimos un pequeño retiro en Asís, Italia. Veníamos de Roma donde habíamos asistido al Congreso Internacional de Líderes de la Renovación Carismática, en el que participamos como delegados de República Dominicana junto con otros hermanos.

Nos quisimos retirar a Asís para, bajo el espíritu del seráfico padre San Francisco, seguir meditando sobre la fundación de la Comunidad Siervos de Cristo Vivo, que se materializaría un año después.

Desde hacía varios años, viajábamos a muchos países predicando juntos, y nos sorprendía un poco la cantidad de veces en que el padre, al llegar a algunos países, se antojaba de comprar una alfombrita. Evaristo y yo, en voz baja, comentábamos: "Y ¿para qué será que compra tantas alfombritas?".

Dedicamos un día a dejar que el Señor sanara nuestros corazones. Como éramos tres, dos de nosotros orábamos por el tercero. Así, se oró primero por Evaristo y por mí, y el Señor sanó grandes heridas del pasado. Cuando nos dispusimos a orar por el padre, nos echamos a reír, diciéndole: "Pero, padre, ¿el Señor de qué lo irá a sanar, si usted siempre está tan feliz? Mejor ni oramos por usted". Pero él insistió para que lo hiciéramos. Después de unas cuantas carcajadas, nos pusimos serios e impusimos nuestras manos sobre su cabeza, para entrar en oración.

Mientras orábamos, todo mi pensamiento se llenó de una imagen muy clara que me causó sorpresa y hasta un poco de risa. El Señor me mostraba al padre Emiliano jovencito, sentado en una cama como en una penumbra. Lo que me daba risa era el movimiento que yo veía que él hacía: muy lentamente trataba de poner los pies sobre el piso y, cuando ya casi estaban en el suelo, los subía rápida y violentamente. Repetía la acción varias veces.

Yo comencé a reírme y él me preguntó el motivo de la risa. Le contesté que me parecía que el Señor me había dado un conocimiento sobre su vida, pero que lo creía tan ridículo y tan cómico, que seguro eran sólo ideas mías. Él me animó a que le contara, mientras se reía al igual que Evaristo.

Finalmente, entre risas, le conté lo que "había visto", lo lento que bajaba los pies en esa penumbra de su habitación cuando era jovencito, y luego los subía rápidamente. El padre que, como dije, se reía también, se quedó de repente muy serio cuando escuchó esto y bajó la cabeza. Me quedé mirándolo, sorprendida por su reacción. Finalmente, levantó la cabeza y, con lágrimas en los ojos, nos dijo que ésta era una herida de su vida en el noviciado. Nos contó que en Canadá, las temperaturas en invierno eran muy bajas, y que a ellos los despertaban muy temprano en la mañana, cuando todavía estaba oscuro. Al tratar de levantarse y poner los pies descalzos sobre el piso, sumamente frío, éste les hacía subir rápidamente los pies, pues no tenían alfombritas junto a la cama. En ese momento, él sentía tanta añoranza de la casa de su mamá; sentía tanta tristeza que, a veces, le daban ganas de volver al calor de su hogar paterno.

Aquel día, en Asís, él comprendió que el Señor Jesús había venido a sanar las heridas del corazón y en este caso quería sanarlo de ese trauma que ni siquiera él recordaba conscientemente, pero que le condicionaba en el presente. De esta manera, cuando iba a predicar y llegaba a una casa a hospedarse, y notaba que al lado de la cama no había alfombrita, se ponía un poco de mal humor. Entonces, Evaristo y yo soltamos la carcajada, y al unísono le dijimos: "¡Entonces, padre, por eso tú compras tantas alfombritas!".

Todos nos reímos de buena gana e hicimos una oración al Señor, viendo como aquel hombre de Dios y con corazón de niño recibía, con dos lágrimas que corrían por sus mejillas, el amor sanador de Jesús que se manifestaba en él. Lo mejor de todo fue que, a partir de aquel día, nunca más tuvimos que salir a comprar alfombritas. Y es que el Señor quería quitarle hasta las más pequeñas ataduras para que pudiera realizar su misión evangelizadora en todo el mundo.

Al leer algunas cartas a sus familiares desde cuando todavía era seminarista, notamos el anhelo de santidad que había en su corazón y la admiración que siempre tuvo a la dignidad sacerdotal. A continuación, un **extracto de la carta escrita desde Watertown**, mientras cursaba estudios en St. Joseph's Apostolic School, fechada el 22 de marzo de 1951:

"Hoy se celebra una gran fiesta en nuestro monasterio y en toda la Iglesia católica: es Jueves Santo, el aniversario de la institución del sacerdocio católico. Para nosotros, futuros sacerdotes, esta fiesta tiene un gran significado... Es una dicha, en esta ocasión, admirar una vez más la sublimidad del sacerdocio. Pero no se puede considerar la belleza del sacerdocio sin ver también las exigencias... Y más que nunca, veo que el sacerdote que sube al altar para ofrecer a Dios el Cuerpo de Cristo, debe ser un santo. ¡Ay!, esta santidad está bien lejos de mí... y qué difícil es lograrla. Por esta razón es que yo te pido con mucha humildad que ofrezcas algunos de los muchos sacrificios que te

> exige tu vida de enferma, para que el Dios bueno me haga crecer más rápidamente en su santidad y en su amor, como lo 'único necesario' aquí en la tierra".

Los testimonios que han surgido en sus viajes misioneros son sorprendentes y muy edificantes. Después de tantos años viajando por los diferentes continentes, se podría hablar de los innumerables testimonios, como dice san Juan: *"Jesús hizo muchas otras cosas. Si se escribieran una por una, creo que no habría lugar en el mundo para tantos libros"* (Juan 21:25).

Pero, de todos modos, queremos compartir algunos que escuchamos de sus propios labios.

En 1994, el padre Emiliano fue invitado por monseñor Abi Nader, arzobispo de Beirut a predicar en El Líbano. El Líbano es un país que ha sido destrozado por una guerra terrible durante dieciocho años. El país se encuentra dividido por las razas y las religiones. Todas las familias y los grupos sociales están profundamente marcados por las heridas de los sufrimientos pasados.

Sólo el Señor podría mover el corazón para reunir a tantas personas diferentes. Durante su primer viaje misionero al Líbano, más de cuarenta mil personas, incluyendo cristianos y musulmanes, se reunieron para escucharlo predicar. Dios quiso utilizar al padre Tardif para llevar una nueva esperanza y una experiencia de fe a este pueblo tan terriblemente lacerado por la guerra. Las innumerables sanaciones y conversiones dieron testimonio del paso del Buen Pastor en medio de su pueblo, confirmando con señales y prodigios la Buena Nueva proclamada.

"Se han abierto muchas puertas y el señor arzobispo, monseñor Nader habla de un Nuevo Pentecostés en El Líbano, a la vez que ha compilado cientos de reportes médicos de las sanaciones efectuadas", decía un reporte que leímos.

El padre Tardif siempre le ha dado mucha importancia a los testimonios dentro del ministerio. "Me gusta verificar las curaciones –solía decir–. En mis libros publico las que son seguras; pero, a veces no hay que esperar el testimonio cuando se trata de una curación muy visible.

Una muchacha de 19 años, que nunca había caminado en su vida, comentó que durante la oración sintió como una corriente eléctrica en todo su cuerpo, y ahora está caminando sin ayuda. Con casos como éste no hay que esperar para empezar a dar gracias a Dios".

Durante esos días, la televisión nacional tenía como plan transmitir solamente la inauguración y la clausura de la semana de evangelización. La forma como se desarrollaron los eventos y la presencia multitudinaria en todos los momentos, hicieron que se transmitieran todos los actos en los que el padre Tardif participó.

La televisión y los periódicos lo acompañaron por todas partes, haciendo de su visita todo un acontecimiento nacional. La noche que llegó, la televisión le dio la bienvenida: "Padre Tardif, los libaneses lo saludan", a lo que él respondió: "¡Alabado sea Jesucristo que me envía a anunciarles la Buena Nueva!".

Esa misma noche, en la oración, se verificaron treinta sanaciones; noticia que recogieron ampliamente los periódicos con testimonios definidos. Uno de los testimonios que más impacto produjo fue el de la sanación de May, una joven de 27 años que, debido a una poliomielitis a los nueve meses de edad, quedó con su pierna derecha completamente muerta, y la izquierda, con muy poca fuerza.

Usaba muletas para poder moverse, además de un zapato ortopédico con una diferencia de siete centímetros de tacón para igualar las dos piernas. Tenía el encargo, en el canal de televisión donde trabajaba, de preparar la difusión en directo de los diferentes eventos y ceremonias en que participaría el padre Tardif, encargo que realizó con profunda energía y dedicación. No sólo preparó su trabajo, sino que ella llena de fe y confianza también asistió, ayudada por familiares, a la misa que celebró el padre.

Durante la oración, a medida que el sacerdote anunciaba las diferentes curaciones a través de la Palabra de Ciencia, las personas se iban identificando con las mismas, acercándose a dar testimonio. En un momento, el padre anunció que muchos paralíticos estaban recibiendo sanación. En ese mismo instante, May se sintió invadida por una corriente que recorría su cuerpo, a la vez que una gran fuerza y un profundo gozo llenaban todo su ser, mientras escuchó una voz interior que le decía con autoridad: "May, levántate y camina".

Después de veintisiete años de sentir la pierna muerta, experimentó un calor a medida que se daba cuenta de que podía mover su pierna, y se llenaba de un deseo, para ella incontenible, que la impulsaba a caminar. Tiró sus muletas y dio pasos, llorando de alegría. Poco a poco se acercó al podio donde estaba la comisión médica que confirmaba las curaciones. Mientras esto sucedía, sin ella saberlo, la televisión nacional recogía todos los detalles.

La inmensa alegría por su sanación se extendía a la planta televisora donde ella trabajaba. "¡Pero si es May!", se escuchaba por todos lados, mientras camarógrafos y empleados, junto con millares de televidentes, se llenaron de sorpresa y alegría por lo que sus ojos observaban, muchos de ellos llenos de lágrimas de emoción. Al otro día, se comentaba que todos estaban de fiesta viéndola caminar y pasearse por las diferentes oficinas de la estación televisora. Sus compañeros se gozaban por su sanación.

El impacto de esta curación hizo que la televisión decidiera pasar en vivo todos los actos y encuentros donde participaría el padre Emiliano.

El último día, durante la clausura, se calculó que alrededor de cien mil personas se reunieron en el centro de Beirut. Más de doscientas personas dieron testimonio de haber sido sanadas. "Nunca he visto algo semejante en mis viajes, por sesenta y dos países –se le oyó comentar al padre Tardif–, tanta gente, con tanta fe. Seguramente Dios prepara algo para El Líbano".

Transcribimos unos **párrafos de la carta que le escribió la señora Buisson:**

> "Te damos las gracias desde lo profundo del corazón y agradecemos al Señor por tu venida al Líbano.
>
> Ha sido un verdadero Pentecostés sobre El Líbano, según la expresión de monseñor Abi Nader, arzobispo de Beirut. Una verdadera inspiración ha atravesado El Líbano, reconfortando en

profundidad la comunidad cristiana, muy descorazonada y frecuentemente desesperada, después de los golpes sufridos por la terrible guerra que ha durado dieciocho años.

En El Líbano no se habla más que de tu visita. En las familias, en las ciudades, se cuentan las maravillas que Jesús ha hecho en medio de todos nosotros.

Las misas de acción de gracias, las fiestas y los testimonios no cesan de tener lugar. Han sucedido más de cien curaciones inscritas: particularmente, una señora con dos vértebras reducidas a polvo por una parte de una granada y, por ende, paralizada, la vejiga desgarrada y, por consiguiente, con incontinencia urinaria, ha sido sanada a través de la televisión; un hermano sanado de cáncer en la garganta; docenas de paralíticos; sordos, ciegos...

Te enviaremos posteriormente, con el arzobispo y la comunidad de la Renovación, el reporte de la comisión encargada de la verificación que trabaja en los expedientes médicos de las personas sanadas.

Siete musulmanes se presentaron inmediatamente a Notre-Dame de El Líbano, en Harrisa, para solicitar ser bautizados.

El Líbano te ha querido mucho, ha apreciado mucho tu forma tan directa y sencilla de evangelizar, de la cual la gente tiene tanta

> necesidad. Cuando dijiste que tú no eras más que el borrico que llevaba a Jesús, tu expresión ha recorrido El Líbano y ha encantado a la gente".

¡El padre Emiliano disfrutaba mucho cuando veía al Señor actuar con poder, sanando a su pueblo y trayendo a muchos de nuevo a la Casa del Padre!

La realidad es que el padre Emiliano siempre tuvo un corazón de misionero. Los que tuvimos la oportunidad y la gran bendición de estar cerca de él, pudimos ver y constatar que en cada día de su vida se realizaba aquel grito de San Pablo: "*¡ay de mí si no predicara el Evangelio!*" (1 Corintios 9:16 - B. de Jerusalén).

La experiencia del amor de Dios en su propia vida le había llevado a un conocimiento más íntimo, a través de la oración, de los sentimientos del Corazón amoroso de Jesús que, como Buen Pastor, quiere buscar a la oveja perdida hasta encontrarla (Ver Lucas 15:4).

El Buen Pastor le había contagiado de esa necesidad de salir al camino para que, con su grito evangelizador, muchos se acercaran a beber de la fuente de agua viva que es Jesús, y de la que él mismo ya había bebido cuando, años atrás, lo salvó de morir debido a su grave tuberculosis, dándole una nueva vida y una nueva mente renovada.

Y es que ésta es la realidad del que tiene una experiencia personal del amor de Dios. Hay un tesoro que late en el pecho y que es necesario compartirlo con los hermanos. No es posible callarlo. La palabra que habita en nosotros nos impulsa a salir por los caminos a gritar al mundo que el Reino de Dios está en medio de nosotros; que Dios nos ha amado tanto que envió a su Hijo unigénito, Jesucristo, para que, creyendo en Él, nadie se pierda, sino que tenga la vida eterna (ver Juan 3:16).

A continuación transcribo el **párrafo de una carta escrita por él a sus hermanos en el Canadá**, con fecha del 21 de diciembre de 1996, en la cual habla de su corazón misionero:

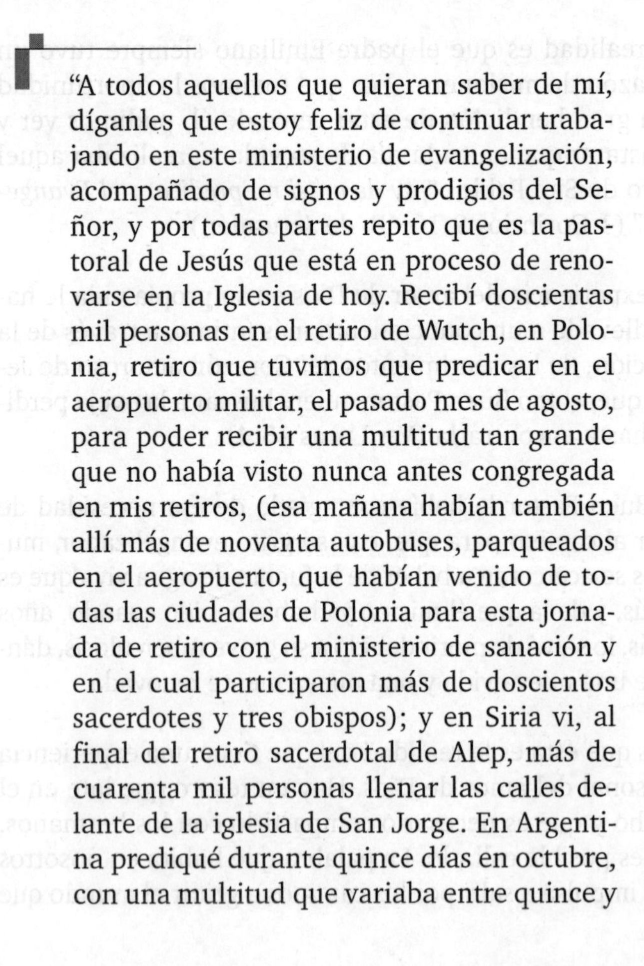

"A todos aquellos que quieran saber de mí, díganles que estoy feliz de continuar trabajando en este ministerio de evangelización, acompañado de signos y prodigios del Señor, y por todas partes repito que es la pastoral de Jesús que está en proceso de renovarse en la Iglesia de hoy. Recibí doscientas mil personas en el retiro de Wutch, en Polonia, retiro que tuvimos que predicar en el aeropuerto militar, el pasado mes de agosto, para poder recibir una multitud tan grande que no había visto nunca antes congregada en mis retiros, (esa mañana habían también allí más de noventa autobuses, parqueados en el aeropuerto, que habían venido de todas las ciudades de Polonia para esta jornada de retiro con el ministerio de sanación y en el cual participaron más de doscientos sacerdotes y tres obispos); y en Siria vi, al final del retiro sacerdotal de Alep, más de cuarenta mil personas llenar las calles delante de la iglesia de San Jorge. En Argentina prediqué durante quince días en octubre, con una multitud que variaba entre quince y veinte mil personas; y en Brasil, cerca del Santuario de Nuestra Señora de Aparecida, vimos una multitud difícil de contar, ¿cómo quieren ustedes que yo me desanime?".

La realidad es que el padre Emiliano siempre tuvo corazón de misionero y, siguiendo el carisma de su congregación, fue un incansable propagador de la devoción al Sagrado Corazón, que no es otra cosa que la devoción a toda la persona de amor que es Jesús.

Los Misioneros del Sagrado Corazón, congregación fundada por el padre Julio Chevalier en Francia, han escuchado el constante grito de amor que Dios hace a todos los hombres para que lo amemos como Él nos ama a nosotros, y para que al escuchar ese grito de amor de Dios, nos volvamos a Él para amarle.

La devoción al Corazón de Jesús no es más que una respuesta del hombre a ese grito de Dios para amarlo y dejarnos amar por Él. Esta devoción implica un fervor a todas las facetas del amor de Dios: amor gratuito, amor misericordioso, amor fidelísimo, amor perdonador, amor providencial. También implica aceptarlo en la propia vida y ser canal del mismo para los demás, como respuesta al amor que se nos ha dado.

La devoción al Corazón de Jesús es un llamado a que nuestro amor sea como el de Jesús. En la práctica, esta devoción consiste en devolver amor por amor. Al vivir esta devoción, se producen grandes frutos de santidad y apostolado en las almas.

Los que tuvimos la oportunidad de compartir la vida comunitaria con el padre Emiliano, nos contagiamos por su profunda devoción al Sagrado Corazón de Jesús y, junto a los misioneros, nuestro anhelo de trabajo diario es que "en todas partes sea amado el Sagrado Corazón de Jesús".

En su labor misionera, pudimos ver cómo esta experiencia produjo verdaderos frutos en la vida del padre Tardif. Tenía un auténtico e incansable celo por la salvación de las almas; no escatimaba tiempo para responder el llamado de cualquier persona para atender, visitar y auxiliar a quien lo necesitara.

Muchas veces lo vi llegar con un cansancio extremo; pero aún así, respondía con una sonrisa o con una oración y con calmada voz cuando alguien le requería, a pesar de su cansancio.

Cuando escucho la canción que dice "mi cansancio que a otros descanse", me hace pensar en este hombre de Dios que se llamó Emiliano Tardif.

¡Cómo me reí aquel día que finalmente terminamos nuestro compromiso de predicar cada día en una ciudad diferente de México, durante tres semanas! La primera semana ya estábamos cansados por la cantidad de actividades que habían programado, una seguida de la otra. Salíamos de la primera ciudad y tomábamos el avión que nos llevaba al próximo destino; sin embargo, el padre decía: nosotros estábamos cansados, pero los que nos esperaban estaban muy "fresquecitos", con su largo programa preparado.

Así, transcurrieron las tres semanas y finalmente terminamos. Nunca podré olvidar que, cuando el padre Tardif llegó al avión que nos llevaría a casa, cayó como un fardo en la silla que le habían asignado; con voz fuerte y con ese gran sentido del humor que le caracterizaba, dijo con su acento francés aquellas palabras que tanto nos hicieron reír: "¡Jesús está vivo, pero yo estoy muerto!".

Y es que daba la impresión de que el padre nunca se negaba, siempre que alguien necesitara algún servicio de él. A veces nos preguntábamos cómo era posible que, con su edad, tuviera tanta energía y resistiera tanto. Ahora comprendo que era la fuerza de la experiencia del amor del Corazón de Jesús que, viviéndola en su propio corazón, lo hacía canal del mismo para los demás.

Durante los veintitrés años que tuve la gracia de predicar junto a él, lo vi ministrando desde ese divino amor, con hechos y palabras, siendo misericordioso con los pecadores y profundamente compasivo con todos los que sufrían y que se le acercaban. Siempre estaba optimista, animando a todos a confiar en el amor gratuito y fidelísimo de Dios.

En la Comunidad nos contagió con el deseo de consagrarnos diariamente al Corazón de Jesús, práctica que ha traído grandes beneficios espirituales a nuestras vidas. Y es que la devoción al Corazón de Jesús exige una total dedicación, compromiso y entrega de uno mismo a la persona de amor de Cristo. La consagración diaria nos recuerda esa total autodonación a Él y esa respuesta interior profunda a su divino amor.

Estar dedicado y consagrado al Sagrado Corazón significa permanecer abierto a que Él imprima su personalidad en nuestras vidas. También implica responderle amorosamente en la medida en que vamos experimentando y aceptando su mensaje y su vida, para así incorporarla a la nuestra.

El padre Emiliano nos contagió con ese deseo que tenía de estar consagrados, dedicados, preservados para Dios.

En él pudimos ver cómo, cuando se tiene una experiencia de amor con el Amado, se desarrolla una relación especial con Él que implica dos componentes: uno negativo, apartarse del pecado; y otro positivo, dedicarse a las cosas de Dios para vivir, unidos a Él, una vida de santidad.

Si hablamos de dedicación a las cosas de Dios, tenemos que hacer lo del padre Tardif. En su vida, como fruto de su experiencia de consagración a amar a Dios, podríamos ver su compromiso en servir a las almas. Y es que el amar a Dios y amar al prójimo van íntimamente ligados.

Como dice San Juan en su primera carta, capítulo 4 versículo 20: *"El que dice: 'yo amo a Dios, y odia a su hermano, es un mentiroso. ¿Cómo puede amar a Dios, a quien no ve, si no ama a su hermano, a quien ve?'"*, y también dijo: *"Él mismo nos ordenó: el que ame a Dios, ame también a su hermano"* (1 Juan 4:21).

El padre Emiliano fue un hombre que amó mucho y que, por ese amor a Dios y a los hombres, se entregó sin descanso a trabajar para que el Reino de Dios llegara a todas las almas.

Cuando le sobrevino la muerte, ya había visitado setenta y dos países en los cinco continentes. Creo que fueron millones las personas bendecidas por su ministerio de predicación y de oración por los enfermos. Solía decir que desde que el Señor lo había sanado en el año 1973, desde ese momento, él había puesto su salud al servicio de los enfermos.

Cuando recibí la noticia de su muerte repentina, pensé: "Tanto nos amaste que, imitando a Jesús, entregaste tu vida para que nosotros tuviéramos vida".

Señor Jesús, en este día, quiero pedirte
que me contagies con los sentimientos
de tu Divino Corazón.
Haz mi corazón semejante al tuyo,
capaz de amar más y más a Dios y
de amar a todos nuestros hermanos.
Hoy, delante de tu presencia de amor,
yo te saludo, corazón admirable de Jesús,
yo te alabo, te bendigo y te doy las gracias.
Hoy te ofrezco mi corazón,
yo te lo entrego y te lo consagro.
Recíbelo y poséelo entero,
purifícalo, ilumínalo y santifícalo,
a fin de que vivas y reines en él perpetuamente.
Amén.

Una experiencia vital 3

Recuerdo la primera vez que escuché lo que había sucedido.

Era febrero del año 1974. Desde hacía aproximadamente tres años, el Señor había puesto sus ojos de una manera especial en República Dominicana.

A través de unos sacerdotes dominicos procedentes de los Estados Unidos, en el año de 1972, se impartió un retiro carismático en la ciudad de Santo Domingo, al que asistieron algunos sacerdotes, religiosos y laicos. Así, con un pequeño grupo, comenzó la experiencia de esta primavera espiritual que florecería poco a poco en el país antillano, y que hoy conocemos como la Renovación Carismática Católica.

La realidad es que muy pocos sacerdotes se animaron con el mensaje recibido, mientras que fueron los laicos quienes, de una manera muy sencilla, lo acogieron y se abrieron a la acción transformadora del Espíritu Divino.

En el año de 1974, ya había cuatro o cinco grupos de oración en Santo Domingo y Santiago, que se reunían semanalmente a alabar y glorificar al Señor en la oración comunitaria. Poco a poco, se iban uniendo más hermanos a esta experiencia del Espíritu, mediante la cual muchas vidas eran transformadas. Al mismo tiempo, en los diferentes grupos, y de una manera espontánea, se iban manifestando los carismas.

En algunos lugares, muchos de los sacerdotes nos miraban con recelo, y a la vez nos observaban sin saber en qué iba a parar toda esta experiencia. Algunos pensaban que éramos exagerados por aquello de alabar a Dios en voz alta y alzar nuestras manos al cielo; otros pensaban que estábamos locos o un poco histéricos cuando ejercitábamos el carisma de lenguas en las asambleas o en nuestra oración personal.

La realidad es que los laicos caminábamos prácticamente solos, sin mucha compañía de los sacerdotes, excepto por el padre Luis Maldonado, diocesano colombiano, y el padre Valentín Camarena, O. P., quienes desde el principio nos respaldaron, asistiendo regularmente a los pequeños grupos de oración que surgían.

Por eso, cuando a principios de 1974 escuché lo que había sucedido, me llené de alegría.

Se empezó a comentar que, en Canadá, a un padre misionero del Sagrado Corazón que trabajaba en República

Dominicana, el Señor lo había sanado de tuberculosis, y que venía a trabajar en la Renovación Carismática pues había sido nombrado párroco de Nagua.

Al principio no supimos su nombre; pero cuando finalmente me dijeron que se trataba del padre Tardif, debo confesar que mi primera reacción fue: "¡Ay, Señor!, ¿por qué no sanaste a otro?". Me explico: el padre Tardif no había sido muy partidario de la Renovación Carismática. Él había sido uno de los sacerdotes asistentes a una conferencia para sacerdotes y religiosas, impartida por los dominicos visitantes que mencioné anteriormente.

El mismo padre Emiliano contaba, años después, que cuando aquellos buenos sacerdotes hablaban sobre la renovación de la oración, él pensaba que en República Dominicana no necesitábamos más oración sino más promoción social. Debo decir que él siempre fue un sacerdote muy comprometido y, hasta que se enfermó, trabajó arduamente en esta dimensión social de la Iglesia.

Tiempo después, el padre Emiliano compartía, muy jocosamente, que en ese retiro se le había pedido a los sacerdotes que se tomaran de la mano para rezar el Padrenuestro y así formar una "corriente de amor". A él le pareció todo muy raro y muy ridículo, y burlándose del sacerdote que invitaba a la oración, le dijo calladamente a su compañero que tenía tomado de la mano: "Aquí hay un corto circuito".

Después de "este retiro", y como director de la revista *Amigo del Hogar,* publicación mensual de los misioneros del Sagrado Corazón, escribió dos artículos que atacaban a la Renovación Carismática Católica.

Ésta fue la razón por la que, cuando me dijeron el nombre del padre sanado en Canadá, mi reacción inicial fue la de preguntar al Señor, lamentándome, por qué no había sanado a otro, ya que pensaba que éste no nos sería de mucha ayuda. Pero Dios no se equivoca. Era a este "nuevo Pablo" que el Señor derribaba para, levantarlo después y llevarlo a ser luz para las naciones.

Hoy, cuando escribo estas líneas, recuerdo cuántas veces nos reíamos, contando estas historias a las multitudes, y él solía decir: "María ya estaba en la Renovación Carismática cuando yo me burlaba de ellos".

Cuánta fuerza tenía su palabra al decirle sobre todo a los sacerdotes: "Ojalá que a ustedes no les pase como a mí, que se tengan que enfermar de muerte para poder aceptar que Jesús está vivo en medio de nosotros, sanando a los enfermos".

Soy testigo de cómo, a lo largo de los años, el Espíritu Santo estuvo presente en la vida del padre Emiliano, transformándolo y usándolo con poder; pero, sobre todo, infundiéndole una inmensa compasión y una gran misericordia con los necesitados.

El cambio radical en la vida y en el ministerio del padre Emiliano fue producto de un encuentro vital con Jesucristo vivo y resucitado que le devolvió la salud, llenándolo de vida en abundancia.

Había tenido lo que el santo padre Juan Pablo II llama un "encuentro vivo, de ojos abiertos y de corazón palpitante" con Jesús, que le quitó las escamas de los ojos, y ahora le permitía descubrir que la promesa del Resucitado de permanecer siempre con nosotros, se realizaba en su propia vida.

Monseñor Francisco José Arnaiz, S. J., obispo auxiliar de la Arquidiócesis de Santo Domingo, en la celebración eucarística con motivo de los nueve días después del deceso del padre, al explicar la Palabra de Dios leída aquel día, reflexionaba sobre las dos clases de conocimiento: el racional y el experimental. El conocimiento racional se queda en la cabeza como información, pero el conocimiento vital lo percibe toda la persona. Dios quiere dar a todos una experiencia vital de sí mismo, permitiéndonos ver de qué manera las personas que han sido tocadas con este conocimiento, quedan marcadas de por vida.

La Palabra de Dios está llena de estos momentos extraordinarios, que cambiaron la ruta de muchos personajes del Evangelio. Sólo por mencionar algunos, podemos recordar el encuentro de Jesús con la samaritana, pasaje tan entrañable y tan lleno de vida, que comienza con Jesús pidiéndole agua a ella y termina con esta mujer implorándole al Señor esa agua de vida eterna. Una experiencia vital para aquella mujer que parte hacia su pueblo, dejando junto al pozo el cántaro que llevó para llenar de agua, porque ahora el cántaro de su corazón está lleno de agua viva. Un encuentro que la llevó a compartir el agua que ahora rebosaba de su ser y que, al hacerlo, producía sed en los que escucharon la buena noticia del Mesías enviado.

Recordemos el encuentro de Jesús con Leví. Un hombre que, sentado a su mesa de cobrador de impuestos, contaba como hipnotizado por su brillo, las monedas que injustamente cobraba al pueblo judío. Un hombre que, aquel día, se sintió escudriñado por unos ojos que tenían un brillo como nunca lo había encontrado en ninguna moneda. Un brillo que encerraba toda la luz existente en el universo. Unos ojos que lo miraron con inmenso cariño y que le hicieron comprender que había sido creado para vivir al lado del Señor y que sólo junto a Él estaba la vida. Por eso, cuando oyó su palabra: "Ven, sígueme", al instante dejó las monedas y le siguió. Un encuentro que le transformó la vida y que lo convirtió en san Mateo, testigo de Jesucristo, uno de los cuatro evangelistas.

El padre Emiliano también tuvo su encuentro vital con Jesús, quien le hizo cambiar la ruta de su ministerio sacerdotal. A continuación transcribo el recuento de esta experiencia contada en su libro ***Jesús está vivo***, escrito por él y Pepe Prado:

"En 1973, yo era provincial de mi Congregación, Misioneros del Sagrado Corazón, en República Dominicana. Había trabajado mucho, en los dieciséis años que tenía como misionero en el país, abusando de mi salud. Pasé mucho tiempo en actividades materiales, construyendo iglesias, edificando seminarios, centros de promoción humana, de catequesis, etc. Siempre estaba buscando dinero para edificar casas y para dar alimento a nuestros seminaristas.

El Señor me permitió vivir todo ese activismo y, por el exceso de trabajo, caí enfermo. El 14 de junio de ese año, en una asamblea del Movimiento Familiar Cristiano me sentí mal, muy mal. Tuvieron que llevarme inmediatamente al Centro Médico Nacional. Estaba tan grave que pensaba que no podría pasar la noche. Creí realmente que me iba a morir pronto. Muchas veces había meditado sobre la muerte y había predicado sobre ella, pero nunca había hecho el "ensayo" de morirme, y esto no me gustó.

Los médicos me hicieron análisis muy detenidos, detectándome tuberculosis pulmonar aguda. Al ver que estaba tan enfermo pensé volver a Quebec, Canadá, donde nací y donde vive mi familia. Pero estaba tan delicado de salud que no podía hacerlo entonces. Tuve que esperar quince días bajo tratamiento con reconstituyentes, para poder realizar el viaje.

En Canadá me internaron en un Centro Médico especializado donde los médicos me volvieron a examinar, pues querían estar bien seguros de cuál era mi enfermedad. El mes de julio lo pasaron haciendo análisis, biopsias, radiografías, etc. Después de todos estos estudios confirmaron de manera científica que la tuberculosis pulmonar aguda había lesionado gravemente los dos pulmones.

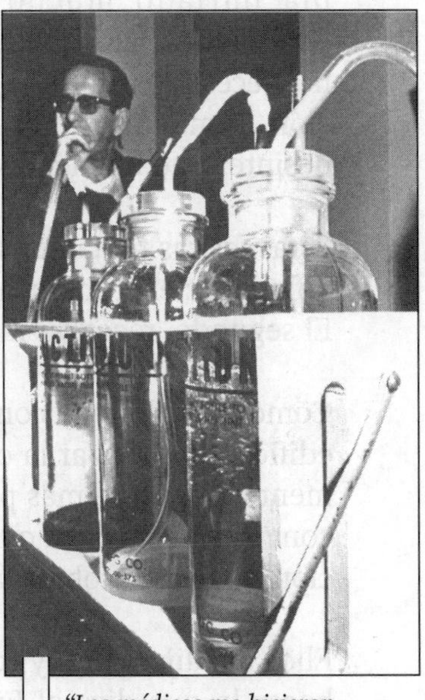

"Los médicos me hicieron análisis muy detenidos, detectándome tuberculosis pulmonar aguda". Hospital Laval, Quebec, julio de 1973.

Para animarme un poco, me dijeron que tal vez después de un año de tratamiento y reposo, podría volver a mi casa.

Un día recibí dos visitas muy peculiares. En primer lugar, llegó el sacerdote director de RND –Revista *Notre Dame*– quien me pidió permiso para tomarme una fotografía destinada a un artículo sobre "cómo vivir con su enfermedad". Después, él aún no se había despedido cuando entraron cinco seglares de un grupo de oración de la Renovación Carismática. En República Dominicana me había burlado mucho de la Renovación Carismática, afirmando que América Latina no necesitaba don de lenguas, sino promoción humana; y ahora ellos venían a orar desinteresadamente por mí.

Estas visitas tenían dos enfoques totalmente diferentes: el primero, aceptar la enfermedad. El segundo, recobrar la salud.

Como sacerdote misionero pensé que no era edificante rechazar la oración. Pero, sinceramente, la acepté más por educación que por convicción. No creía que con una simple oración pudiera recobrar la salud.

Ellos me dijeron muy convencidos: "Vamos a hacer lo que dice el Evangelio: 'Impondrán las manos sobre los enfermos y estos quedarán sanos'. Así que oraremos y el Señor te va a sanar".

Acto seguido todos se acercaron a la mecedora donde yo estaba sentado y me impusieron las manos. Yo nunca había visto algo semejante y no me gustó. Me sentí ridículo debajo de sus manos y me daba pena con la gente que pasaba y se asomaba por la puerta que se había quedado abierta. Entonces, interrumpí la oración y les propuse: 'Si quieren, vamos a cerrar la puerta...'. 'Sí, padre, cómo no...', –respondieron.

Cerraron la puerta, pero ya Jesús había entrado. Durante la oración yo sentí un fuerte calor en mis pulmones. Pensé que era otro ataque de tuberculosis y que me iba a morir. Pero era el calor del amor de Jesús quien me estaba tocando y sanando mis pulmones enfermos.

Durante la oración hubo una profecía. El Señor me decía: 'Yo haré de ti un testigo de mi amor'. Jesús vivo estaba dando vida, no sólo a mis pulmones sino a mi sacerdocio y a todo mi ser.

A los tres o cuatro días me sentía perfectamente bien. Tenía apetito, dormía bien y no había dolor alguno. Los médicos estaban preparados para comenzar inmediatamente el tratamiento. Sin embargo, ningún medicamento les respondía de acuerdo con mi supuesta enfermedad. Entonces mandaron traer unas inyecciones especiales para personas cuyo organismo no es normal, pero tampoco hubo reacción alguna.

Yo me sentía bien y quería regresar a casa, pero ellos me obligaron a pasar el mes de agosto en el hospital, buscando por todos lados la tuberculosis que se les había escapado y no podían encontrar.

Al final del mes, después de muchos experimentos, el médico responsable me dijo: 'Padre, vuelva a su casa. Usted está perfectamente, pero esto va en contra de todas nuestras teorías médicas. No sabemos lo que ha pasado'. Luego, encogiendo los hombros, añadió: 'Padre, usted es un caso único en este hospital'.

'En mi Congregación también', –le respondí riendo.

Salí del hospital sin recetas, ni medicinas, ni inyecciones. Me fui a casa pesando sólo 110 libras (50 kilos). El hospital que me iba a curar la tuberculosis, me estaba matando de hambre.

Quince días después apareció el número 8 de la revista *Notre Dame*. En la página cinco estaba mi fotografía en el hospital: sentado en la célebre mecedora, con sondas, cara triste y mirada pensativa. Abajo de la fotografía decía: 'El enfermo debe aprender a vivir con su enfermedad, acostumbrarse a los comentarios indirectos, a las preguntas indiscretas... y a los amigos que ya no volverán a mirarlo de la misma manera'. Pero mi salud echó a perder su número.

El Señor me había sanado. Ciertamente mi fe era muy pequeña, tal vez del tamaño de un grano de mostaza, pero Dios era tan grande que no había dependido de mi pequeñez. Así es nuestro Dios. Si estuviera condicionado a nosotros, no sería Dios.

El padre Emiliano estaba descubriendo un rostro de Dios que él, en su anterior referencia, no había podido descubrir.

Y es que los primeros conocimientos que tenemos de Dios los adquirimos por referencia. Otros son los que nos comunican su idea de Dios. No conocemos a Dios tal cual es, sino sólo mediante la experiencia y el conocimiento de las personas que nos hablan de Él.

En su libro, el padre Tardif también comenta que en carne propia recibió la enseñanza fundamental para poder ejercitar el ministerio de sanación: "El Señor nos sana con la fe que tenemos, no nos pide más, sólo eso".

Muchas veces lo oí compartir en sus testimonios que cuando los seglares le preguntaban sobre su creencia en que Jesús sanaba, le era fácil decir que sí, pues, con sólo leer el Nuevo Testamento se podían encontrar los numerosos pasajes en los que Jesús curaba a los enfermos. Sin embargo, no era tan fácil responder a la pregunta de si creía que Jesús podía sanarlo a él.

"Una cosa –solía decir– es responder que Jesús sana, pero otra muy diferente es creer que lo pueda sanar a uno".

"Mi salud probaba que yo estaba bien curado".

El dijo que sí y recibió la oración por compromiso, para no escandalizar a los seglares, ya que, pensó, él era un sacerdote católico; pero en el fondo, no creía que podía sucederle una cosa semejante.

Ese día comenzó una nueva época en la relación del padre Emiliano con Jesús de Nazaret. Hasta ese momento, la referencia que él tenía era la del Cristo que había conocido en sus estudios en Quebec. Un conocimiento racional, recibido a manera de información, aceptado mediante la fe, pero que lo hacía tener una experiencia de un Cristo lejano, en el tiempo y en la distancia.

Gracias a aquella oración de los seglares, sencilla, pero llena de fe y confianza, empezó la nueva época que le transformó la vida.

A partir de la experiencia de su sanación, tuvo un encuentro personal con Jesús vivo, cercano, presente, actuando en su vida. Se hicieron realidad las palabras que el Señor dijo un día: *"Yo estoy con ustedes todos los días hasta que se termine este mundo"* (Mateo 28:20).

La sanación de su tuberculosis lo convenció de que Dios estaba actuando en su vida, que era un Dios compasivo y misericordioso, un Dios que no es sordo a las súplicas de sus hijos, sino que es un Padre que los escucha; y no sólo eso, también les responde desde su infinito amor.

Quiero transcribir algunos **párrafos de una carta dirigida a un compañero**, escrita seis meses después de su sanación:

"Te agradezco muchísimo tu amable carta que recibí cuando estaba en el Hospital Laval. ¡Qué buenos son los dominicanos que no se olvidan de uno! Con gusto volveré con ustedes en julio próximo, si Dios quiere.

Desde que el Señor me curó, no he pasado ni media hora enfermo. El 29 de agosto, después de que los médicos comprobaron científicamente que tenía tuberculosis pulmonar, tanto por mi saliva que salió positiva al análisis, como por la carne granulosa que cortaron del pulmón izquierdo, los médicos tuvieron que dejarme salir del hospital, antes de que ni siquiera me hubieran inyectado con alguna medicina para curar mi tuberculosis. Un buen día todas las pruebas salieron negativas... y los médicos tuvieron que dejarme ir a casa, diciéndome: 'Vuelva a su casa, usted está bien, pero esto va en contra de todas nuestras teorías médicas'. Tienen razón, pues en sus teorías no existe la CURACIÓN MILAGROSA.

¿Y qué pasó? Engordé veintiún libras y ya en octubre pude cumplir un día de trabajo fuerte, como viajar seiscientas cuarenta millas (alrededor de 1.030 km), manejando yo solo un pequeño Volskwagen, sin fatiga excesiva. ¡Cuando el Señor cura, cura de verdad! Le doy gracias todos los días.

Cuando fui al Hospital Laval el 31 de octubre para un chequeo, el médico tuvo que declarar: 'Es exacto, se ven claramente las cicatrices de su tuberculosis en las radiografías'. ¡Ya no había ninguna duda de que yo había tenido tuberculosis pulmonar! Mi salud probaba que yo estaba bien curado.

Como los médicos me habían dicho que iba a tener que pasar seis meses enfermo en el hospital, ahora me tomo esos seis meses de salud para visitar grupos de oración del movimiento carismático, y veo en todas partes las maravillas de conversión y las curaciones milagrosas que el Señor hace entre todos, mostrando de nuevo los signos que acompañan a la evangelización. ¡Qué maravilla y cuánta emoción! ¡Valía la pena haber caído enfermo, para ahora disfrutar de todo lo que he visto este año!

Sigo charlas sobre la Biblia, voy a reuniones, a retiros, a encuentros, y trato de llenarme espiritualmente, que era lo que más falta me hacía".

Por muchos años había sido misionero del Sagrado Corazón. En ese instante, él era sumergido en el horno ardiente de su divino corazón, que es "hospital de amor" para todos los necesitados.

La devoción al Corazón de Jesús se hacía vida en su propia vida, en aquella experiencia del amor del Padre en la persona de su Hijo, quien había venido para sanar a los enfermos.

En el **periódico *Listín Diario*,** del sábado 3 de julio de 1999, en la **columna "Pensamiento y Vida"** escrita por monseñor Francisco José Arnaiz, S.J., obispo auxiliar de la Arquidiócesis de Santo Domingo, decía:

> "Al volver de Canadá en 1974, el P. Tardif era otro. Tenía un halo luminoso de transfiguración. La luz divina se reflejaba ostensiblemente sobre su rostro, y sus ademanes evidenciaban una imperturbable paz y serenidad gozosa y contagiante. Hablaba con seguridad y aplomo, no vagamente de Dios como un concepto y palabra difuminada y abstracta, sino de un Dios-Padre, lleno de comprensión, bondad y misericordia que hace partícipe de su herencia a todo hijo bueno y fiel; y que al hijo pródigo que ha despilfarrado licenciosamente su fortuna, lo llama y espera con los brazos abiertos para estrecharlo en su corazón y devolverle plenamente la dignidad perdida.
>
> Hablaba de Jesús de Nazaret, no como de un personaje histórico que recorría los caminos y las aldeas de Galilea anunciando el Reino

de Dios y ofreciendo la salvación; de aquel que hablaba misteriosamente de renacer a una nueva vida; o del que pronunciaba discursos inspirados sobre cómo su Padre se comportaba con todos los seres humanos y de qué manera éstos debían comportarse con él y con los demás seres humanos; que repetía que Él era el camino, la verdad y la vida; que insistía en la ley del amor, 'amarás a Dios con todo tu corazón y al prójimo como a ti mismo'; que repetía la necesidad e importancia de la fe; que amaba entrañablemente a los niños; que se conmovía sensiblemente ante todo el que sufría y que, ante tanto dolor, no dudaba en aliviar algunos de esos hondos dolores, sanando a los diez de Genín, al criado del Centurión romano, a la hemorroísa que desde hacía mucho tiempo padecía flujos malignos de sangre, al paralítico de Betzatá, al ciego de Betsaida, al ciego de Jericó, a la hija de Jairo, al hijo de la viuda de Naim y a Lázaro, su amigo de Betania, hermano de Marta y María; y que muerto en la cruz había resucitado. Él hablaba de un Jesús vivo, inmortal y glorioso, que está hoy muy presente y activo entre nosotros a través del Espíritu Santo. Esto, sin embargo, –y aquí está lo especialísimo de su caso– no fue fruto de una reflexión serena sobre un pasaje del Evangelio.

Dicho pasaje es de Mateo, el cual nos dice claramente: *"Los once discípulos* (después de la resurrección de Jesús) *se fueron a Galilea, al cerro que Jesús les había indicado. Y cuando vieron a Jesús, lo adoraron, aunque algunos dudaban. Jesús se acercó a ellos y les dijo: Dios me ha dado toda autoridad en el cielo y en la tierra. Vayan, pues, a las gentes de todas las naciones y háganlas mis discípulos bautícenlas en el nombre del Padre, del Hijo y del Espíritu Santo, y enséñenles a obedecer todo lo que les he mandado a ustedes. Por mi parte, yo estaré con ustedes todos los días hasta el fin del mundo"* (Mateo 28:16-20 - B. Dios habla hoy).

No fue, repito, fruto de una toma de conciencia de este texto evangélico, sino que fue fruto de una experiencia vital de esta realidad, fruto de la presencia extraordinaria de Dios en el padre Tardif.

En verdad, Dios llegó a la vida de este hombre de una manera tan maravillosa que no sólo le hizo experimentar su divina acción en su cuerpo enfermo, sanándolo, sino que lo convenció de que, a través de él, quería sanar a muchos, haciéndolo un vehículo de Dios para el bien de los demás.

Aquella irrupción de lo divino sacudió verticalmente al padre Tardif. Lo sucedido en él se transformó en una conciencia real de que Jesús vivía entre nosotros y actuaba sobre nosotros mediante el poder del Espíritu Santo. Por lo cual, dicha vivencia se tornó en pasión y obsesión apostólica.

El resto de su vida lo debía dedicar, no tanto a proclamar esta realidad, sino a hacerla sentir y vivir. Y hacerla sentir y vivir no sólo a unas cuantas parroquias de la República, sino a toda la nación, pero ni siquiera a la nación, sino al mundo entero. Esa ha sido la vida del padre Tardif a partir del año 1974 en que retornó a nosotros, transfigurado".

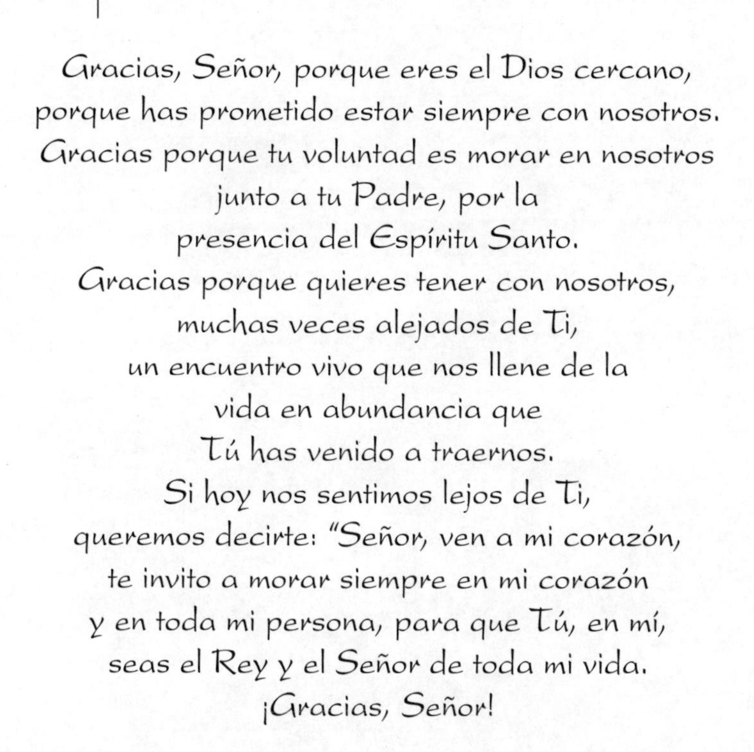

Gracias, Señor, porque eres el Dios cercano,
porque has prometido estar siempre con nosotros.
Gracias porque tu voluntad es morar en nosotros
junto a tu Padre, por la
presencia del Espíritu Santo.
Gracias porque quieres tener con nosotros,
muchas veces alejados de Ti,
un encuentro vivo que nos llene de la
vida en abundancia que
Tú has venido a traernos.
Si hoy nos sentimos lejos de Ti,
queremos decirte: "Señor, ven a mi corazón,
te invito a morar siempre en mi corazón
y en toda mi persona, para que Tú, en mí,
seas el Rey y el Señor de toda mi vida.
¡Gracias, Señor!

Un ministerio de compasión

4

La experiencia de sanación que recibió cuando fueron curados sus pulmones llenó, poco a poco, al padre Tardif de una nueva conciencia.

De igual manera como Dios le había sanado, dándole una fe renovada en el poder sanador del Padre, el Señor le llamaba a ser canal de su amor para los necesitados de salud del cuerpo y del alma.

Siempre recuerdo su expresión: "Jesús me sanó en julio de 1973. Han pasado muchos años, y no me he vuelto a enfermar, ni un día más y yo, por el contrario, he puesto mi salud al servicio de los enfermos".

Al ser sanado, quiso darse la oportunidad de conocer aquella corriente de gracia que él tanto había criticado: la Renovación

Carismática. Escribió a su superior para que, durante el año que debía pasar en el hospital para recibir el tratamiento, le permitiera estudiar acerca de la Renovación Carismática en Canadá y Estados Unidos. Al provincial le pareció bien y le concedió el permiso, dándole así, al padre Tardif la oportunidad de visitar los centros más importantes en ese tiempo, en Quebec, Pittsburgh y Notre Dame.

Dos meses después de haber sido sanado asistió, por primera vez, a una reunión carismática en Canadá, invitado por aquellos seglares que lo visitaron en el hospital y que habían orado por él. Fue la primera ocasión que tuvo de dar su testimonio, cuando se lo pidieron.

"Cuando daba mi testimonio", solía decir, "la gente al final se me acercaba y me pedía que orara por ellos; yo no sabía hacerlo como los carismáticos, pero recordando lo que hicieron por mí, yo les ponía las manos sobre la cabeza y rezaba un Padrenuestro y un Avemaría, y luego les daba la bendición".

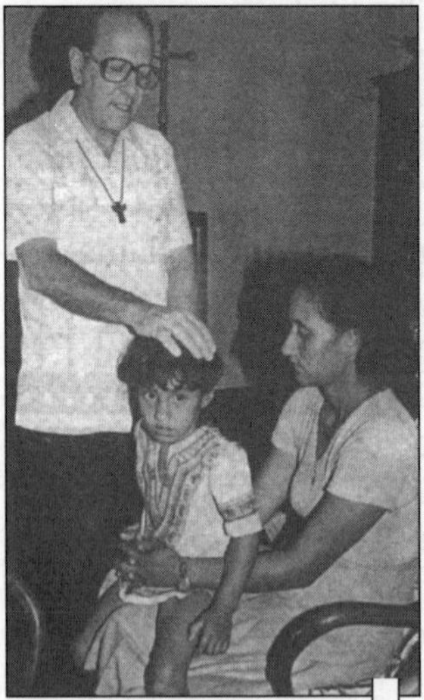

Supo compartir a manos llenas el don extraordinario que había recibido.

Al querer compartir lo que había recibido gratuitamente, el 18 de noviembre de 1973, al poco tiempo después, comenzó a orar por un enfermo de artritis que le habían llevado y que caminaba con muletas. Vio que éste comenzó a sudar copiosamente, y eso le recordó su propia sanación. Entonces, pensó que Dios estaba sanando al paralítico y le dijo: "Levántate de la silla que Jesús te está sanando". Al punto, el paralítico soltó las muletas y empezó a dar pequeños pasos. Era la primera vez que veía que una persona se sanaba, gracias a su oración al Señor. Luego comentó: "cuando yo terminé la oración, él saltaba de gozo". El padre Emiliano daba gracias a Dios porque lo estaba llamando a ese ministerio.

Sus libros, *Jesús está vivo*, *Jesús es el Mesías* y *La vuelta al mundo sin maleta* son recuentos hermosísimos de su ministerio poderoso como intercesor por todo el mundo, el cual lo llevó a visitar setenta y dos países en los cinco continentes, hasta la hora de su muerte.

Los últimos veinticinco años de su ministerio sacerdotal y misionero se vieron marcados por una generosidad ejemplar en el servicio y la entrega a sus semejantes. Esto hizo que fuese un hombre muy querido y valorado por todos. Supo compartir a manos llenas el don extraordinario que había recibido, combinando siempre el anuncio del Evangelio con la oración por los enfermos.

En varias ocasiones le oímos decir que no ejercitaría este ministerio de orar por los enfermos, sino dentro del contexto de la evangelización. Muchas veces escuchamos críticas en su contra, por causa de las multitudes que le seguían. Los que le criticaban aducían que la gente venía detrás de los signos y los prodigios, muchos por curiosidad, otros para ser sanados de sus dolencias.

Recuerdo que la respuesta del padre Emiliano ante estas críticas fue muy específica: "A nosotros no nos importa cómo ni por qué llega la gente a nuestros encuentros. Lo importante es cómo salen, cómo se van".

Después de una multitudinaria reunión en un estadio en Argentina en el año de 1989, sus palabras fueron: "Allí vi una manifestación de fe del pueblo, porque sin fe no se puede reunir a treinta mil personas. Ésta es una señal de que hay fe en el pueblo de Dios". Comentaba en esa ocasión que en realidad no le preocupaban mucho los motivos e intereses de las personas que asistían, y señalaba que en verdad algunos llegaban por curiosidad. "Recuerdo –dijo– que hace tres años en Santiago del Estero, un comunista entró al estadio como curioso, y luego me entregó el carné de afiliado al partido, para que lo llevara como un trofeo a Cristo".

Cuando fue a Taiwán, pudo darse cuenta de que la Renovación Carismática en ese país es una gran fuerza evangelizadora. Celebró una misa de sanación en la Universidad Católica con cerca de dos mil personas. Un joven de 21 años entró por curiosidad, caminando en muletas. Durante la oración de sanación quedó totalmente curado, dejó allí sus muletas y dio su testimonio: "Yo no soy cristiano y no estoy bautizado, pero ahora quiero conocer a Jesucristo". El padre comentaba: "Fue una curación bella y para él un llamado a la fe".

Precisamente, algo semejante le sucedió a Zaqueo: Lucas 19:1-9. Este personaje era el jefe de los cobradores de impuestos y estaba acostumbrado a abusar y a robar al pueblo. Pero aquel día sintió curiosidad de ver a aquel hombre llamado Jesús, del que la gente afirmaba que hacía prodigios y maravillas. Y tuvo aquel encuentro tan sorprendente cuando, subido en el árbol para verle mejor, sintió unos ojos, me imagino que llenos de autoridad pero también de inmenso cariño y una voz que le ordenó: *"Zaqueo, baja pronto, porque hoy tengo que quedarme en tu casa"* (Lucas 19:5).

Aquel episodio cambió toda su vida. Jesús sanó su corazón del egoísmo, de la usura, del robo y lo llamó a la fe. La salvación le llegó a él y a todos los suyos, y lo hizo un hombre nuevo.

El testimonio de José Pimentel, publicado en el número 70 de la revista *Alabanza*, es un vivo ejemplo de este cambio que se suscita en las personas:

"Nadie me quería, me sentía profundamente decepcionado, a tal punto que pensé que lo mejor que podía hacer era quitarle la vida a mi padre, a otras personas que vivían en la casa y suicidarme. Durante quince días estuve pensando cómo llevaría a cabo esto. Quería vengarme también de todos los del barrio, que me demostraron muy poco afecto. Ya no tenía dinero para beber ni para comprar droga.

El suicidio

Un día traté de quitarme la vida y salí amargado, decepcionado y triste, a tirarme de lo alto del puente Duarte. Cuando iba con esa intención, pasé por la Casa de la Anunciación donde se iniciaba una misa oficiada por el padre Emiliano Tardif. Había gran cantidad de personas en la calle, frente a la casa, pues la misa era al aire libre. Yo vi varios muchachos y muchachas de mi barrio. Entré, no por participar de la misa, sino para molestar, ponerle la mano a las muchachas y divertirme.

Pensé que podía pasar un buen rato allí, antes de llevar a cabo mi propósito de quitarme la vida.

La oración

Cuando llegó el momento de la oración de sanación, se sanaron unos cuantos. Yo no estaba creyendo en eso. Pero alcancé a ver a un cojo de mi barrio, al cual conocía hacía tiempo, con sus dos muletas, debajo de un árbol de aguacate.

En ese momento, el padre Emiliano dijo: 'Hay un cojo que anda con dos muletas, que se está sanando'. El padre pidió que se presentara. Yo estaba mirando al cojo... siguieron las sanaciones. El padre repitió: '¿Dónde está el cojo que el Señor ha sanado?'. Yo era tan malo que me acerqué al cojo y le dije: 'Compadre, pero usted es el único cojo que hay aquí'. Me contestó que él no era quien se estaba sanando. Yo le repliqué: 'Compadre, si ese sacerdote no está hablando mentiras, ese cojo es usted. Le voy a quitar las muletas y si no es usted, se va a dar un estrellón ahí mismo'. Se las quité y ¡él se quedó parado!

El cojo salió caminando

Algunas personas decían: 'Padre, padre, aquí hay un cojo'. Cuando vi que el cojo salió caminando hacia el altar, se me enfrió el alma.

El Señor lo había sanado. Los brazos se me torcieron y las muletas se me cayeron de las manos; todo el cuerpo se me adormeció, rompí a llorar y dije: 'Señor, perdóname, yo no vuelvo a burlarme nunca más de estas cosas'. Me senté en el suelo a llorar con las muletas a mi lado. Lo que no sabía era que el Señor me había sanado a mí también.

Una palabra de ciencia

En ese instante, el Señor le dio una palabra de ciencia al padre Tardif y él dijo: 'Hay un hombre aquí que usa drogas; vive peleando con su familia; tuvo una niñez muy triste; es muy rebelde; ha llevado una vida de pecado inducido por las drogas y otros vicios; pero el Señor lo está tocando ahora mismo y lo sana'.

Recuerdo que sentí un adormecimiento en mi cuerpo como cuando uno se traga un pedazo de hielo y éste le baja por la garganta. Sabía que era yo... no me identifiqué. Pero al otro día volví a la Casa de la Anunciación y seguí orando... Hablé con el padre, le conté todos mis problemas. Seguí orando.

Mi papá y todos en el barrio se dieron cuenta del cambio que se había operado en mi vida. El Señor es tan especial que, cuando Él quiere transformar a una comunidad, escoge al peor, lo transforma y todos son tocados por el amor de Dios. Ya no bebía. Perdoné a mi papá de corazón y de palabra, le dije que lo

> amaba, lo besé. Él también me perdonó. Pedí perdón a todas las personas a quienes había ofendido con mi mal proceder, a mis hermanos y a mi padrastro también. Ahora, vivimos felices en la paz de Cristo".

¡Cuántos testimonios de personas que asisten por pura curiosidad y allí, al escuchar la Palabra de Dios proclamada, reciben la fe y experimentan un encuentro personal con Jesús! "La fe viene de la predicación y la predicación, por la Palabra de Cristo", nos dice san Pablo en su carta a los Romanos. El padre Tardif solía decirle a la gente que criticaba esta pastoral a la que había sido llamado: "¿Pero no se dan cuenta de que lo que el Espíritu Santo está haciendo es renovar la Pastoral de Jesús?". Y explicaba cómo en los tiempos que narra el Evangelio sucedía lo mismo, la gente iba en multitudes detrás de Jesús, atraída por los signos y prodigios que hacía y, entonces, Él aprovechaba que la multitud estaba reunida para enseñarles.

En una profecía, a principios de su ministerio, el Señor le dijo: "Evangelicen a mi pueblo, yo quiero un pueblo de alabanza". "Eso mismo es lo que hacemos nosotros hoy", afirmaba.

El ministerio del padre Emiliano tuvo siempre un gran poder de convocatoria. No se necesitaba mucha propaganda para que se reuniera una gran multitud en cualquier lugar. Esto obligaba a los organizadores de los eventos en muchas ciudades a alquilar grandes estadios de béisbol o de fútbol, cuya capacidad se llenaba por completo. De esta forma, puedo dar testimonio de que nunca separó el ministerio de sanación de la evangelización.

Desde que regresó a su trabajo en República Dominicana puso mucho énfasis en hacer que los grupos de oración que animaba se convirtieran en verdaderas congregaciones de evangelización. A continuación, transcribo una **carta escrita por el padre Emiliano a sus parientes y amigos en el Canadá**, el 17 de agosto de 1974, treinta y ocho días después de regresar de su estadía en Quebec en donde fue sanado por el Señor:

Nagua, 17 agosto, 1974

"Querida familia y amigos:
Ya han pasado treinta y ocho días desde que volví a República Dominicana, y todavía no les había escrito. Con mucho gusto les saludo esta mañana con la esperanza de que ustedes estén bien y que el Señor continúe siendo, cada día más, el centro de sus vidas.

Les diré, en unas pocas palabras, lo que está pasando aquí. Además les confirmo que lo que Jesús dice en el Evangelio de Marcos 16:15-20 se cumple al pie de la letra en nosotros. Y en medio de todo esto, yo estoy ¡simplemente emocionado! Jamás he encontrado mi apostolado misionero tan apasionante. Son las palabras de san Marcos 16:20, que han llegado a ser palabras vivas para nosotros: *"Y los discípulos salieron a predicar por todas partes con la ayuda del Señor, el cual confirmaba su mensaje con las señales que lo acompañaban"*.

En el curso del año, nunca he visto al Señor manifestarse de una manera tan clara y con tanta prodigiosidad como después de mi llegada aquí hace un mes. Uno de los padres de la parroquia había comenzado un pequeño grupo de oración, cuyas reuniones eran los jueves por la noche, en una sala del colegio. El mismo día de mi llegada fui al grupo para participar en su reunión de oración carismática. Había unas treinta personas y existía mucho fervor en el grupo. Di el testimonio de mi sanación, lo mismo que la de Hélène Lacroix en el Congreso de Quebec. El ambiente estaba cargado de fe y emoción y para terminar, por primera vez oramos por los enfermos que estaban presentes. Cuando invité a los enfermos a venir adelante, había más personas entre el grupo de enfermos que en el de sanos. He notado que este fenómeno se repite más o menos de la misma manera, en todas las capillas de los treinta campos de la parroquia. Sin embargo, aquella primera noche, el Señor sanó a dos enfermos y ha dado el don de sanación a dos catequistas del grupo. ¡Era la maravilla de la semana!

Y las manifestaciones del Señor han continuado a un ritmo tal que, no es por nada, se está acelerando la evangelización en nuestra parroquia. Nuestro grupo de oración empezó a crecer tan rápidamente que la semana siguiente contaba ya con sesenta personas, y hoy, después de poco más de un mes, el grupo ya tiene más de trescientas personas. Y el Señor está multiplicando sus signos y prodigios, no solamente en el grupo de oración en el pueblo, sino también en cada uno de los campos que visitamos una vez por mes. Y en las visitas mensuales, durante la acción de gracias, siempre oramos por los enfermos presentes... pidiendo al mismo Señor que venga e imponga sus manos sobre los muchos enfermos que llenan nuestras capillas, ya que el rumor corre como el fuego y se revive simplemente la palabra del evangelio de San Lucas 14:21, cuando el comedor estaba lleno de enfermos, cojos, ciegos, sordos y pobres de toda clase. ¡Y el Señor los llena con su amor! ¡Jamás, durante mis dieciocho años de vida misionera, había visto los signos y maravillas del Señor que acompañan con tanto poder la proclamación de la Palabra! Yo no dejo de cantar ¡Aleluya! y, como san Pablo, quiero cantar "¡Yo sobreabundo de gozo en mis tribulaciones!".

Aquí estoy trabajando en esta inmensa parroquia. La noche del jueves, primero de agosto, invité a los presentes a imponer las manos a los enfermos, mientras yo hacía una oración comunitaria por unos ochenta enfermos que estaban arrodillados en frente de la sala. El Señor sanó a unos quince, lo que emocionó a muchos por todo el campo. La sanación más clara en aquella mañana fue la de una madre de familia que sufría de artritis aguda en las dos manos, tanto que no podía comer por sí misma, y su familia debía alimentarla con una cuchara como a un niño pequeño. Justo en el momento en que le imponían las manos, ella sintió un calor que quemaba sus manos y sus puños, los cuales estaban cerrados por esta terrible enfermedad y se desataron al instante. Ella se puso a llorar y dio gracias a Dios por haber venido para ¡sanarla! En el mismo campo, llamado Mata Bonita hay más prostitutas que personas en la misa. Allí, la situación está en proceso de cambio y las magdalenas que se convierten, vienen a llorar a los pies del Señor. ¡Qué bueno es Jesús!

Como en otras partes, las maravillas que hace el Señor atraen rápidamente la atención de las agencias de noticias. El lunes pasado, un reportero de dos emisoras de radio de la capital, vino a hacerme una entrevista y me dijo: "Hemos oído hablar de la obra extraordinaria que usted está haciendo aquí por los enfermos, y estaríamos muy agradecidos si aceptara que le hiciéramos una pequeña entrevista para Radio Reporte y Radio Clarín". Yo le dije: "Esto es lo que voy a hacer: yo voy a poner todo por escrito para que no cambien nada de la noticia". Él aceptó. Entonces, fui a mi escritorio y copié el texto del Evangelio según san Marcos, capítulo 16, versículos 15 al 20, con el título "Los signos que acompañan la proclamación de la Palabra de Dios deben llegar a ser más y más claros". Y le entregué esta hoja diciéndole: "Aquí está. Es todo lo que está pasando en Nagua. El Señor es quien hace todo. Aquí los curas de la parroquia solamente proclaman la Palabra de Dios, y los signos que Jesús prometió ¡acompañan la Palabra!". Él estaba un poco sorprendido al ver la simplicidad de este reportaje y para completarlo se puso a hacerle preguntas a los enfermos de la parroquia, que habían sido sanados. El trabajo sería enorme si quisiera entrevistar a todo el mundo como prueba de evidencia. El Señor ha sanado a más de un centenar en el espacio de cinco semanas y ahora las liberaciones están empezando, al igual que ciertos fenómenos de los que había oído hablar en Montreal, Quebec y en La Beauce. La experiencia que tuve en Quebec por un año, me ha fortalecido enormemente para no huir de miedo. Una joven de 20 años que el Señor sanó de polio antes de celebrar nuestra primera reunión en la Iglesia Parroquial (porque no había bastante espacio en la sala parroquial), empezó a soñar que estábamos en un grupo de oración en la Iglesia y que ésta estaba llena de gente.

Teniendo en cuenta este sueño o ignorándolo, estamos seguros de que el fenómeno de Saint-Côme se repite aquí, pues hace dos semanas la gente de las parroquias vecinas empezó a venir. En la última reunión, la mayoría de las personas que el Señor sanó venían de parroquias vecinas: Payita, San Francisco de Macorís, así como de Santo Domingo.

La Renovación Carismática está esparciéndose por todo el país con una rapidez increíble. En la Capital y en las parroquias aledañas, así como en Santiago, las religiosas misioneras han empezado grupos de oración, aunque ningún sacerdote se ha identificado con el movimiento todavía. Durante la semana del 5 de agosto, hicimos un retiro de un día para los sacerdotes y catequistas de Santiago, otro día para los religiosos y tres días para los laicos de la capital de Santo Domingo. Los predicadores eran el padre Harold Cohen, S.J., de New Orleans, EU, y miembro del Comité Nacional de la Renovación Carismática de los Estados Unidos; sor Briege McKenna, O.S.C., religiosa irlandesa; sor Guadalupe, misionera española que trabaja en Santiago; sor Ana Félix O.P., nativa de Santo Domingo y yo. Se hizo un equipo internacional de cinco países diferentes. Antes de comenzar el retiro, oramos juntos, y el Señor nos dio este mensaje: 'Yo trabajo en paz. Yo les doy mi paz. Yo quiero que sean mensajeros de paz'. Éste fue el primer mensaje que recibí en lenguas, después de mi llegada a República Dominicana y yo mismo recibí la interpretación. Sonriendo, nos miramos unos a otros, porque habíamos discutido casi una hora, un poco inquietos por saber cómo organizarnos y llevar a cabo este apostolado de la Renovación Carismática en República Dominicana y que muy pocos sacerdotes le habían prestado atención al soplo del Espíritu... pero, nosotros recibimos la respuesta. Esta es la obra del Señor y no la nuestra. ¿Por qué estar inquietos? Y en una profecía, en el retiro de laicos, el Señor nos dijo: 'He empezado a repartir mi Espíritu entre ustedes. Es un fuego devorador que va a invadir su ciudad. Abran los ojos. ¡Ustedes verán signos y prodigios! ¡No olviden que soy yo quien los hago!'. El Señor tiene tanta prisa que en un campo donde todavía no se había hablado de la Renovación Carismática, sucedió algo extraordinario: durante una reunión de catequistas, dos de ellos en oración, empezaron a hablar en lenguas sin parar... y no entendían lo que estaba pasando. Fueron a ver al sacerdote, todavía sorprendidos, y le dijeron: 'Estábamos orando en español y de repente nos encontramos hablando en inglés... y nosotros no sabemos hablar inglés'. Se verifica entonces que ellos estaban orando en lenguas, pero no en inglés... en otra lengua que no se conoce aquí...

Mientras daba el testimonio de mi sanación en el retiro de sacerdotes en Santiago, un catequista que estaba presente sufría, desde hacía algunos meses, de un terrible dolor de cabeza y de oídos, y estaba bajo tratamiento médico. En ese instante sintió una frescura sobre su cabeza y el Señor lo sanó completamente. Al día siguiente dio el testimonio, como si el Señor quisiera confirmar que la sanación no era una invención, sino una historia verdadera. ¡El mismo fenómeno que pasó en el Congreso cuando Hélène Lacroix fue sanada! Termino aquí porque, como dijo el salmista, las maravillas del Señor son tantas que no se pueden enumerar.

Excúsenme si no puedo escribir una carta a cada uno en particular. En una parroquia de sesenta mil almas... con la dirección espiritual en aumento, no puedo realmente escribir a cada uno de mis amigos y parientes por separado. Así pues, esta mañana les envío a todos este pequeño boletín de noticias con un '¡Buenos días!'. Y les doy las gracias por su generosidad y por todas sus delicadezas durante mi estadía de un año en Canadá. Que el Señor les devuelva el ciento por uno por todo lo que han hecho por mí. ¡Unidos en la oración, siempre en alabanza y acción de gracias!".

Les bendigo,

Padre Emiliano Tardif, M.S.C.
Casa cural, Nagua
República Dominicana

Tres años después de empezar su experiencia como párroco en Nagua, luego de su sanación, **el padre escribió:**

"Después de tres años de mi experiencia en Nagua, puedo afirmar que los grupos de oración nos proporcionan una magnífica oportunidad para evangelizar a nuestro pueblo. El pequeño grupo de oración carismático que comenzó hace tres años con unas cuarenta personas se ha multiplicado rápidamente en muchos grupos, tanto en la ciudad como en el campo. Hoy tenemos ochenta y dos grupos de oración en la parroquia, entre los cuales treinta y cinco se reúnen en la ciudad cada semana, todos la misma noche. Y son grupos que oscilan entre unas veinticinco y ochenta personas cada uno.

Hemos intentado hacer de estos grupos que se reúnen con tanta frecuencia, unos grupos de oración que a la vez reciban evangelización.

Y, poco a poco, se ha implementado en cada grupo media hora de reflexión sobre un tema bíblico, preparado de antemano con los catequistas encargados de cada grupo. Por lo que se ha visto la siguiente maravilla: en Nagua donde no era nada fácil formar grupos de catequesis de adultos, porque la gente no iba, se han formado en poco tiempo treinta y cinco grupos de oración, en los cuales se dedica media hora a la evangelización y después de unos cantos apropiados, la asamblea comienza su oración espontánea.

Y así, el pueblo de Dios comienza alimentándose de la Palabra de Dios para después proclamar sus alabanzas y su acción de gracias. Y sucede que la misma oración se va nutriendo espontáneamente de la Palabra de Dios comentada al principio de la reunión. De esta forma, los grupos de oración se convierten en vehículos de evangelización, y como ejemplo tenemos a Nagua, una ciudad que tenía gran fama por su corrupción. Ahora, cada semana se reúnen treinta y cinco grupos de adultos que escuchan la Palabra de Dios, la comentan y oran después sobre la misma Palabra.

Evangelizar no es sólo proclamar la Palabra

No basta con proclamar la Palabra de Dios para decir que estamos evangelizando; sin embargo, es un primer paso, porque la Palabra de Dios es 'operante', es eficaz como 'una espada de doble filo' que penetra profundamente en el corazón del pueblo y va haciendo una transformación auténtica poco a poco, cuando se abona con la oración.

Los frutos de los grupos de oración se ven claramente y conviene que los destaquemos un poco. Gracias a la reflexión semanal sobre la Palabra de Dios durante media hora y a la oración espontánea por más de una hora, la reunión semanal va dejando huella.

Muchos matrimonios que vivían sin la bendición de la Iglesia han pedido oficializar su vínculo. El año pasado se celebraron trescientos seis matrimonios en la parroquia, entre los cuales la gran mayoría era de parejas que vivían en concubinato. Con la participación semanal de estas parejas en la asamblea de oración, han caído en la cuenta de que no podían seguir una vida tan desorganizada, sin la bendición del sacramento del matrimonio, y se han acercado a pedirlo, después de un cursillo prematrimonial serio. Ellos hubieran podido llegar a la misma conclusión por otros caminos, pero el Señor los ha llamado a través de la asamblea de oración, como testifican muchos. La reunión de oración ha sido para muchos un camino de acercamiento a la Iglesia. A muchos, el Señor los ha tocado en una asamblea de oración y después los ha traído a participar al banquete de la Eucaristía.

Otro fruto notable es el aumento de apóstoles seglares en la parroquia. Hace tres años teníamos doscientos sesenta catequistas activos en la parroquia. Actualmente tenemos quinientos treinta y seis que trabajan, ya sea en la catequesis de adultos, en la de niños o en los grupos de oración. Y vemos cómo se realiza esta promesa del Señor: 'La mies es mucha y los obreros pocos. Rueguen al dueño de la mies que envíe obreros a su viña'. Ésta es la solución que nos propone el Señor ante la falta de obreros apostólicos. Si hubiera otra solución mejor, Él nos lo hubiera dicho. 'Rueguen al dueño de la mies que envíe obreros a su viña'. Por lo que el pueblo de Dios, reunido en oración comunitaria, ha comenzado a pedir con más insistencia y el Señor cumple su promesa. Cuando tomamos la Palabra de Dios en serio, Dios nos toma en serio".

En el mismo **artículo del *Listín Diario***, del 3 de julio de 1999 al que me referí en la página 113, el obispo auxiliar de la Arquidiócesis de Santo Domingo, monseñor Francisco José Arnaiz, S. J., comentó:

"Tardif llegó a esa experiencia vivencial de Jesús vivo actuando con el poder del Espíritu Santo, mediante su sanación física, pero sabía que las enfermedades espirituales son peores y dedujo coherentemente que Jesús vivo quería sanar ambas. Y, por eso, quiso recorrer nuestro país y el mundo entero ofreciéndose como instrumento de estas sanaciones. Es justo resaltarlo".

Con respecto a esto, recuerdo que el padre hablaba muchas veces de la vida eterna y decía jocosamente: "Todo el mundo quiere ir al cielo, pero nadie se quiere morir. No sé por dónde van a pasar". Siempre nos llamaba a vivir una vida de gracia y en sus conferencias ponía mucho énfasis en la reconciliación con Dios, mediante este sacramento.

"¡La vida es corta!", le oímos gritar con emoción en unas charlas cuaresmales. Él tenía preparada una conferencia para ese día y, antes de darla, oró un rato delante del Santísimo. Lo vimos salir de allí muy emocionado y dirigirse hacia su habitación a hacer unos apuntes. Cuando volvió estaba radiante y decía: "Es que he tenido que cambiarlo todo en el último minuto, pues cuando fui al Sagrario, el Señor me habló y me dijo: *'Diles que la vida es corta, que no pierdan el tiempo viviendo en el pecado, sino que se arrepientan y vuelvan a mí. Que yo llego a buscarlos cuando menos lo esperan'*" (ver Lucas 12:40).

Retomo sus propias palabras de una **conferencia dictada en Caracas,** Venezuela, en el V ECCLA, Encuentro Católico Carismático Latinoamericano, en enero de 1976:

> "En una oportunidad, hace unos tres meses, estábamos predicando un retiro carismático en Santo Domingo. Nuestro plan era predicar sobre sanación en la homilía del segundo día, y orar por los enfermos después de la comunión.
>
> Siempre vemos que el momento de la unión íntima con Cristo, luego de recibir la comunión, es el momento más propicio para una

oración de sanación, en la que el Señor se manifiesta con poder y amor. Pero un mensaje auténtico y que consideramos palabra del Señor nos dijo en la tarde de ese día: 'La vida es corta'. Nos preguntamos primero qué nos quería decir el Señor..., si quizás alguien de nosotros iba a morir pronto... Sin embargo, pudimos discernir que el Señor nos recordaba lo siguiente: 'Está bien que se ore por la sanación física, pues la curación es una manifestación del amor salvador del Señor. Pero la vida es corta. La vida del cuerpo es corta. Debemos pedir, con más deseo todavía, la sanación espiritual, pues la vida del alma es eterna'.

Y ese mensaje, 'la vida es corta', vino a cambiar la intención de mi homilía. Cinco veces en la homilía les recordé a mis oyentes que la vida es corta. Pidan la sanación del cuerpo, pero más todavía, pidan la sanación del alma, pues la vida del cuerpo es corta y la vida del alma es eterna. El Señor nos sana; sin embargo, a pesar de sanar perfectamente a una persona, el Señor nos da signos de que no ha cambiado la fecha de su muerte, y viene a buscar a la misma persona a través de otra enfermedad de poca importancia aparente. El día de la entrada en el Reino está escrito en el Libro de la Vida.

Este mensaje hizo profundo impacto en el alma de las mil quinientas personas que participaban en esa misa del retiro. Que nunca

> nuestros fieles pongan su fe en una persona, pues ésta debe estar en Cristo.
>
> Nosotros vamos a morir, pero Cristo no muere. Además nos dice en el Apocalipsis: *'Yo soy el que vive; estuve muerto y de nuevo soy el que vive por los siglos de los siglos, y tengo en mi mano las llaves de la muerte y del infierno'* (Apocalipsis 1:18).
>
> Ese Cristo nos ha traído vida y vida en abundancia. Pidámosle sanación, pero por sobre todo la sanación espiritual, pues ¡la vida del cuerpo es corta y la vida del alma es eterna!".

Recuerdo que en esa homilía nos decía que debíamos pedirle al Señor que sanara nuestros cuerpos, pero que sanara especialmente nuestra alma de la enfermedad del pecado. La sanación física era temporal, pues, al fin y al cabo, la vida llegaba hasta cierto momento y después deberíamos morir para entrar en el Reino de los Cielos. En aquella Semana Santa insistió mucho en la vida eterna y en la necesidad que teníamos de vivir con Él, para así morir y resucitar con Él (ver Romanos 6:5).

A manera de ejemplo, el padre contaba la historia de Altagracia, una joven residente de El Pozo de San Francisco de Macorís, a quien tuve la oportunidad de conocer personalmente en 1975. Cuando la conocí, Altagracia daba el testimonio de su vida, en todos los lugares a donde iba. Era una mujer joven, de 26 años que, por motivo de una anemia que la mantenía en cama sin poder caminar, se había quedado ciega y sorda. Todos pensaban que iba a morir pronto, ya que se debilitaba poco a poco y apenas podía comer.

Ella había tenido una vida muy desordenada y vivía en situación de pecado, hasta el momento de su enfermedad. Su madre, desesperada, quiso llevarla a las reuniones que el padre Emiliano tenía en el pueblo de Pimentel donde había sido enviado a reemplazar al párroco. Debido a esas reuniones multitudinarias, que aumentaban cada semana, se dio a conocer el ministerio del padre Emiliano en República Dominicana. La noticia se divulgó por radio, en los periódicos, en la televisión; corría de boca en boca, y la gente llegaba al pueblecito en carros, camionetas, camiones, autobuses, etc; muchos de ellos atraídos por la curiosidad de lo desconocido, pero la mayoría llegaba con la carga de sus necesidades y dolencias.

Altagracia fue puesta en la parte de atrás de una camioneta, acostada en un pequeño colchón. Quienes la vieron pensaron que moriría en el camino, pero la madre, confiada, quiso llevarla a la misa que se celebraba por los enfermos. Al llegar a la gran asamblea, la acostó en el suelo. Durante la oración, después de la comunión, Altagracia empezó a reaccionar. Recuerdo que me contó que, cuando iba de regreso a la casa, ya podía ver y oír. Al otro día estaba perfectamente bien, de pie, caminando. Pero lo más hermoso es que el Señor, no solamente le sanó el cuerpo, sino que tocó profundamente su corazón, al darle un gran arrepentimiento por toda su vida de pecado, de la que se apartó definitivamente. Se hizo catequista e iba alegremente por los campos, enseñando a los niños y dando su testimonio en las diferentes comunidades.

En aquellos tiempos, yo solía ir frecuentemente a esos lugares. Pocos meses después volví a El Pozo y me encontré con la madre de Altagracita quien, con lágrimas en los ojos pero con mucha paz, me contó que ella había muerto dos semanas atrás. Habían pasado ocho meses después de su curación. La madre nos dijo que le dio una fiebre alta que la hizo guardar cama. Un día le confesó a su mamá que Jesús la había visitado y le había dicho que dentro de dos días la vendría a buscar. La madre pensó que deliraba por la fiebre, pero le sorprendió la alegría y la paz con que lo decía. Su mamá la corrigió para que no volviera a contar dicha experiencia; especialmente, para que la gente no se burlara de ella.

Sin embargo, ella se la refirió a quienes la visitaron, y tal como lo contó, así sucedió. Dos días después, el Señor se la llevó en medio de cantos y alabanzas del pequeño grupo reunido alrededor de ella. Su entierro fue un gran testimonio del amor misericordioso de Dios que quiso primero recoger a esta oveja perdida, gracias a la sanación, para darle así, en ese corto tiempo de vida, la oportunidad de arrepentirse y luego morir en los brazos del Señor para gozar de la vida eterna.

"¡La vida es corta!", subrayaba el padre Tardif a todos los que lo oíamos.

Hoy, mientras escribo estas líneas, miro hacia atrás y pienso que junto a él pasamos veinticuatro años de ministerio en muchos lugares del mundo; sin embargo, hoy comprendo que esos años se fueron muy rápido y que él ya no está entre nosotros. También digo ahora: "¡Qué corta es la vida!".

Pero sí le doy gracias al Señor por esta gracia tan grande que nos concedió de acompañarle tantas veces en la predicación, y poder ser testigos del poder y del amor del

Señor a través de este hombre de Dios. También, tuvimos la dicha de verlo santificarse cada día en este ministerio de compasión, con tanto amor y tanta paciencia para con los que se acercaban a él.

En una escala en el aeropuerto de Tegucigalpa, Honduras, sacamos nuestros pasabordos y el joven que atendía allí tomó los documentos y nos dijo que por favor nos sentáramos cómodamente, que él lo haría todo y luego nos llevaría los documentos, para que no tuviéramos que esperar de pie.

Así que nos sentamos, pensando en la amabilidad de los empleados de esta aerolínea. El padre Emiliano, como generalmente lo hacía en los viajes, se puso a orar con su breviario, lo cual es para mí un recuerdo verdaderamente entrañable.

Después de un rato, el joven regresó y al ver que el padre rezaba, me entregó los pasajes y los pasabordos. Enseguida me di cuenta de que los sitios que nos había asignado eran el 1-A y el 1-B; o sea, que nos había cambiado de clase turista a primera clase. Levanté los ojos para darle las gracias y un poco sorprendida por el cambio que había hecho, le dije: “Usted nos puso en primera, gracias, muy amable de su parte”. Noté que él miraba fijamente al padre y muy dulcemente me dijo: “Es que yo sé quiénes son ustedes; usted es María Sangiovanni y él es el padre Emiliano Tardif, yo he asistido a sus retiros”. Y mientras permanecía en su sitio, observaba al padre, sin interrumpir su oración.

Luego de unos segundos de mantener esa posición, con su mirada fija en el sacerdote, le dirigí la palabra: “¿Qué te sucede, muchacho, acaso quieres confesarte con el padre?" Enseguida volteó la cara hacia mí y con un gesto de esperanza y sus ojos muy abiertos, me dijo: "¡Ay, sí señora, es lo que más quisiera en la vida!".

Conociendo la importancia que el padre Emiliano daba al ministerio de la reconciliación, me atreví a interrumpirle para expresarle el deseo del joven. Al punto cerró el breviario y dijo con una sonrisa bondadosa: "¡Cómo no, venga!", a la vez que le señalaba el sillón junto a él para que se sentara. Mientras tanto, yo me puse a pasear, alejada de ellos lo suficientemente como para darles privacidad en la conversación. Aún a lo lejos me conmovió ver el gesto del padre, con un brazo sobre el hombro del joven que llorando, se tapaba la cara mientras lo consolaba y oraba por él.

Al terminar ese momento me acerqué a los dos, mientras el joven, muy emocionado, salió a mi encuentro. Tomó mis manos entre las suyas y me repetía: "¡Gracias, gracias, gracias!". Finalmente, se alejó para volver a su trabajo.

Como debíamos esperar mucho tiempo para nuestro vuelo y teníamos hambre, decidimos buscar un restaurante en el aeropuerto para almorzar. Al terminar, el padre pidió la cuenta, a lo que el mesero respondió que ya estaba paga. Sorprendido, me dijo: "¿Tú la pagaste?". Yo respondí que no. Entonces el padre le dijo al mesero que aquello era una equivocación, que por favor le trajeran la cuenta, pero él respondió con una gran sonrisa: "No, padre, no hay equivocación, usted no debe nada, todo está pago. ¡Qué Dios lo bendiga!". Nunca supimos quién pagó aquella cuenta. Pero lo que sí sé es que mucha gente, en cualquier lugar, reconocía al padre y le agradecía por su ministerio.

El ministerio de sanación tiene una característica: hace que quien lo ejercita pierda su libertad. Es que la gente siempre está alrededor pidiendo oración, contando sus historias y desahogando su dolor.

No hay lugar por donde uno vaya, en el que no encuentre personas quebrantadas que se acercan con sus necesidades. Y es que el ministro del amor sanador de Dios se convierte en una señal visible del Dios invisible. La gente tiene una necesidad de acercarse para, de una manera tangible, tener un contacto más cercano con el Dios que vive en nosotros.

En un país como República Dominicana, en donde todo el mundo conocía al padre Emiliano, no había lugar donde él pudiera esconderse para descansar. Siempre había gente alrededor de él.

Pero lo hermoso de todo esto era ver que siempre estaba dispuesto a servir a todos, mirando con sus pequeños ojos azules que reflejaban el universo entero. Siempre tenía ademanes pacientes que te hacían sentir que él contaba con todo el tiempo y la atención exclusivamente para tí. Generalmente tenía una sonrisa cuando acogía a los que se acercaban a él, a pesar de que se sintiera cansado.

Cuántas veces lo vi, al final de un día de trabajo, exhausto, deseoso de irse a descansar y, sin embargo, responder con generosidad a cualquier servicio que se le pidiera. Como un recuerdo jocoso quiero relatar lo que sucedió una vez que estuvimos en Colombia. Habíamos pasado todo el día trabajando en un retiro y al final de la noche nos llevaron a cenar a la casa de una familia donde estaban reunidas varias parejas. Después de la cena, ya cerca de la medianoche, los anfitriones le pidieron al padre que si podía celebrar la Eucaristía, lo cual le daría, según ellos, una gran alegría al grupo. El padre Tardif, aunque se veía muy cansado, contestó que con mucho gusto lo haría y fue enseguida a revestirse para dar inicio a la santa misa.

"Vengan a mí todos los que están cansados y agobiados que yo los aliviaré", dijo Jesús.

Después de la lectura del Evangelio, hizo un comentario breve y luego nos invitó a cerrar los ojos y guardar silencio para meditar un poco sobre la Palabra de Dios. Todos le obedecimos, inclinando nuestras cabezas. De alguna manera, después de un rato, caí en la cuenta de que el silencio se prolongaba y de una manera natural, abrí los ojos y miré al padre. ¡Entonces me di cuenta de que se había quedado dormido! El cansancio había vencido al querido sacerdote. Noté que varias personas también lo miraban y me pregunté qué debía hacer, si levantarme y despertarlo, o si era más prudente esperar a que él lo hiciera solo. Mientras tanto, me sentía inquieta, pues ya todos habían abierto los ojos y algunos hacían pequeños ruidos como toser y carraspear la garganta.

De repente, el padre se despertó y muy diligentemente se dispuso a seguir la misa, pero... ¡se despertó en francés! Sin darse cuenta del cambio, siguió las oraciones en su idioma natal y no pude aguantar la risa, junto con los demás por lo que, en voz baja, le dije: "Padre, cambie el casete del francés al español". Él, muy sorprendido, cayó en la cuenta y con una sonrisa bondadosa, siguió en español el resto de la Eucaristía.

Y es que era una persona muy normal. Hacía las cosas de una manera sencilla y sin grandes complicaciones. A pesar de ser una persona solicitada por todos, tanto en el ámbito nacional como internacional, era capaz de tener un trato sumamente sencillo y afable, lo que lo hacía cercano y accesible a todos.

A caballo, en avión o en jeep, lo importante es "¡Evangelizar!".

Sus conferencias no estaban cargadas de una profunda teología, sino de una proclamación sencilla y llena de poder del mensaje evangélico, salpicadas por testimonios concretos que edificaban la fe de los oyentes y que actualizaban el Evangelio, transformándolo en una experiencia viva del presente. Sus palabras solían ser sencillas, pero llenas del Espíritu del Señor, por lo que podían ser entendidas y acogidas por todos.

Puedo dar como testimonio que también mi familia fue bendecida por su ministerio de sanación y por sus testimonios.

Cuando iniciamos el ministerio, el padre Emiliano era todavía párroco, de manera que después de llegar de los viajes de predicación, se reintegraba rápidamente al trabajo parroquial. Como las parroquias estaban situadas en pueblos lejanos del aeropuerto, antes de partir, se detenía en mi casa en Santo Domingo para tomar algún alimento, descansar o si había viajado solo al extranjero, venía a contarnos gozosamente lo que el Señor había hecho durante su viaje.

Hace más de veinte años cuando llegaba de Suramérica, vino a casa antes de partir para la parroquia en Sánchez. Con mucha alegría me contaba todo lo que había sucedido en el retiro, y de cómo Jesús había confirmado con prodigios y señales la palabra proclamada. Muchos enfermos se habían sanado. Mi hija Giovanna que estaba cerca escuchando todo lo que él decía, se me acercó después de un rato y me dijo en secreto al oído: "Mami, ¿por qué no le dices al padre Emiliano que rece por mí para que el Señor me sane, así como sanó a los paralíticos de los que él está hablando?".

Yo la abracé y con la alegría de ver que el testimonio del padre había edificado la fe de mi hija de 11 años, le comenté su petición; él, poniéndose de pie, se dispuso a orar por ella, animándola con un "¡Claro que a ti también te puede sanar el Señor!".

Debo explicar que Giovanna, por muchos meses, había tenido ataques muy fuertes de garganta con fiebres altísimas, lo que motivó que el pediatra le hiciera un estudio sobre el factor reumatoide y el resultado fueron unos niveles muy altos. El doctor me explicó que esto en los niños era muy peligroso, pues podía originar la fiebre reumática, dejando grandes secuelas en el corazón y en los riñones de los niños. Me dijo también que esta dolencia era muy contagiosa, por lo que debía hacerles un estudio a los otros tres niños para verificar si no lo tenían también. Lamentablemente, cuando se hizo, los cuatro resultaron con el factor reumatoide alto, por lo que ordenó que mensualmente se les pusiera una inyección de un antibiótico llamado Benzetazil que los protegería de la posible enfermedad. Nos dijo también que este tratamiento debía continuarse ininterrumpidamente hasta los catorce años aproximadamente, y hacerles chequeos periódicos de laboratorio.

Nosotros cumplimos con la orden del médico, pero con mucho sufrimiento por parte nuestra y, sobre todo, por parte de los niños, ya que dicha inyección es sumamente dolorosa. Cuando llegaba el día del Benzetazil, la casa se volvía un mar de lágrimas. "Cuando veía que en casa aparecían las jeringuillas, yo empezaba a temblar", comenta Gisele. "Esa inyección me dejaba coja por muchos días, era un dolor que llegaba hasta el hueso", asegura Giovanna. A todos nos agobiaba demasiado pensar que especialmente los más pequeños, Loli y Humberto de ocho y diez años, tendrían que sufrir mensualmente este dolor. Por eso fue una gran bendición lo que sucedió. El padre oró por Giovanna quien, con mucha fe, recibió la oración con sus ojitos cerrados.

Ese mes tocaba el chequeo del laboratorio y cuál fue la sorpresa del médico cuando, al recibir el reporte, los niveles en Giovanna aparecían normales, mientras en los otros tres niños estaban altos. El médico pensó que era una equivocación del laboratorio y pidió repetirlo, pero dio el mismo resultado.

Cuando me comentó que no entendía, Giovanna y yo estallamos en alegría y compartimos con él lo que había hecho el Señor como respuesta a la oración del padre Tardif. El médico, un hombre creyente, quiso que se le hiciera a la niña un chequeo al mes siguiente y si no aparecía el factor reumatoide, no se le pondría la inyección. En su calidad de médico debía estar seguro.

Cuando llegamos a casa, Giovanna brincaba de alegría agradeciendo al Señor, pero los otros tres estaban celosos y decían: “Pero, ¿cómo el Señor sanó a Giovanna y a nosotros no?”. Aproveché el momento de manifestación divina en la familia y le dije a Giovanna que, como ella ya creía con su fe edificada, que Dios escuchaba cuando se hacía oración y respondía, sanando a los enfermos, orara ella por sus hermanos así como el padre Emiliano lo había hecho por ella.

Recuerdo lo hermoso del momento en que la niña fue imponiendo las manos sobre sus hermanos y, de una manera muy sencilla, hizo oración por cada uno de ellos. Al mes siguiente, la sorpresa con el reporte del laboratorio: ¡Todos aparecían normales! Ahora el médico quedó más confundido todavía. “Que sean cuatro sanados es muy raro. Yo aceptaría uno... ¿pero los cuatro?”, decía. Sin embargo, yo le pregunté: “¿Y cuál sanación te sobra?”. En realidad, todos estábamos sorprendidos con la generosidad de Dios. Y es que nosotros tratamos de medirlo a Él desde nuestra pobreza, sin comprender completamente que es el Dios de lo imposible, el Dios que ofrece a sus hijos bondades a manos llenas.

El médico mandó a repetir los exámenes, los cuales tuvieron el mismo resultado negativo, y también hizo un acto de fe al darles a los niños una oportunidad: ese mes no hubo jeringuillas ni lágrimas, pero con una condición, pasado este tiempo había que volver al laboratorio para confirmarlo todo. Imagínense la alegría y disponibilidad con que mis cuatro hijos fueron a hacerse los exámenes de laboratorio; ellos estaban locos de contento y agradecidos con Dios. Así pasó un mes y todo resultó negativo. El médico repitió los exámenes a los tres meses: ¡Negativo! Seis meses después: ¡Negativo!

Finalmente, él mismo dijo: “Tengo que admitir que Dios ha puesto su mano al sanar a los niños”.

Gracias, Señor, por tu presencia entre nosotros.
Gracias porque Tú has querido,
a través de tu Espíritu,
seguirte manifestando en la historia
y en nuestra historia.
Gracias porque sigues cumpliendo
tu promesa de estar siempre con nosotros,
con tu misma compasión y tu gran misericordia.
Gracias porque sigues siendo el mismo de
ayer, de hoy y de siempre.
El Dios al que podemos hablar
porque siempre nos escucha.
¡Gracias, Señor!

5 La cosa comenzó en Pimentel

La Palabra de Dios, nos narra el discurso de Pedro en la Casa de Cornelio, parte del cual transcribo:

> *"Entonces Pedro tomó la palabra y dijo: 'Verdaderamente reconozco que Dios no hace diferencia entre las personas, sino que acepta a todo el que lo honra y obra justamente, sea cual sea su raza. Él ha enviado su palabra a los hijos de Israel, ofreciéndoles la paz por medio de Jesucristo, que es el Señor de todos. Ustedes saben lo sucedido en toda Judea, comenzando por Galilea, después del bautismo*

que Juan predicó: cómo Dios consagró a Jesús de Nazaret con el Espíritu Santo, comunicándole su poder. Este pasó haciendo el bien y sanando a cuantos estaban dominados por el diablo, porque Dios estaba con él. Nosotros somos testigos de todo lo que hizo en la provincia de los judíos e incluso en Jerusalén" (Hechos 10:34-39).

San Lucas, en el capítulo 4 nos narra que Jesús volvió a Galilea por la fuerza del Espíritu, después de estar cuarenta días en el desierto, y su fama se extendió por la región. Él enseñaba en las sinagogas y era alabado por todos (ver Lucas 4:14-15).

Cuando pienso en el padre Emiliano, comparando un poco la Palabra de Dios con su vida, me da la impresión de que, para él, toda la fuerza de su ministerio empezó en Pimentel. Estuvo oculto por bastantes años en su vida de sacerdocio, creciendo en la fe, en el amor a Dios y en el servicio a sus hermanos.

También le tocó pasar por el desierto con la terrible prueba de su tuberculosis pulmonar doble, de la cual salió victorioso porque Dios estaba con él. Efectivamente, como ya lo habíamos contado y él tantas veces lo testimonió, fue milagrosamente sanado cuando cinco seglares oraron por él en el hospital Laval de Canadá, donde estaba internado.

Un año después fue enviado como párroco a Nagua, ciudad al norte de República Dominicana. Allí empezó a formar grupos de oración parroquiales durante un año y a orar por los enfermos, ya que él deseaba compartir el tesoro que había recibido con su curación y con el Pentecostés que había experimentado personalmente en su vida, gracias a la Renovación Carismática.

Sin embargo, creo que la cosa empezó en Pimentel, puesto que en esta ciudad de República Dominicana se dio a conocer lo que bien podría llamarse el "fenómeno Emiliano Tardif". Los hechos sucedidos en esta pequeña ciudad caribeña hicieron que su fama se extendiera por la región y luego por el mundo entero. A partir de allí se reconoció que el padre Tardif había sido escogido y enviado a proclamar el Evangelio de la Paz, con la fuerza y el poder del Espíritu Santo.

En *Jesús está vivo,* él cuenta que se encontraba muy feliz en Nagua, trabajando en los grupos de oración "pero el Espíritu Santo me tenía preparado una gran sorpresa. Es verdad que los caminos de Dios, aunque son diferentes a los nuestros (ver Isaías 55:8) son incomparablemente mejores de lo que podemos pedir o pensar" (ver Efesios 3:20).

Su provincial le pidió que se trasladara a la ciudad de Pimentel a sustituir por unos meses, a un compañero que se iba de vacaciones a Canadá.

En realidad, él no tenía muchos deseos de dejar Nagua, puesto que ya se sentía establecido y cómodo; pero, al tener la obediencia y la disponibilidad por encima de sus propios deseos, preparó sus maletas y llegó el 10 de junio de 1974 a su nuevo destino.

Pimentel es una ciudad pequeña. La mayoría de la gente todavía la llama "pueblo". Pocas calles, muchas casitas de madera rodeadas por arrozales y fábricas de arroz. Es un lugar donde la agricultura es el principal medio de vida de la población.

Nadie podía imaginarse lo que sucedería en las cinco semanas, después de la llegada del padre Tardif, lo cual haría que todos los ojos del país se fijaran en este remoto lugar.

El primer domingo que estuvo en la parroquia San Juan Bautista celebrando las eucaristías dominicales, invitó a las personas para que asistieran a una conferencia que daría el miércoles siguiente, bajo el tema de la Renovación Carismática. A esta invitación respondieron unas doscientas personas, quienes pudieron escuchar su testimonio de cómo, un año atrás, el Señor lo había sanado de su tuberculosis pulmonar.

La Palabra de Dios, proclamada con el poder del Espíritu, empezó a dar su fruto en los que lo escuchaban, edificándolos en la fe. De esta manera, el Señor quiso acompañar con señales la palabra proclamada, tal como lo había prometido (ver Marcos 16:15-20).

Ese día llevaron a un paralítico en una camilla, quien desde hacía cinco años no caminaba debido a una lesión en la columna vertebral. El padre Tardif oró con los demás por dicho hombre quien, sudando copiosamente y temblando, se levantó con mucho esfuerzo y empezó a dar pasitos lentos hacia el Sagrario. ¡El Señor lo había sanado!

Todos empezaron a alabar con fuerza a Dios, en medio de lágrimas de emoción, cuando vieron que aquel que había estado postrado, ahora era libre, renovado por el amor misericordioso de Jesucristo. ¡Eran testigos del Cristo vivo que da la vida!

Ese mismo día también recibieron sanación diez personas más y, como ustedes pueden imaginarse, la noticia corrió como pólvora. Debajo de las amapolas gigantescas, junto a los cacaos y al cafetal, se reunían los campesinos contándose unos a otros lo sucedido.

Las comadres y las vecinas dejaban por un momento las labores caseras y llenas de emoción daban la noticia de lo sucedido con el paralítico y con los demás sanados. El parque, junto a la iglesia parroquial, fue testigo de la noticia y de la esperanza que surgió en muchos corazones al desear que los enfermos que tenían en sus casas fueran presentados al Señor en la próxima reunión, anunciada para el miércoles siguiente.

Por eso, no era de extrañar que a la siguiente reunión asistieran más de tres mil personas. Unas llegaron con esa sed de Dios que, como fruto del Espíritu, había surgido en sus corazones por el testimonio de estos nuevos evangelizadores quienes daban razón de un Cristo vivo que había sanado a once enfermos. Otras asistieron llevando a sus familiares enfermos o con la carga de sus propios sufrimientos, con un corazón esperanzado en la bondad de Dios y, sin duda, muchas concurrieron por la curiosidad que les despertaba el hecho de conocer este "fenómeno" raro y sorprendente; por lo que no querían perdérselo ni dejar de averiguar de qué se trataba.

El padre Tardif, al ver llegar poco a poco a la multitud, fue el primer sorprendido. Rápidamente y con mucho discernimiento, tuvo que cambiar el plan. En lugar de celebrar la asamblea de oración, dio una conferencia y luego celebró la Eucaristía por los enfermos. Como esta cantidad de personas no cabían dentro de la Iglesia, la actividad tuvo que llevarse a cabo en la calle, donde se pusieron el altar y los micrófonos.

Aquel día el Señor sanó a Mercedes Domínguez. Ella estaba "ciega a terror", según su propia expresión cuando dio su testimonio. Durante la oración empezó a ver un poco y enseguida se lo contó a todos. Al otro día ya veía bien, distinguía los colores y podía salir sola por todo el pueblo, que la había conocido ciega. Ahora podía ser testigo de Jesucristo, como Luz del Mundo, y de quien los profetas decían que abriría los ojos a los ciegos (ver Salmo 146:8; Lucas 4:18). El Señor Jesús se había hecho presente, vivo y resucitado en Pimentel, para sanar a Mercedes de su ceguera. Esto causó un verdadero impacto en toda la población, así como en los campos y en los pueblos aledaños.

Una vez más, la Buena Noticia corrió por todas partes de boca de los testigos quienes contaban las maravillas que Dios estaba haciendo en Pimentel.

"Imagínense lo que sucedió la tercera semana", narra el padre Emiliano en su libro *Jesús está vivo*. "Nos fuimos al parque, al aire libre, para celebrar la Gloria del Señor. Era como cuando Jesús llegaba a Cafarnaún o a Betsaida. El mismo Jesús vivo llegaba a nuestro pueblo. El parque parecía la piscina de Betesda, llena de enfermos, ciegos, cojos y paralíticos esperando su curación" (ver Juan 5:1-2).

En ese misterio del Amor de Dios, Pimentel era escogido como un lugar de manifestación de su misericordia, donde más de siete mil personas ese miércoles pudieron escuchar un mensaje de consuelo y de esperanza al proclamárseles que Jesús está vivo y presente en su Iglesia, que sigue siendo el mismo de ayer, de hoy y de siempre, mientras continúa dándonos señales y prodigios, como confirmación de su Palabra.

Como dato curioso, pero sin lugar a dudas providencial, la policía del pueblo se molestó porque debía permanecer en servicio durante las horas destinadas a su descanso, debido al inmenso tráfico de autos y de personas que asistían a las reuniones. Por lo que se quejaron ante el jefe de la policía de la región de San Francisco, con el fin de que interviniera y prohibiera la celebración de esas reuniones. Pero Dios, como dice la Palabra, se anticipa en su amor. Él ya lo había preparado, puesto que la semana anterior había sanado a la esposa del jefe de la policía, quien desde hacía doce años estaba enferma. Y ¿cómo podía él parar esas reuniones, si ellos mismos como familia habían sido bendecidos y estaban profundamente tocados por el Señor? La respuesta generosa del jefe de la policía fue, a cambio, enviar el servicio de diez y ocho policías extra que acudieran para ayudar en la próxima reunión.

Por fin llegó el miércoles 10 de julio. Era el aniversario del regreso del padre Tardif a República Dominicana después de haber sido sanado. Él no lo sabía, pero el Señor le estaba preparando una gran fiesta en Pimentel.

Desde la mañana empezaron a llegar autobuses, camiones y camionetas llenos de personas que ya no procedían sólo del pueblo y de los campos aledaños, sino de todo el país. Los testimonios se habían extendido por las carreteras y alguno que otro periódico empezaba a hacer eco de lo que estaba sucediendo, reportando confusamente los hechos, ya que resultaba difícil que fueran entendidos,

"El Señor preparó una gran fiesta en Pimentel".

por lo inusual de los mismos. El nombre de un sacerdote canadiense que oraba, empezaba a sonar y había gente que decía que era sanada por Dios como fruto de la oración. Muchos se preguntaban: ¿Qué será todo esto? ¿Será cierto? ¿Será mentira?

Lo cierto fue que esa tarde la multitud se calculó en veinte mil personas que asistieron a la oración y a la Eucaristía por los enfermos. Esta vez, el padre Tardif tuvo que subir al techo de la parroquia y allí colocar el altar y las bocinas. Desde arriba, proclamó una vez más la buena nueva de la salvación a la multitud que atenta seguía sus palabras y su oración.

Pudo experimentar lo que nos refiere la Palabra de Dios acerca de que lo dicho por Él a nuestros oídos, lo proclamamos desde las azoteas (ver Hechos 10:9).

Y esa noche, una vez más, el Señor pasó entre la multitud con su infinito amor y misericordia. Incluso en agradecimiento a la generosidad de la policía, sanó a uno de ellos, un agente que por un derrame cerebral había quedado semiparalizado y que habían llevado a la reunión.

El padre Tardif contó una anécdota muy bonita, pues esa noche se sanó también una mujer que era sorda, muy conocida por todos. Al otro día, cuando ella fue de compras, unos hombres quisieron burlarse de ella, diciéndole: "Allí viene la sorda, vamos a bromear a costa de ella, moviendo nuestra boca sin pronunciar ninguna palabra, para engañarla". Pero ella con el oído destapado por el amor de Dios les contestó llena de alegría: "¡Yo no estoy sorda, Cristo me sanó anoche!". También en ella surgía una nueva evangelizadora que daba testimonio de Cristo vivo, presente, sanando a su pueblo.

Él se dedicó a evangelizar al pueblo de Dios.

Muchos pasaron a dar testimonio, y se calcularon cerca de cien curaciones dadas esa noche, de acuerdo con los testigos. Nosotros no lo advertíamos, pero Jesús estaba renovando su pastoral entre nosotros, sanando a los enfermos y atrayendo las multitudes para así evangelizarlas.

"Evangelicen a mi pueblo", le había dicho el Señor al padre Emiliano en una palabra profética. Ahora, le daba la oportunidad de hacerlo reuniendo a la multitud. Fue algo que se repitió durante toda su vida, pues, por el ministerio de sanación, recibió el carisma extraordinario de poder convocar a las multitudes en todo el mundo. Leamos lo que el padre Tardif comentó en una ocasión:

> "Quienes piensan que las curaciones son algo superficial y accidental en el ministerio de Jesús, están completamente equivocados. Quienes creen que las curaciones sobran hoy en día y que lo esencial es anunciar el Evangelio, están olvidando el método de la pastoral de Jesús.
>
> Nosotros planeamos y buscamos mil formas para atraer a la gente que cada vez viene menos a la Iglesia. Organizamos fiestas, conciertos, convivencias, etc., y los resultados son muy pobres. Jesús sanaba a los enfermos y la gente iba en tropel. Tantos, que hasta tenían que meter a los paralíticos por el techo, como en la casa de Pedro, porque no había sitio alguno por donde pasar.
>
> Hoy día sucede lo mismo. Cuando Jesús sana a los enfermos, se reúnen multitudes que no caben ni en los estadios y allí les anunciamos el Reino de Dios". Revista *Alabanza* No. 73

Y así llegó la quinta reunión. Se contaron cerca de cuarenta y dos mil personas que asistieron no solamente del país, sino también de Puerto Rico y Haití, ya que las noticias empezaron a traspasar las fronteras de República Dominicana.

El pueblo estuvo materialmente atiborrado de gente. Quien conoce Pimentel no puede casi ni imaginarlo. ¡Tan pequeño y tanta gente! Personas en las calles, en los techos, subidas en los árboles para obtener una mejor visión. Muchas quedaban tan alejadas del altar, que ni siquiera podían oír todo lo que se decía. Ellas no escuchaban nada, pero Dios los oía a ellos. Escuchaba sus necesidades, sus dolores, sus angustias. Y, una vez más, Jesús pasó entre la multitud haciendo el bien.

En su libro *Jesús está vivo,* el padre Tardif pone una hermosa frase: "Algunos se admiran de que el Señor responda tan pronto a las oraciones. Yo les digo que lo asombroso sería que Él, siendo tan bueno no respondiera: *"Antes que me llamen les responderé, y antes que terminen de hablar habrán sido atendidos"* (Isaías 65:24).

Verdaderamente Dios es un Padre de Amor, que no quiere que ninguno de sus hijos se pierda (ver Juan 3:16-17), que está de nuestra parte (ver Isaías 54:15), que invita a través de su Hijo a que le pidamos, con la confianza de que nos escuchará y nos contestará. *"Pidan y se les dará, busquen y hallarán, llamen a la puerta y les abrirán"* (Lucas 11:9).

Pimentel fue testigo del paso de Jesús, quien con su amor sanador curó enfermedades y heridas del corazón, levantó a los caídos y colmó, a muchos que estaban tristes, con una nueva esperanza.

La buena noticia de la Salvación fue proclamada y la Palabra no volvió al cielo sin haber dejado sus frutos (ver Isaías 55:10-11).

Pero no todo fue bonito. Muchas críticas se suscitaron contra el padre Emiliano. Recordamos las fotografías en la prensa, los artículos, los ataques, las diferentes opiniones en los programas televisivos. Al padre lo tildaron de brujo, de charlatán, de curandero, de embaucador, de embustero y algunos decían que era un aprovechador que buscaba fama personal y beneficiarse de la ignorancia del pueblo.

Él estaba viviendo en carne propia la alegría que nos viene por la persecución, por tratar de vivir nuestra vocación cristiana. En parte, todos esos ataques confirmaban su llamado, según lo que dice el Evangelio: *"¡Pobres de ustedes cuando todos hablen bien de ustedes, porque de esa misma manera trataron a los falsos profetas...!"* (Lucas 6:26).

Pero él sí sabía quien era delante de Dios. Fue uno de los lemas de su vida y una de las razones por la que tanto fue admirado: se sentía como el burriquito que llevaba a Jesús el día de la entrada en Jerusalén.

Nos reíamos mucho cuando decía: "Qué burro hubiera sido el burro, si hubiese creído que todos los aplausos y vítores de la gente que aclamaban a Jesús eran para él". Muchas veces le preguntaron: "Padre, ¿a cuántos enfermos ha sanado usted?". La respuesta siempre era tajante: "¿Yo? Yo no he sanado ni a uno solo. Jesús es el que sana. Yo no puedo sanar ni un dolor de muelas. Yo sólo oro y Jesús sana". En el transcurso de los años lo vimos alegrarse y sorprenderse con las maravillas que el Señor iba haciendo, sanando y salvando a su pueblo. De aquellas maravillas, él era sólo un testigo.

Pero volviendo a Pimentel, el padre comprendió que estas reuniones no podían continuar celebrándose de la misma manera. Como buen hijo de la Iglesia, fue a buscar la voluntad de Dios a través del pastor, su obispo, en ese tiempo monseñor Juan Antonio Flores.

Después de orar juntos, el Señor obispo le aconsejó terminar esas reuniones y dividir la multitud en grupos de oración, en los que se evangelizara a la gente y se les ayudara a crecer en una relación más personal con Dios. Así, surgieron cuarenta y cinco grupos de oración en distintos lugares de la parroquia, en el pueblo, en los campos y en los parajes. Dichos grupos se reunían todos los miércoles, haciendo de aquella área una verdadera casa de oración.

El padre Tardif se reunía una vez por semana con los responsables para formarlos, pero el día de las reuniones salía del pueblo con el fin de que nadie lo viera, sino que pusieran sus ojos en Aquel que era el centro de los corazones: Jesucristo Salvador, Señor de cielos y tierra.

Y así como un día llegó, también un día tuvo que salir de Pimentel. A los tres meses volvió el párroco de sus vacaciones. Imagínense la sorpresa que tuvo cuando empezó a escuchar todas las historias de lo sucedido durante su ausencia. Casi no lo podía creer, pero los testimonios eran evidentes: la ciega veía, la sorda escuchaba, los cojos andaban y los pobres habían sido evangelizados. El año de la gracia había llegado a Pimentel (ver Lucas 4:19).

Al escribir estas líneas, ya han pasado veinticinco años de esos acontecimientos y ahora entendemos plenamente el plan que tuvo el Señor al suscitarlos. El Señor quiso que Pimentel fuera como un fogón ardiente del que partieran los carbones encendidos que llevarían el fuego por toda la tierra.

En el año de 1975, un año después de esos hechos, tuve una visita en mi casa. Se trataba de una mujer estadounidense, la señora Faith Smith, a quien había conocido a través del padre Jaime Burke O.P., quien en ese tiempo compartía con él la predicación. Verdaderamente, aquella era una mujer de oración y de una vida de relación íntima con Dios.

Mientras ella estuvo en mi casa, llamé al padre Emiliano para que la viniera a conocer. Nos acomodamos en las mecedoras debajo del "palo de orquídeas", hermosamente florecido y sostuvimos entre los tres una entrañable conversación, teniendo a Dios como tema central. Al final de la tarde, el padre le dijo a Faith que si podía orar por él, ya que siempre oraba por todos y muy pocas veces oraban por él.

Ella, muy complaciente, impuso sus manos sobre sus hombros y comenzó a orar. Recuerdo dos cosas que me impresionaron de aquella oración: la primera fue que en medio de la oración, Faith comenzó a reír a carcajadas. Los dos nos sorprendimos de esta reacción y le preguntamos por qué reía tanto. Ella respondió que se reía a causa del libro del padre Emiliano. "¿El libro? –preguntó él–, pero si no he escrito ninguno". Entonces ella le dijo muy seriamente: "Usted escribirá un libro que recorrerá el mundo entero y la gente al leerlo se reirá mucho con sus historias". Era una profecía del libro *Jesús está vivo* que el padre Emiliano escribiría nueve años después y que, tal como el Señor le hizo ver a Faith, ha recorrido el mundo entero, con veintidós traducciones y más de dos millones de ejemplares.

La segunda cosa que me impresionó de la oración fue cuando ella le dijo que veía al padre Emiliano recorriendo toda la tierra. Ella mencionó que veía una llama que se encendía en un lugar de República Dominicana y que desde esa llama se desprendían pequeñas luces que iban a todo el territorio del país, y luego salían desde el mismo punto hacia las islas cercanas, y después poco a poco hacia América y los demás continentes.

El padre Emiliano y yo cruzamos nuestras miradas, y yo le pregunté: "Faith, si te presento un mapa de República Dominicana, ¿podrías decirme dónde queda ese lugar?". De nuevo ella condescendió y rápidamente busqué un mapa que abrí delante de ella. Sin vacilar, marcó un punto con su dedo ¡Pimentel! Sobra decirles que ella no conocía los acontecimientos sucedidos un año atrás, y que ésta era su primera visita a República Dominicana.

El padre y yo estábamos verdaderamente sorprendidos. Ahora que han pasado los años, lo vemos muy claro.

El Señor se valió de estos hechos maravillosos sucedidos en Pimentel para que, primero, todos en República Dominicana conocieran al padre Tardif, y después este conocimiento se fuera extendiendo alrededor del mundo.

Muchas personas, a lo largo de los años y sobre todo después de su muerte, han preguntado cómo comencé mi relación de amistad con el padre Emiliano. De nuevo tengo que recurrir al título de este capítulo: La cosa comenzó en Pimentel.

Desde que el padre volvió a República Dominicana, no había podido encontrarlo por mí misma. Escuchábamos en Santo Domingo, que queda a cuatro horas de Nagua en carro, que él estaba animando grupos de oración en la parroquia. Con respecto a los sucesos de Pimentel, nos enteramos de ellos, como la mayoría de las personas en el país, a través de la prensa y los testimonios de los que participaban. Los que asistíamos a los grupos de oración de la Renovación Carismática nos alegrábamos mucho. Yo me decía a mí misma que parecía que el Señor no se había equivocado sanando a este sacerdote, y no a otro. Tenía que tragarme mis pobres palabras: "¡Ay, Señor, por qué no sanaste a otro!".

Dos semanas después de la última gran reunión a la que asistieron cuarenta y dos mil personas, fui de vacaciones con mis hijos a un campo de San Francisco de Macorís, a unos veinte minutos de Pimentel. Eran los primeros días de agosto del año de 1974.

Una mañana visitamos al padre. Él nos recibió con mucha amabilidad, pero enseguida lo notamos nervioso, pálido, con una cara que reflejaba agotamiento. Le preguntamos qué le sucedía y nos contó que, desde su permanencia en Pimentel, la gente no lo dejaba descansar, ni comer, ni trabajar. Venían de todas partes: en caravanas, en carro, a pie, en camiones. Le tocaban a la puerta, a las ventanas, lo llamaban a veces a cualquier hora pidiéndole oración. Él sentía una inmensa compasión por la gente y oraba por ellos; los recibía, los confesaba y los consolaba; pero no descansaba y se sentía agotado. Vivía en una casita de madera pegada a la carretera con techo de cinc que, con el calor del verano, se sentía que ardía dentro. Y como estaba junto al camino, la gente tenía un completo acceso a ella por lo que le impedía tener alguna privacidad.

Para colmo nos dijo que no había podido mudarse a la iglesia nueva que había construido con donaciones del

Gobierno, y que el Presidente de la República vendría a inaugurarla la semana siguiente. ¡Estaba agobiado!

Al verlo así, recuerdo que le dije: "Padre, el Señor lo sanó, pero si usted sigue así, se va a volver a enfermar. ¿Por qué no se va con nosotros al campo, monte adentro, en donde nadie lo conoce; allí come y descansa y luego vuelve a la parroquia? Si quiere déjenos la llave y nosotros le ayudamos a mudar algunas cositas". El padre Tardif aceptó enseguida la propuesta, cerró su pequeña casa y se fue al campo con nosotros.

¡Con cuánto gusto se comió el sancocho, plato típico nuestro, que habíamos dejado preparando!

Mientras dormía, volvimos a Pimentel, alquilamos algunas carretas y camionetas y le hicimos la mudanza. Cuando él se despertó al otro día, descansado, se encontró mudado. ¡Estaba muy agradecido y contento! Este hecho inició nuestra amistad en el Señor.

Otro detalle hermoso: mientras él dormía y en un momento en que yo estaba en oración en mi habitación, sentí la voz del Señor que me hablaba con estas palabras: "Dile a mi hijo Emiliano que la enfermedad entró al mundo por el pecado. ¡En mí no hay pecado! Por eso yo no puedo ser la fuente de la enfermedad. Ve y dile que predique esto a todo el mundo".

Cuando se lo conté al padre, él dijo con alegría: "¡Eso es! Lo predicaré por todas partes". Era agosto de 1974 y ninguno de nosotros soñábamos que el Señor, dos años después, en 1976, abriría las puertas que nos llevarían hasta los confines de la tierra (ver Mateo 28:19).

Señor Jesús, quiero darte gracias y bendecirte.
Gracias porque viniste a liberarnos del pecado
y de las consecuencias del pecado como son
la enfermedad y la muerte.
Gracias porque sigues presente
en la Iglesia hoy, vivo y resucitado.
Gracias por estos tiempos maravillosos que
nos han tocado vivir, donde hemos podido ser
testigos de que estás entre nosotros,
con tu Espíritu,
renovando las maravillas de Pentecostés.
Gracias, Buen Pastor, porque sigues amando y
cuidando a tus ovejas por las que has ofrecido
tu vida, para que, a cambio de ella,
tengamos la vida eterna
¡Gracias, Señor!

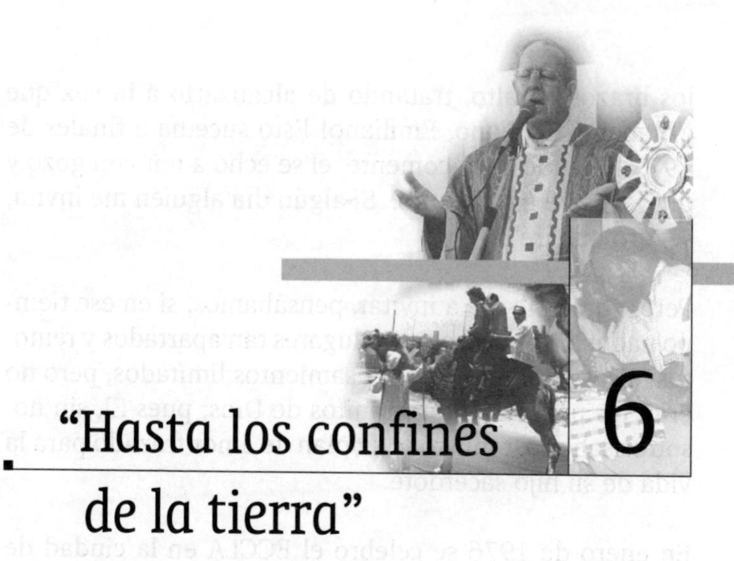

6 "Hasta los confines de la tierra"

Muchas personas nos preguntan cómo empezó el padre Tardif a predicar en diferentes países del extranjero.

Durante el año de 1975, permaneció la mayor parte del tiempo en la parroquia de Nagua, promoviendo los grupos de oración en la pastoral parroquial y extendiendo esta experiencia renovadora por los campos y los pueblos cercanos.

A través de varias personas, el Señor le había hablado haciéndole saber que lo llamaría a ser testigo de su amor en muchos países del mundo. Recuerdo que, un día orando por él, el Señor me permitió verlo predicar a multitudes en países de Asia. Podía ver personas con los brazos en alto, tratando de alcanzarlo a la vez que gritaban: ¡Emiliano, Emiliano! Esto sucedía a finales de 1975. Cuando se lo comenté, él se echó a reír con gozo y dijo: "Estaré muy atento. Si algún día alguien me invita, seguro que iré".

Pero, ¿quién lo iba a invitar, pensábamos, si en ese tiempo nadie lo conocía en esos lugares tan apartados y remotos? Esos eran nuestros pensamientos limitados, pero no eran los pensamientos infinitos de Dios; pues Él, sin nosotros saberlo, tenía todo su plan de amor trazado para la vida de su hijo sacerdote.

En enero de 1976 se celebró el ECCLA en la ciudad de Caracas, Venezuela. Como sucedía cada año, la Renovación Carismática en República Dominicana escogió a un grupo de representantes de los grupos de oración para enviarlos como delegados. Eran alrededor de diez, entre los que nos encontrábamos el padre Emiliano, Evaristo Guzmán y yo.

"Estaré muy atento, si algún día alguien me invita, seguro que iré al Asia".

Viajamos con todo el grupo dominicano y mientras rehacíamos nuestras maletas en el aeropuerto, se le acercó al padre Emiliano el sacerdote organizador del encuentro, el padre Pedro Drouien, para pedirle un servicio durante el evento.

"El día en que tú te dejes transformar por mí, la gente no verá a María, sino que verá a Jesús".

Sucedió que la persona que estaba programada para ejercitar el ministerio de sanación, en ese entonces el padre Francis McNutt, se había excusado en el último momento debido a la muerte de un familiar cercano.

Los organizadores tenían sobre el tiempo la celebración del ECCLA y un encuentro multitudinario en el estadio. Ellos, en Venezuela, habían escuchado que el padre Tardif tenía un ministerio de sanación, pues hasta allí se había escuchado el eco de lo sucedido en Pimentel, por lo que le solicitaron que organizara un equipo para que ofreciera el servicio a los delegados de toda Latinoamérica y al pueblo venezolano.

Nunca olvidaré cuando el padre Tardif, mirándome me llamó, al igual que a Evaristo. No suponía de qué se trataba, pero al explicarnos, sentimos gran sorpresa al igual que mucha disposición, por lo que le dijimos que con mucho gusto participaríamos.

Ninguno de los tres sospechábamos que era el inicio de la más grande experiencia que el Señor nos daría: enviarnos como misioneros de su amor y su misericordia hasta los confines de la tierra. A mí el Señor me había hablado al corazón un año antes. Estando un día en oración, estuve muy consciente de la presencia de Él junto a mí; es decir, por fe y basada en su Palabra creo que Dios siempre está con nosotros. Pero realmente pienso que hay momentos de gracia en que experimentamos su presencia de una manera tan real, que nos da una certeza absoluta de que está ahí, muy cerca, junto a nosotros.

Mientras tenía esta experiencia, sentí que Él hablaba a mi corazón con estas palabras: "María, yo quiero que tú seas una gran luz en el mundo".

Tan pronto escuché su voz me puse a llorar y le dije rogándole: "Señor, no me pidas que sea una luz en el mundo, pídeme que sea una luz en mi casa o hasta pídeme que sea una luz en mi ciudad". No terminaba de decir esto, cuando de nuevo oí su invitación: "María, yo quiero que tú seas una luz en el mundo".

Al escucharlo de nuevo dije: "Pero, Señor, si tú sabes que a mí no me gusta estar delante de todos; a mí me gusta mejor estar detrás del telón; no me gusta que la gente vea a María". "María, María –me dijo de nuevo– la gente ve a María porque tú no has dejado que yo te transforme; ese día en que me permitas transformarte, la gente ya no verá a María, sino que verá a Jesús".

En ese momento, sus palabras quebrantaron mi negativa. Rendida ante su petición, le dije finalmente que sí. Pero, tan pronto le dije que sí, pensé: "Pero qué tontería, Señor, ¿cómo podré ser luz en el mundo si yo no conozco a nadie?". Rápidamente, Él respondió: "Ese no es tu problema, ese es el mío". Y en ese instante, una gran paz llenó todo mi ser. Repito, era el año de 1975. Sólo un año después, Dios, de esa manera misteriosa como también conduce nuestras vidas, empezó a abrir las puertas para que la gente nos conociera.

En el ECCLA, la gente estaba muy desilusionada por la falta del padre McNutt; sin embargo, algunas personas se acercaron a este nuevo y desconocido "equipo del padre Tardif" para pedir oración. Ahí comenzó el Señor a manifestarse con su inmenso poder y su infinito amor. Los primeros sorprendidos fuimos nosotros tres. ¡Cuántas veces, aun años después, recordábamos juntos y nos gozábamos por lo sucedido! ¡Cuántas maravillas, cuántas sanaciones, cuánta sabiduría, conocimiento y don de consejo! Era como una fuente de agua viva que surgía de lo profundo de nuestro ser y que a su vez se ofrecía a las almas sedientas de Dios. Parecía que los tres estábamos conectados por una línea invisible que nos hacía uno solo. El mismo padre Emiliano, al describir el espíritu de unión y de poder en nosotros, dijo que parecíamos "tres teléfonos con una sola línea".

De repente, entre los delegados de todos los países se empezó a pasar la voz acerca de las maravillas que Dios estaba realizando mediante el "equipo del padre Emiliano", lo cual nos complicó la vida. Pasamos esos días orando por una gran cantidad de hermanos que venían con sus necesidades y, para gloria de Dios, recibían grandes bendiciones.

Cuando se llevó a cabo el congreso en el estadio, abierto al público, Jesús se hizo presente con su amor sanador y curó a muchos enfermos que luego dieron su testimonio.

El padre Tardif, el año anterior en un campo de Nagua, había recibido la palabra de conocimiento que era recibida por los campesinos, con mucha sencillez y acogida. Pero en Caracas fue diferente. La gente no estaba acostumbrada a ella y causó mucha sorpresa y, en algunos, duda y hasta disgusto. Planearon grabarlo todo para después llamarle la atención al padre Emiliano si no se confirmaban las palabras, pero Dios, en su amor por su pueblo, tenía su plan. Todas las palabras fueron confirmadas una tras otra, y aquella grabación fue usada, no para regañar al padre Tardif, sino para glorificar a Dios por sus hechos y maravillas.

Hasta ese día, no conocíamos a nadie ni nadie nos conocía; pero Dios nos conocía a todos y sabía cómo guiarnos para bien nuestro y de su pueblo. Allí, en Venezuela, estaban los líderes de todos los países latinoamericanos, quienes debido al ECCLA, empezaron a invitarnos poco a poco a predicar en sus diferentes países. Y tal como había sido

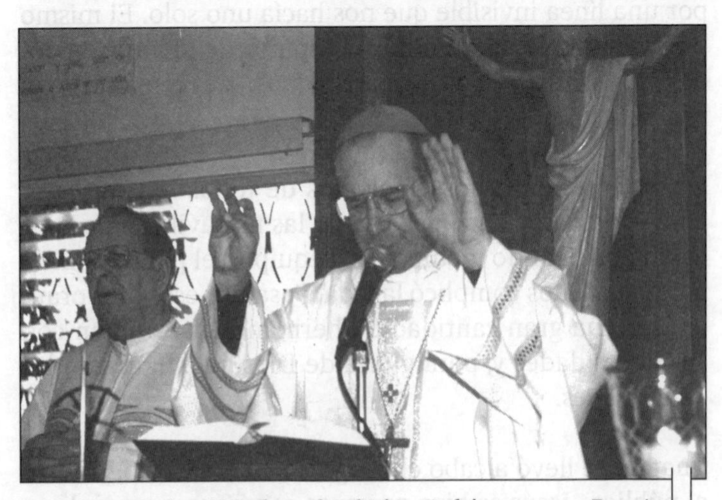

S.E.R. Nicolas de Jesús cardenal López Rodríguez en una Eucaristía en la casa de la Anunciación, junto al padre Tardif.

profetizado, el nombre del padre Emiliano traspasó las fronteras; primero predicó en Pimentel; luego, en los pueblos; después en las islas; más tarde en Latinoamérica y poco a poco en Europa, África, Asia y Oceanía. El mundo conoció a este hombre de Dios que había sido llamado a ser luz para las naciones. Durante los primeros años de ministerio, el Señor nos llevó a una profunda reflexión de lo que estábamos experimentando y viviendo. Por cerca de cinco años estuvimos evangelizando con el poder del Espíritu Santo, mientras Él confirmaba con señales y prodigios la palabra proclamada.

"Esto no puede ser un llamado solamente para nosotros tres" –decíamos con frecuencia–, pues la Palabra de Dios también nos aseguraba que *'la promesa es para todos'*, como lo expresa san Pedro en los Hechos de los Apóstoles (Hechos 2:39).

En el número trece de la *Evangelii Nuntiandi* se nos dice: "La orden dada a los doce, 'Id y proclamad la Buena Nueva' vale también, aunque de manera diversa, para todos los cristianos". Por eso Pedro los define como: *"...Un pueblo que Dios eligió para que fuera suyo y proclamara sus maravillas. Ustedes estaban en las tinieblas y los llamó Dios a su luz admirable"* (1 Pedro 2:9).

Poco a poco comprendimos que debíamos fundar una Comunidad de personas que vivieran la misma experiencia que nosotros habíamos vivido. Fue así como el 28 de noviembre de 1982 nació la Comunidad Siervos de Cristo Vivo que comenzó con ocho personas y que hoy está presente, con un número considerable de miembros, en República Dominicana, Italia, Estados Unidos, Colombia, España y Cuba; luego de haber sido aprobada como Asociación Privada de Fieles por su eminencia cardenal

Nicolás de Jesús López Rodríguez, arzobispo metropolitano de Santo Domingo.

Una de las características del padre Tardif fue su apertura a la labor de los laicos en la Iglesia. Creo que si le preguntara a la mayoría de los miembros de nuestra comunidad, ellos dirían que sintieron su apoyo y confianza.

Cuando comenzamos a predicar, éramos muy jóvenes y sin mucha experiencia ni preparación. Siempre he dicho que una de las cosas que más le agradezco al padre Emiliano fue que confió en la acción del Espíritu Santo en mi corazón y, en vez de apagar el Espíritu, me animó siempre a seguir confiando en el Dulce Huésped del alma.

Comparto con ustedes el **testimonio de un joven** de nuestra comunidad, Miguel Horacio Mercado, que confirma esta realidad:

> "Quiero contarles algo sobre el impacto que causó en mi vida el estar cerca de este amado sacerdote. Lo conocí a una edad en la cual uno está tomando decisiones que marcarán su futuro. No era lo mismo conocerle a los treinta o cuarenta años, en que ya se tiene una mentalidad formada, que a los dieciocho años. Tenía muchas inquietudes y preguntas, me sentía inseguro de muchas cosas. Aunque algo había captado ya: Dios me amaba muchísimo y tenía un maravilloso plan para mi vida. Lo que no sabía era cómo se iba a desarrollar ese plan. Siempre me ha gustado leer y cuando leía libros que contaban testimonios 'super emocionantes' en la

"No importa cuán joven seas, tú puedes obedecer a Dios, confía en Él".

evangelización, yo pensaba: 'Me encantaría evangelizar'. Cuando escuchaba a ciertas personas que contaban las maravillas del Señor, yo le decía: 'Quiero pertenecer a tu equipo, cuenta conmigo, úsame'. Con el tiempo me he dado cuenta de que Dios toma muy en serio estas oraciones 'flechas' que lanzamos al cielo. Luego de un tiempo, me invitaron a participar en un ministerio de evangelización juvenil de la Renovación Carismática. Para ese entonces conocía al padre Emiliano sólo de oídas y porque él escribió un libro llamado *Jesús está vivo*. En aquel momento, el asesor de este ministerio era un miembro de la Comunidad Siervos de Cristo Vivo, quien me dijo: '¿Te gustaría conocer al padre Emiliano?'. Mi respuesta fue un sí muy espontáneo y lleno de emoción. Lo que no sabía era que todo esto era parte del maravilloso plan de Dios. No sabía que Dios había entretejido este encuentro.

Cuando subía las escaleras de la Casa de la Anunciación hacia la oficina del padre Emiliano, nunca me imaginé que ésta sería la primera de muchas otras reuniones. ¿Cómo me iba a imaginar que una persona como él se fijase en un muchachito como yo, para trabajar con él? Aquella tarde pensé: 'Este cura puede explicarme qué es lo que me está pasando'. Iba preparado a preguntar, preguntar y preguntar. Había hecho una lista mental de todo lo que quería que me respondiera. Cuando me senté en su oficina, él fue quien comenzó con las preguntas. Después de hacerme una serie de preguntas sin importancia para mí (¿cómo te llamas?, ¿cuántos años tienes?, ¿qué estudias?, etc.), yo le bombardeé mi cuestionario.

En aquella primera reunión, todas mis preguntas iban en torno a la urgencia que sentía por evangelizar y al carisma de la palabra de conocimiento. (En aquel momento no sabía que eso se llamaba así, ni lo que era). En cuanto a esto último, le conté lo que me pasaba en los retiros para jóvenes en los que predicaba. Cuando oraba por las personas, comenzaba a 'ver y oír cosas' en mi mente. El padre Emiliano, con mucha paciencia, me explicó lo que significaba aquello: Jesús quería manifestar su presencia con signos concretos, para que cuando yo anunciara lo que veía en mi mente y se confirmara, la gente allí reunida tuviera una señal de que Jesús estaba presente. Hasta aquí todo me parecía muy bien, pero para mí ese no era el problema. Pregunté: '¿Por qué yo?

Si no soy nada especial. Además soy un muchacho... ¿Quién le va a hacer caso a un muchacho? A usted le hacen caso porque es un sacerdote, pero ¿quién soy yo?'.

¿Saben lo que hizo? Se echó a reír. Y luego me dijo: 'Me parece que te preocupas mucho por lo que piensa la gente; que te hagan caso no es lo importante, lo importante es que le hagas caso a Dios y le obedezcas, el resultado se lo dejas a Él. ***No importa cuán joven seas, tú puedes obedecer a Dios, confía en Él'.***

Después de esto comencé una nueva etapa, no sólo en el ministerio de evangelización sino en toda mi vida; una etapa en la cual confiaba más en el Señor que en mí. Esto es un proceso que aún no termina, pero aquel consejo puede transformar la vida y la forma de evangelizar de cualquier persona. 'No importa cuán joven seas, tú puedes obedecer a Dios, confía en Él'. Puedes sustituir la palabra joven por la que tú consideres, y verás que aun así puedes obedecer a Dios. Pero esto no se quedó ahí.

Después de aquella conversación, la próxima vez que supe de él fue cuando me invitó a un retiro, el cual sería celebrado el día de Pentecostés de aquel año. Íbamos a predicar y a orar por los enfermos y me recordó que yo tenía que atreverme a ejercitar los carismas que Dios me había regalado. No lo podía creer, pues hacía pocos días que lo había conocido y fue muy obvio que ni yo mismo creía que Dios quería y podía utilizarme.

El día de Pentecostés íbamos en su carro hacia el lugar del retiro y, a medida que nos acercábamos, me ponía más nervioso. Anteriormente, él me había dicho que me tocaba predicar antes de la Eucaristía, o sea la primera prédica. Para amortiguar el desastre que yo pensaba que iba a hacer, le dije: 'Padre, nunca he predicado delante de tanta gente'. Se sonrió y me dijo: 'Tú sólo cuéntales tu testimonio, cuéntales lo que ha hecho Jesús en tu vida, cuéntales lo que has visto hacer a Jesús entre los jóvenes'. Lo puso tan sencillo que me calmó. Pero fueron palabras que nunca olvidaré y que siempre las tengo presentes cuando voy a evangelizar: 'Cuéntales tu testimonio'. Para el padre Emiliano, evangelizar es contar lo que Jesús ha hecho, así de sencillo. Evangelizar no es razonar, ni tratar de convencer a nadie, es contar lo que Jesús hace y... dejarlo actuar.

Creo que no tengo por qué decirles que ante aquella multitud reunida me estaba 'muriendo'. En el momento de la oración por los enfermos que solía hacer después de la comunión eucarística, el padre Emiliano dijo por el micrófono que yo le acompañaría en la oración y que, a medida que el Señor fuera comunicando su voluntad a través de las palabras de conocimiento, alabaríamos a Dios por las sanaciones confirmadas. (Luego de sus palabras, me di cuenta de que ya no tenía escapatoria, ya no podía salir 'al baño' como lo había planeado). Trataré de describirle la situación: estábamos parados frente a una multitud de personas que esperaban de nuestros labios palabras que anunciaran sanaciones. Aunque era un momento de oración, muy pocos tenían los ojos cerrados. La gente nos miraba fijamente y yo quería huir. El padre Emiliano podría estar muy acostumbrado a esto, pero yo no. Comenzamos la oración y luego de orar un momento en lenguas, las palabras de conocimiento se agolparon en mi interior como luchando por salir y manifestar la grandeza de nuestro Dios. El padre, tras un momento de silencio, comenzó a anunciar lo que el Señor le hizo sentir. Luego, me miró y esperó que yo hiciera lo mismo; pero la verdad es que estaba paralizado. El padre Emiliano se echó un poquito hacia donde yo estaba y dándome un codazo me dijo: '¡Atrévete!'. Sin pensarlo mucho, después de aquel codazo, me 'lancé en fe' y vimos al Señor obrar maravillas en las vidas de aquella comunidad.

Aquel codazo me 'despertó', me atreví, me lancé. Sé que no soy el único que ha recibido un codazo del padre Emiliano, ya que somos muchos los que en un momento dado, ya sea literalmente o en sentido figurado, nos hemos lanzado en fe por un 'codazo' del padre. No fue sólo el consejo que me dio ('cuéntales lo que Jesús ha hecho..., no importa que seas un muchacho...'), sino también el codazo, los que me ayudaron a entrar en a una nueva dimensión dentro de mi caminar con el Señor Jesús.

No es sólo contar lo que Jesús hace, es dejarle hacer, es darle tiempo a Dios para que actúe; de lo contrario, nuestra evangelización sería como una novela muy emotiva, que no produciría ningún efecto en la vida de las personas. O en el peor de los casos, una fría explicación teológica que no toca la voluntad de nadie.

Le pido al Señor que surjan otros miembros en su Iglesia como el padre Emiliano, que le den un codazo a otros en el tiempo oportuno, para que se atrevan a evangelizar con todo el poder de Dios. Tenemos aquí a un hombre que confiaba en que el Espíritu Santo actuaba en lo profundo del alma. El padre Emiliano creía en lo que el Espíritu Santo es capaz de hacer en los laicos y a través de ellos, sin importar la edad. 'No importa cuán joven seas, tú puedes obedecer a Dios'.

Quiero hablar un poco sobre 'la escuela del padre Emiliano'. Son muchas las personas que vienen de todas las esquinas del mundo a esta pequeña isla, únicamente para conocer 'la escuela del padre Emiliano'. Yo te voy a decir cómo es esa 'escuela'. Más que un local con aulas y habitaciones o una institución bien organizada, 'la escuela del padre Emiliano' fue un estilo de vida. Me he dado cuenta de que para vivir a plenitud el Evangelio, no basta con orar, ir a unos cuantos retiros y congresos o recibir distintos cursos o talleres. Es básico que alguien, que haya caminado en la fe más que tú, te permita estar cerca de él y te enseñe, de una manera práctica, lo aprendido; y si es necesario, en un momento de estancamiento, te dé un 'codazo' para que arranques. Esta, según mi experiencia, fue 'la escuela del padre Emiliano'. No tanto un local o una institución, sino una relación con nosotros; no tanto un 'siéntense y escuchen una charla mía', sino más bien nos enseñó a escuchar a Jesús, sentándose con nosotros a escucharle. Y, sobre todo, nos enseñó a obedecer a Jesús, sin importar lo jóvenes, lo viejos, débiles, inexpertos y pecadores que nos sintiéramos. A Jesús se le obedece porque Él es nuestro Amado Señor; sin Él no podemos hacer nada y, como tantas veces repetía el padre Emiliano: 'El que ama es capaz de hacer grandes sacrificios por el amado'.

Había encontrado el tesoro de un Cristo vivo, el cual quería compartir con todos sus semejantes.

Le doy muchas gracias a Dios por las cariñosas enseñanzas que recibí de este querido sacerdote. Por las palabras de ánimo y por los 'codazos' que me ayudaban a seguir atreviéndome en el nombre del Señor. Aprendí que tengo que ir a donde sea necesario para predicar lo que he visto y oído. Aprendí a confiar en lo que el Señor ponía en mi corazón en los momentos de quietud y de oración. Aprendí a abrirme más al Espíritu Santo. Le doy gracias a Dios porque, a través de su amigo Emiliano, aprendí a querer muchísimo más a la Iglesia y a respetar la jerarquía. Aprendí que la evangelización del mundo no será posible sin los laicos, pero tampoco será posible sin los sacerdotes. Juntos resulta 'una combinación altamente explosiva'. Juntos, laicos y sacerdotes, acompañándonos mutuamente, podremos llenar la tierra con las misericordias del Señor.

Evangelizar es una maravillosa aventura que acarrea un sinnúmero de dificultades. Luchas contra la corriente del mundo, luchas contra el consumismo, contra el pecado, contra las divisiones en la Iglesia. Recibes además burlas, calumnias y críticas 'asesinas'. Luchas... y más luchas. Dos cosas me mantienen en la aventura: la primera, las promesas del Señor, palabras firmes en las que puedo confiar siempre. La segunda, este recuerdo que siempre me mueve a seguir: aquellos breves segundos en las puertas de la Casa de la Anunciación cuando, a punto de partir a predicar con el padre Emiliano, me dijo con una sonrisa en sus labios y mucho ánimo: 'Vamos a Evangelizar'.

Y es que evangelizar era la vida del padre Emiliano. En él se hizo realidad el hecho de que la evangelización de todos los hombres es la misión esencial de la Iglesia. 'Ella existe para evangelizar', dice la *Evangelii Nuntiandii*. En el corazón llevaba el grito de san Pablo: *"¡ay de mí si no predicara el Evangelio!" (1 Corintios 9:16* - B. de Jerusalén), porque había encontrado el tesoro de un Cristo vivo que quería compartir con todos sus semejantes.

> "Hermanos –gritaba en el estadio olímpico en Santo Domingo a sesenta mil personas– Jesucristo está vivo y nosotros somos testigos porque Él está vivo y presente en su Iglesia; Él sigue llamando a su pueblo, Él sigue proclamando la Buena Nueva del Reino y sigue sanando todas nuestras dolencias.

"Hermanos –gritaba en el estadio olímpico en Santo Domingo a sesenta mil personas– Jesucristo está vivo y nosotros somos testigos porque Él está vivo y presente en su Iglesia; Él sigue llamando a su pueblo.

Jesucristo, vivo y resucitado, tiene siempre el mismo poder y la misma compasión por los que sufren. En estos tiempos de tanto ateísmo y tanta corrupción en el mundo, el Señor nos bendice. Al renovar los signos y los prodigios de su amor es como si nos dijera: 'Yo estoy aquí, con el mismo amor y la misma compasión, con el mismo poder que tenía en Judea'. El Señor está presente hoy en su Iglesia y, con esta renovación en la fe, vemos que los signos y los prodigios del amor de Jesús también se renuevan.

Yo les digo que Jesús es siempre el mismo. Me impresionó mucho en el mes de diciembre de 1999 cuando, después de dar un retiro a sacerdotes en África, me invitaron a orar con algunos misioneros en un hospital de leprosos del Gobierno, donde había más de trescientos leprosos. Llegamos por la mañana ante esa multitud doliente. Un espectáculo muy triste. Ustedes saben de qué manera la lepra absorbe la carne humana, y la destruye. Después de hablarles del poder de la oración, hicimos una oración comunitaria pidiendo al Señor que los sanara. Después de tres semanas del viaje a África, recibí con mucha alegría una carta de una religiosa enfermera del hospital, quien me anunciaba que el Señor había sanado definitivamente a diez leprosos. ¡Diez leprosos que han podido reincorporarse a la vida normal de su pueblo y están dando testimonio! También Jesús en su vida pública había sanado a diez leprosos y uno solo se devolvió a dar las gracias; pero hoy, como la Iglesia ha escuchado el mensaje de Jesús que nos pide ser sus testigos por todas partes, los diez leprosos sanados en África están dando testimonio en muchos lugares.

Jesús está vivo y es el mismo hoy, ayer y siempre. Jesús es 'el Señor de lo imposible'; con Jesús, hermanos, no hay caso perdido. Hace unos minutos se despedía de nosotros una hermana que se iba a Estados Unidos para recibir un tratamiento por una enfermedad muy seria; yo le dije: 'Durante la oración la vamos a tener muy presente, vamos a orar por usted porque Jesús es el Señor de lo imposible'. Con él no hay caso perdido. Sólo hay hombres y mujeres que se desesperan porque no conocen a Jesús, pero a partir del día en que encuentran a Jesús ya no hay desesperación, ya que él viene a romper nuestras cadenas, a darnos la libertad y a sanar nuestras enfermedades.

Quisiera contarles algunos testimonios de lo que el Señor está haciendo hoy en su Iglesia, en esta Renovación Cristiana en el Espíritu Santo. El 5 de julio de 1999, me encontraba ofreciendo un retiro en una iglesia de Marsella en Francia, a los grupos carismáticos de la ciudad y entonces llevaron a la misa de sanación a un belga de cuarenta y dos años de edad. Dicho hombre sufría de un cáncer profundo en el pie derecho y tenía una llaga cancerosa tan grande como una mano. Los médicos de Marsella, después de siete meses de tratamiento, habían decidido cortarle la pierna; él, por su parte no quería y por consiguiente se oponía. Cuando supo que había una misa por los enfermos, quiso asistir, aun sin saber nada de la Renovación Carismática. Durante la oración por los enfermos, según el testimonio dado por él ante miles de personas, sintió un calor muy fuerte en el pie derecho, como si tuviera un fogón cerca del pie. De igual forma comenzó a temblar y regresó a su casa muy emocionado. Aquella noche, por primera vez en siete meses, se acostó sin tomar ni medicinas ni pastillas para poder dormir, y durmió muy bien. Él estaba alojado en la casa de un sacerdote jesuita que lo había llevado a la misa de sanación; cuando se levantó al otro día asombrado por esa noche tan feliz que había pasado, le dijo al padre: '¡Qué extraño, no siento nada en el pie! ¡Vamos a ver cómo va esto!'.

Juntos quitaron la venda grande que le envolvía el pie derecho, y ¡cuál fue su sorpresa al descubrir que estaba perfectamente sano y que una piel nueva estaba cubriendo la llaga! No solamente estaba sano del cáncer, sino que en la noche había crecido piel sobre la llaga. Era tan perfecta la curación que los tejidos se hallaban completamente sanos y no se veía la separación entre una piel y otra. Brincando de alegría se fue a la clínica de Marsella a mostrarles su pie a los médicos que lo trataban. Entre ellos había dos médicos ateos que asombrados no sabían qué decir; sin embargo, uno de ellos manifestó:

'¡A esto hay que buscarle una explicación!'.

La explicación la tenemos nosotros. ¡Jesús está vivo! Y si Jesús está vivo, puede hacer eso y mucho más, porque Él es el mismo que resucitó a Lázaro del sepulcro. Es el que sanó a tantos cojos y paralíticos, a tantos ciegos y sordos. ¡Jesús es la salud de los enfermos!".

El grito gozoso de la Pascua fue la característica de la vida y evangelización del padre Emiliano: '¡Jesús está vivo!' proclamó por todas partes. Su celo evangelizador no cesó durante todos esos años, desde su curación hasta el día en que el Señor lo vino a buscar veintiséis años después y lo encontró, precisamente, ¡evangelizando!

Por eso, en los cinco continentes, multitudes fueron testigos elocuentes de los innumerables testimonios, fruto de su tarea evangelizadora que siempre estuvo acompañada por los signos del Señor.

El padre Emiliano montado en un camello en Israel.

En su encíclica *Evangelii Nuntiandii*, al hablar de los signos evangélicos que acompañan la predicación de Jesús, Pablo VI afirmaba:

"Él realiza también esta proclamación de la salvación, por medio de innumerables signos que provocan estupor en las muchedumbres y que al mismo tiempo las arrastran hacia Él para verlo, escucharlo y dejarse transformar por Él: enfermos curados, agua convertida en vino, pan multiplicado, muertos que vuelven a la vida. Y en el centro de todo está el signo de gran importancia para Él: los pequeños y los pobres son evangelizados, convirtiéndose en discípulos suyos, pues se reúnen en su nombre en la gran comunidad de los que creen en Él" (No. 12).

Realizando señales y prodigios, los apóstoles y evangelistas dan testimonio, no sólo de Jesús a quien, *"...hombre acreditado por Dios entre vosotros con milagros, prodigios y señales"* (Hechos 2:22 - B. de Jerusalén), sino también del evangelio, llevando la Buena Nueva acompañada de signos y prodigios, aun mayores, por la acción del Espíritu Santo.

El padre predicando en Taiwan

"El que cree en mí hará cosas mayores. Porque yo voy al Padre y lo que ustedes pidan en mi Nombre, lo haré yo, para que el Padre sea glorificado en su hijo" (Juan 14:12-13).

No se trata aquí de un análisis Bíblico, sino de tomar conciencia de las promesas de Cristo. No se trata de un Dios que se oculta y se calla, sino de un Dios cuyo poder se está manifestando en milagros de toda clase. ¡Es el Pentecostés renovado! Dios nos recuerda que sí existe. Él puede dar al siglo de la ciencia el poder sobrenatural de las curaciones. En pleno siglo XXI, un siglo caracterizado por el tecnicismo, el escepticismo y la desesperación, Dios viene a hablar a nuestras Iglesias a través de esta Renovación Carismática y nos regala una "nueva profusión de carismas" que son dones ministeriales para el apostolado. El carisma de sanación es uno de los dones que el Espíritu Santo renueva en la Iglesia de hoy, una Iglesia

"¡Hasta los confines de la tierra!". El padre Emiliano

inquieta por encontrar el camino de la oración, de la predicación, del compromiso y de la unidad. El carisma de sanación acompaña la proclamación del Reino y fortalece a la Iglesia hoy, tal y como sucedió en el tiempo de la vida pública de Jesús.

En una ocasión el padre Tardif señaló:

"Fui a predicar a Lituania en el mes de agosto. Un país que estuvo durante cincuenta años bajo el régimen comunista (Lituania está situada entre Polonia y Rusia). Allí tuvimos primero un retiro en la iglesia de los jesuitas. Decían que era muy grande y que no iba a haber problemas, pero cuando el Señor, desde la primera noche, comenzó a sanar, ahí vino el problema. Tuvimos que salir de la iglesia porque la gente no cabía. Entonces, le pedimos permiso al obispo para celebrar la misa en el parque municipal, al lado de la iglesia, a lo cual me dijeron: 'Bueno, aquí eso no se ha hecho nunca, pero vamos a pedirle permiso al alcalde, a ver si se puede'.

El grito gozoso de la Pascua fue la característica de la vida y de la evangelización del padre Emiliano; "¡Jesús está vivo¡", proclamó por todas partes.

> El alcalde lo permitió y se reunieron siete mil personas. En el momento de la oración de sanación, una niña ciega, de unos cuatro años de edad, comenzó a gritar de alegría porque empezó a ver, y la mamá lloraba muy emocionada. La niña se soltó y caminaba sola, mirando por todas partes porque era ciega desde pequeña. Entonces, al final de la misa, la mamá dio el testimonio con su hija al lado, dando gracias a Dios porque la había sanado. Imagínense lo que pasó a los dos días: la cantidad de gente aumentó más todavía y el parque era indispensable, porque ninguna iglesia de Lituania podía servir para ese ministerio. Entonces, cuando vemos los signos que acompañan la evangelización, damos gracias a Dios por renovar en nuestro tiempo las maravillas de Pentecostés".

Y como ya lo mencionamos en el capítulo II, página 87, de acuerdo con las palabras del arzobispo, fue un verdadero Pentecostés lo que sucedió cuando visitó El Líbano en 1994. Su sencillez, su simpatía y su candor conquistaron el corazón de todo el pueblo. Monseñor Abi Nader expresó el sentimiento general de la gente, diciéndole: "Querido padre Tardif, el pueblo libanés no sabe cómo expresarle un profundo reconocimiento. El pueblo lo declara ciudadano libanés, de un Líbano de amor".

Por todas partes le siguieron las multitudes, en las que se confundían cristianos y musulmanes, entre los cuales muchos dieron testimonio de haber sido sanados y llamados a la fe. Como dijimos, toda su visita fue transmitida por radio y televisión, mientras un comité de verificación,

El Líbano lo reconoció como ciudadano libanés. El padre Tardif juanto a monseñor Abi Nader en una rueda de prensa.

asistido por cinco médicos, iba escuchando los testimonios de las curaciones efectuadas durante la Eucaristía de sanación.

"Es una lluvia de bendiciones sobre El Líbano", diría el padre Emiliano. "Hay tantas sanaciones que es imposible anunciarlas todas. Vayan y den testimonio en sus parroquias, a sus obispos, en sus familias, de lo que el Señor ha hecho en ustedes, pues estas sanaciones están destinadas a fortalecer y a edificar la fe del pueblo". El padre Tardif era siempre muy consciente del poder evangelizador de los testimonios. Entre los verificados en ese país, se encuentra el de Joseph, un niño de doce años cuya historia resumimos a continuación:

En el año de 1985, la ciudad de Jdaiheh, en El Líbano, recibió una lluvia de explosivos, granadas y bombas que provocaron grandes destrozos en la ciudad. Joseph, un niño pequeño de sólo tres años y medio estaba jugando en el balcón del apartamento de sus padres, en un momento de calma, cuando de repente una granada explotó cerca de él. Al querer salir corriendo, chocó con el marco de la puerta del balcón, haciéndose una profunda herida en la cabeza. No pudo salir del sitio hasta veinticuatro horas después, para ser trasladado al hospital.

Como consecuencia de este golpe en la cabeza, Joseph perdió gran parte de su visión y le produjo un estrabismo fuerte que lo obligó a usar lentes con vidrios gruesos. Dos años después, fue operado y el estrabismo mejoró ligeramente, pero mantuvo muy poca visión. Por culpa de sus gruesos espejuelos, Joseph era motivo de burlas entre sus compañeros de colegio, lo cual le hacía sufrir mucho.

La familia de Joseph era muy creyente y comprometida con la parroquia maronita a la que pertenecía, por lo que pudo asistir a la misa por los enfermos celebrada por el padre Emiliano Tardif el 4 de septiembre. Joseph llegó muy temprano a dicho evento, ya que no quería perderse nada de la celebración. Durante la oración de sanación, mientras oraba, escuchó al padre Tardif que recibió la siguiente palabra de conocimiento: "Entre la multitud hay personas que han recibido la sanación de sus ojos. Estos tenían la vista muy débil y ahora ellos pueden ver a su alrededor y se sorprenderán de ver lo que pasa en la asamblea".

En ese momento, Joseph sintió una molestia, un mareo, como si le hubieran echado polvo en los ojos y estos le comenzaron a arder. Para frotárselos, se quitó los lentes y ¡sorpresa! pudo ver todo lo que le rodeaba. La sensación de ardor desapareció y su visión se tornó completamente clara.

Joseph comprendió inmediatamente que el Señor lo había sanado y lloró de emoción. Cuando no podía ver, era tímido y reservado; ahora, tomó el micrófono de un periodista y, entre lágrimas, dio su testimonio por la televisión.

Sus padres habían asistido al evento, pero no estaban junto a él, así que se le acercaron y escucharon a su hijo dar el testimonio de su sanación. Pero, entre tanta gente, no pudieron abrazarlo, por lo que decidieron volver a su hogar muy emocionados. Allí comprobaron que en todos los hogares ya habían visto a Joseph dar el testimonio por la televisión. La casa de los Roukoz el Hajj se llenó de gente que quiso felicitarles y compartir su alegría.

Joseph regresó a casa pasadas las diez de la noche, ya que la multitud emocionada y ansiosa de oírle no lo dejaba caminar. En su hogar lo recibieron con cantos de acción de gracias y alabanzas a Dios.

Luego se comprobó que los lentes que Joseph llevaba el domingo 4 de septiembre eran para una hipermetropía de 2 grados, mientras que el resultado del examen hecho el 21 de noviembre de 1994 señaló que ahora tenía un grado 10 de visión en cada ojo. ¡Una visión perfecta!

El padre Emiliano valoraba mucho la evangelización a través de los medios de comunicación, pues era consciente del alcance tan grande que estos tienen al llegar hasta los mismos hogares. Muchas veces sucedió, durante su ministerio, que las personas se sanaban aunque estuvieran lejos del lugar donde se hacía la oración. También durante esta visita a El Líbano se escucharon testimonios de personas que se sanaban, mientras veían la televisión.

Eugenia Frangie de cuarenta y seis años, enferma del corazón, trató de encontrar un lugar en un autobús, de los muchos que transportaría a la multitud hasta Jdaideh, el lugar donde el padre Emiliano Tardif celebraría la Misa por los enfermos, el 6 de septiembre de 1994.

Sin embargo, su situación cardíaca le impidió subir al bus, por lo que decidió irse a su casa para ver el evento por la televisión. Eugenia había tenido pruebas muy dolorosas en su vida, como la muerte de su hijo en Australia. Allí sufrió un infarto al miocardio y fue operada luego en Beirut, a corazón abierto. Debido a tantas penas, sufría una gran depresión, no dormía y tomaba fuertes medicamentos. Escasamente comía, padecía de agudos dolores en el pecho y su presión era muy baja. Recluída en una cama y con la ayuda de cuatro almohadas, podía sentarse; ya que acostada se ahogaba.

Pero Eugenia tenía una fe profunda. Haciendo un esfuerzo sobrehumano, decidió arrodillarse frente al televisor ese martes 6 de septiembre, para orar y ver lo que se estaba transmitiendo en Jdaideh. A muchos kilómetros desde donde se encontraba Eugenia, el padre Tardif dijo: "Hay una señora en su casa que está muy enferma del corazón. Ella no pudo venir a esta reunión. En este momento ella está de rodillas en su sala, viendo la televisión y Jesús ha comenzado a sanar su corazón enfermo".

En ese mismo instante, ella sintió un extraño calor en su corazón y una fuerza que la penetró; luego, una sensación de bienestar. Esa noche, por primera vez después de cuatro años, durmió profundamente durante quince horas. Cuando se despertó, tuvo hambre y se dispuso a tomar una comida abundante. Luego, no sintió ningún síntoma de su enfermedad. No tomó más medicamentos y subió rápidamente los cuatro pisos de la casa de un familiar que se había mudado recientemente a su vecindario.

Su pariente se quedó estupefacta al abrir la puerta y encontrar a Eugenia, quien nunca antes había podido visitarla.

El reporte médico del caso de Eugenia era complejo. Su médico, el doctor Ares Shouhaid del Hospital de Nuestra Señora del Socorro en Jbeil, hizo tres reportes del diagnóstico: los exámenes efectuados en enero de 1995 para chequear los niveles de colesterol, etc. y el electrocardiograma no presentaban ningún cambio notable a los que se le hicieron en abril de 1994. En el tercer reporte, la situación clínica de la paciente era totalmente diferente: ella había podido llevar una vida normal desde el 6 de septiembre de 1994.

En un artículo de la Revista *Alabanza*, el padre Emiliano reflexionaba; al igual que daba ánimo para valorar y aceptar el carisma de sanación:

> "El don de curación fue, para las primeras comunidades cristianas, un carisma completamente habitual (ver 1 Corintios 13:9ss), una parte integrante y esencial del mensaje de los apóstoles sobre Cristo. *'Toda la gente estaba asombrada, ya que se multiplicaron los prodigios y milagros hechos por los apóstoles en Jerusalén'* (Hechos 2:43). En la conclusión del Evangelio según san Marcos, está claro que estos 'prodigios y milagros' no caracterizaban solamente el comienzo de la Iglesia, sino toda la predicación, sin restricciones: *'Vayan por todo el mundo y anuncien la Buena Nueva a toda la creación... Y estas señales acompañaran a los que crean: en mi Nombre echarán demonios...*

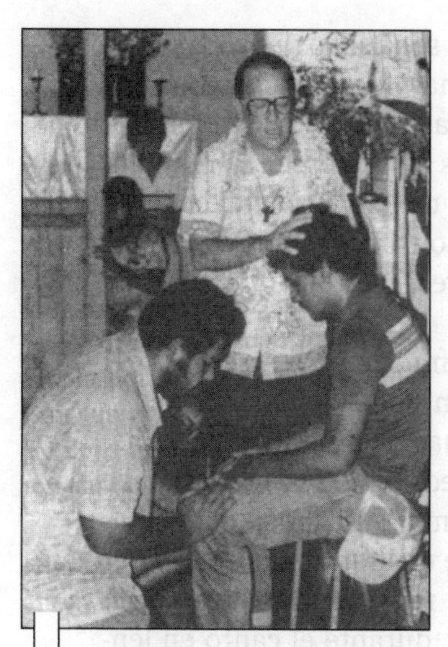

El sentirnos indignos no nos salva de la responsabilidad de ejercer el ministerio de sanación; por el contrario, este sentimiento debe hacernos instrumentos más sensibles para ser usados por el Señor.

Pondrán las manos sobre los enfermos y los sanarán' (Marcos 16:15-18).

Si leemos Marcos 16:15ss., podemos ver que el carisma de sanación no es tan sólo para sacerdotes y obispos. Dios lo regala al creyente. *'Y estas señales acompañarán a los que crean...'* (Marcos 16:17). Ese poder se recibe a partir de nuestro bautismo, así que todo creyente que ejercite el poder de su bautismo puede ser instrumento de sanación y de liberación. Sin embargo, estamos descubriendo que las personas más eficaces en el ministerio de sanación son aquellas que están más dolorosamente conscientes de sus limitaciones y, con todo y eso, se ponen a disposición de Dios. Cuando confiamos en nosotros mismos y dependemos de nuestras propias fuerzas, no servimos mucho para la obra del Señor. El sentirnos indignos no nos salva de la responsabilidad de ejercer el ministerio de sanación; por el contrario, este sentimiento debe hacernos instrumentos más sensibles para ser usados por el Señor. 'Recibir estos carismas, incluso los más sencillos, confiere a cada creyente *el derecho* y *el deber* de ejercitarlos para bien de la humanidad y la edificación de la Iglesia', tal como lo señala el documento conciliar sobre el Apostolado de los seglares, capítulo 1, No. 3.

El Señor actúa con mucho poder a través del carisma de sanación, tanto para sanación física como para sanación interior. Así lo hemos visto en la catedral de San Francisco de Macorís, en la que más de ochocientos hombres de la ciudad se encontraban orando por los enfermos en la misa de clausura de un retiro carismático y, durante el canto en lenguas, un paralítico que caminaba encorvado por más de veinte años, ayudándose de un palo, cayó bajo el poder del Espíritu Santo, pasó unos diez minutos en el suelo sin moverse, despertó y se levantó rápidamente para descubrir que el Señor lo había sanado. Ramón Brito, de cuarenta y ocho años de edad, había sido tocado por el poder sanador de Jesús y se había enderezado como la mujer encorvada del Evangelio. Hubo mucha alegría en su barrio aquella noche y todos cantaron la gloria de Dios. ¡La sanación de Ramón Brito causó más impacto pastoral en la ciudad de San Francisco de Macorís que todas las conferencias impartidas durante el retiro!".

Ese carisma de sanación fue precisamente el que hizo que multitudes desearan asistir a los retiros del padre Tardif. Siempre solía decir: "Yo, sin ese carisma, no reuniría ni a un grupito". Cuando visitó Polonia, le acompañó una multitud de aproximadamente doscientas mil personas, que se reunieron en el aeropuerto militar, el cual se cerró durante un día para efectuar el retiro. Novecientos altavoces fueron llevados desde todo el país e instalados en el vasto terreno. El padre Emiliano comentaba: "Cuando vi esta multitud y el Santísimo expuesto y alabado por todos, recordé una profecía que tuvo monseñor Smith en el Sur de África que decía: 'Verán grandes espacios cubiertos por multitudes, alabando y adorando al Señor'. 'Yo –decía– he visto cumplirse esa profecía".

Son muchos alrededor del mundo que dan testimonio de las bendiciones de Dios, recibidas gracias a la oración, el ministerio o la simple presencia de este hombre de Dios. Cuando me dispuse a escribir este libro, me gustó que en la portada estuviera la fotografía del padre Tardif en oración. Cuando se la envié a mi hija para que la diseñara, ella me contestó que no podía hacerlo, porque la foto estaba firmada y que tendría que pedir el permiso del fotógrafo. A mí me pareció algo imposible, pues yo sabía que la foto había sido tomada en Alepo, Siria; por lo que, un poco disgustada, le envié otras fotos distintas para que trabajara en la portada.

Cuatro días después, al hacer un inventario de la habitación del padre, me sorprendí al encontrar un álbum completo de fotos firmadas de igual manera y acompañadas de una tarjeta con el nombre, la dirección y el teléfono del fotógrafo, el señor Jacques Assal, en Siria.

Unos días después lo llamé desde Miami. Al contarle lo ocurrido, el señor Assal se entristeció mucho, pues no tenía conocimiento de que el padre había muerto, tres meses atrás. Cuando le dije el propósito de mi llamada, ¡con cuánto amor me dio su permiso! Sus palabras fueron:

> "Por supuesto, querida María, me siento muy honrado de que mis fotos del amadísimo padre Emiliano estén incluidas en el libro que piensa escribir sobre este hombre santo. Yo lo vi orando; era una visión fuera de este mundo. Daba la impresión de que uno estaba frente a Jesús. Lo vi clamando a Dios para que curara a los enfermos. Siempre sonriendo, dando valor y llamando a la fe.

"Yo lo vi orando; era una visión fuera de este mundo", Jacques Assal.

Quiero también contarte mi experiencia con el padre Tardif: mi hijo, el Dr. Bachir (nombre que significa Anunciación de la Virgen María) perdió de repente su fe cristiana cuando estaba en París, preparándose para obtener dos diplomas de especialización. Cuando vivía en Alepo conmigo y con su madre (llamada por Dios a los cuarenta y un años tras un accidente), habíamos sido fervientes cristianos y nuestra fe estaba y sigue estando siempre por encima de todo lo demás. Incluso él llegó a ser jefe del grupo Scouts, y en una ocasión fue recibido en audiencia privada por su santidad, el papa Juan Pablo II en Roma.

Lo vi clamando a Dios para que curara a los enfermos. Siempre sonriendo, dando valor y llamando a la fe. Fotografías de Jacques Assal.

Cuando el padre Emiliano llegó a Alepo, convencí a mi hijo de ir a verle. Allí en la Catedral Latina, con su primer apretón de manos y cuando se cruzaron sus miradas, vi inmediatamente la cara de mi hijo iluminada y una lágrima se escapó de sus ojos. Había recobrado su fe.

¡Damos gracias a Dios y al padre Emiliano! Yo nunca podré olvidar ese día, 26 de septiembre de 1996".

A veces pienso que Dios le había dado al padre Emiliano el poder de influir con la oración, sobre aquellos que conversaban con él o se le acercaban. Su sencillez, su dulzura, sus ojos azul profundo y, sobre todo, su alegría y su sonrisa cautivaban a todos. Parecía que la paz y el gozo eran dones permanentes en él.

El padre Jorge Bravo, sacerdote jesuita que vivió con el padre Tardif por muchos años en la Casa de la Anunciación, en el número 109 del **boletín *El Siervo***, publicado por la Comunidad Siervos de Cristo Vivo, escribió lo siguiente:

"No acabo de salir de mi asombro y cada día siento con mayor intensidad el testimonio muy personal de nuestro querido padre Emiliano. Corresponde a los primeros tiempos de su transformación, fruto de su innegable encuentro con Jesús vivo y compasivo que manifiesta su presencia con signos de poder y de amor, y que al sanarlo le dijo: 'Yo haré de ti un testigo de mi amor'. Esto fue escrito por el padre en el año de 1975, pero lo vive desde su curación en 1973, y en esa experiencia se mantiene durante todo el resto de su vida hasta el día de su Pascua, el 8 de junio pasado. Son veintiséis años de increíble, permanente y contagiosa alegría vivida con la mayor naturalidad y buen humor.

"El don más grande que Él me ha dado es el don de la alegría".

El padre Emiliano junto al padre Jorge Bravo S.J., gozosos y sonrientes, durante la fiesta de cumpleaños del padre, el 6 de junio de 1999.

El Señor derrochó en él su amor y sus carismas para servir a su pueblo hasta los confines de la tierra: don de sanación, don de lenguas y de interpretación, palabra de conocimiento y profecía, discernimiento y sabiduría del Espíritu, un don especial para emprender grandes obras, aun con grandes sacrificios, conforme a la célebre profecía de comienzos de la Comunidad: 'El que mucho ama es capaz de hacer grandes sacrificios por el amado', y muchos otros dones y frutos del Espíritu. Además de estos, el padre afirmó con sencillez gozosa y nunca desmentida: 'El don más grande que Él me ha dado es el don de la alegría. Soy feliz a tiempo completo'.

Aquellos que lo conocimos más de cerca o estuvimos en contacto con él a través de los multitudinarios retiros, o compartimos con él la mesa familiar cada día, sabemos que este don de la alegría era verdadero y permanente en él, algo connatural y espontáneo e inconteniblemente contagiador: nadie junto a él estaba triste.

Pero no solamente él en su persona, también sus fotografías revelan esta alegría; en ellas hay siempre una amplia y cordial sonrisa, un rostro transparente y lúcido, unos ojos radiantes y luminosos que miran más allá de lo que todos vemos, y nos anuncian mundos nuevos y nuevas alegrías. Esto no sucedía un día o dos, o en contadas ocasiones, sino siempre: en la predicación, en la conversación, en la misa y en la mesa familiar de cada día.

Yo me pregunto, ¿alguna vez aparecía preocupado y triste? ¡No lo recuerdo! ¡Diría que jamás! En él la palabra del Espíritu Santo a través de Pablo era realidad viva y natural:

"El don de la alegría en él era verdadero y permanente". El padre Jorge Bravo, S.J., el padre Emiliano y Joe Petree, pastor metodista en el primer encuentro de la Renovación Carismática en República Dominicana.

"Alégrense en el Señor en todo tiempo. Les repito: alégrense... no se inquieten por nada" (Filipenses 4:4-5).

En *Jesús está vivo* se encuentra esta frase: '¡Qué maravillosos son los caminos de Dios!. En avión o en burro siempre somos sus mensajeros... El Señor es tan maravilloso que cuando volamos en avión, luego nos monta en un burro para cuidar nuestra humildad. Luego, el burro mueve la cola, diciéndome adiós y se aleja. Yo regreso a Nagua brincando de alegría'.

Termino con el último mensaje de su última conferencia dada a los sacerdotes entre quienes y por quienes entregó su vida. Sus palabras proféticas quedarán resonando para siempre en nuestro corazón. Ese lunes 7 de junio, pocas horas antes de su Pascua, dijo a los sacerdotes:

'En nuestra vida, la alegría es la que predomina, la que reina. Estamos alegres por haber sido escogidos para la misión más necesaria en medio del pueblo. Tenemos la alegría de predicar la verdad a tantas almas que la necesitan tanto, de predicar la verdad que no es nuestra, sino de Cristo, y que podemos enseñar con tanta autoridad, pues la verdad no es un concepto intelectual. La verdad es una persona que se llama Cristo. Dice Jesús: 'Yo soy la verdad'. Tenemos la alegría de dar pan al alma hambrienta, de dar paz al corazón atribulado, y de pasar por el mundo como portadores de luz y distribuidores de gracia' ".

¡Gracias, Señor, por el don de la alegría!
Que, como el padre Emiliano,
podamos proclamar con sencillez
hasta el final de nuestra vida:
"Soy feliz a tiempo completo".
Que así como él pudo decir:
"Nunca he vivido mi sacerdocio tan
plenamente como ahora",
también nosotros podamos vivir la vida plena
que tú has venido a traernos a todos.
"Cuán insondables, oh Dios, tus pensamientos...
¡Son más, si los recuento,
que la arena y al terminar,
todavía me quedas tú!" (Salmo 139:17;18).
"Emiliano debe morir para que Cristo viva en él.
Tu gloria es que Cristo sea glorificado;
tu privilegio, anunciar el evangelio"
(*Jesús está vivo*).
¡Gracias, Señor, por haber suscitado
entre nosotros
a este testigo fiel de tu divino amor!
¡Gracias, Señor!

Padre Jorge Bravo, S. J.

Con motivo de nuestra visita a Zaragoza vistieron a la virgen con el vestido hecho por las "Damas del Pilar" de República Dominicana.

"La presencia real de Jesús, vivo y resucitado en la hostia santa, va transformando poco a poco a todo aquel que se sienta a sus pies".

“El Emiliano de siempre, sencillo, alegre, cercano, indefenso, casi como un niño”. Padre Darío Taveras.

En la capilla de la Adoración de la Casa de la Resurrección de Santa Catherina, Sicilia, con la comunidad ¡Jesús está vivo!

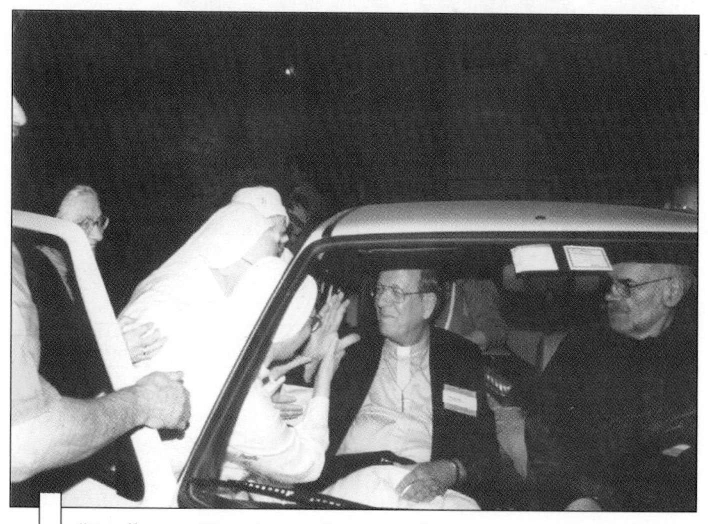

"Yo sólo soy el burrito que lleva a Jesús".

"Jesús es la salud de los enfermos".

¡Mi cansancio que a otros descanse!

El padre Emiliano saluda al santo Padre Juan Pablo II, durante una visita del ICRSS.

Emiliano Tardif, M.S.C. ¡Testigo de la misericordia!

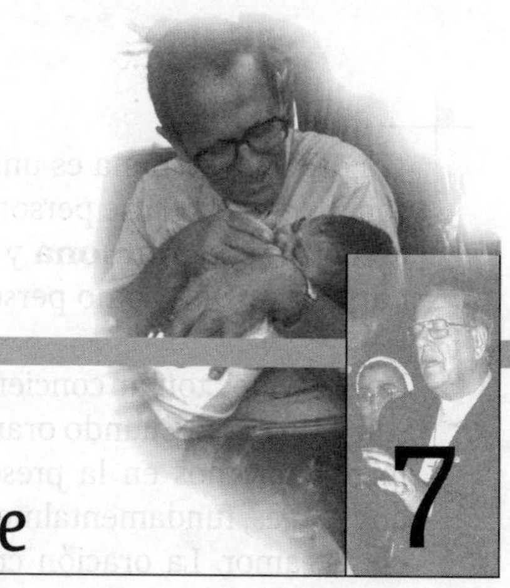

7 Un hombre de oración

Al reflexionar sobre la vida del padre Emiliano, y si pudiera referirme al ejemplo o al legado que nos dejó, creo que no me equivocaría al decir que fue la vida de oración.

La oración es una necesidad vital para aquel que ha tenido un encuentro de amor con Jesús. El que ama quiere estar cerca de la persona amada.

Cuando se ama verdaderamente a Dios, no se puede dejar de estar con Él, como una necesidad básica de la vida, en una relación de persona a persona.

Transcribo algunos conceptos escritos por el padre Tardif con motivo de una conferencia sobre la oración:

"La oración cristiana es una experiencia personal, es decir, entre personas. La Trinidad es esencialmente **persona** y yo puedo relacionarme con Dios como persona que ama.

Necesitamos tomar conciencia del amor personal de Dios. Cuando oramos, debemos primero ponernos en la presencia de Dios. La amistad es, fundamentalmente, una experiencia de amor. La oración cristiana vale en la medida en que aumenta el amor.

La meditación y la revisión de mi vida son muy importantes, pero no son oración. Muchas personas sencillas no son capaces de pensar mucho, pero son capaces de amar mucho. La oración nos llama a todos y la fuerza de la oración viene de que nos exponemos al amor de Dios (ver Malaquías 3:26), y por eso fundamentalmente orar es dejarse amar por Dios".

El estar con Dios fue una parte integral en la vida del padre Emiliano. Los que tuvimos la gracia de estar cerca de él en el transcurso de los años, hoy podemos decir que fue un hombre en cuya vida estuvo presente la oración como algo habitual.

Después de su muerte, he tenido la oportunidad de leer algunos escritos que datan desde su época de seminarista, en el año de 1949; también, algunas notas escritas de sus retiros preparatorios a la ordenación sacerdotal, así como las cartas escritas a sus hermanos, a lo largo de los años, las cuales fueron generosamente compartidas por ellos con nosotros, para la redacción de este libro. En todos estos documentos puede notarse que la oración marcó las diferentes etapas de la vida del padre Emiliano.

Se ve claramente que la semilla de la oración fue sembrada por sus padres, Leonidas y Anna Tardif en el corazón de sus hijos. En Limerick, Irlanda, su santidad Juan Pablo II nos dijo que es en la familia donde el niño descubre el primer rostro de Dios. A través del ejemplo de unos padres orantes, los hijos van descubriendo que la oración también forma parte de la vida diaria, como comer, dormir o trabajar.

Transcribo a continuación algunos párrafos de una **carta escrita a su hermana Irene**, el 18 de abril de 1965, en la que manifiesta la herencia de la oración en familia.

> "He estado muy contento de participar en la Cruzada de Oración en familia, pues me ha abierto nuevos horizontes en mi apostolado. Hemos tenido resultados magníficos, pues miles de familias se han decidido a comenzar a orar todos juntos.
>
> Cuando aprecio la belleza de la oración en familia, recuerdo a mamá y a papá que recitaban el rosario con nosotros todas las tardes. Muchas veces este recuerdo me vuelve a la memoria y me hace ver que la oración en familia es uno de los factores más importantes para llevar una vida feliz, y para obtener las bendiciones del cielo sobre nuestra familia. Éste es

> uno de los muchos hermosos recuerdos que guardamos de mamá y papá: haber aprendido de ellos la fuerza y el valor de la oración.
>
> Conserven bien en sus vidas esta bella tradición cristiana que nos legaron nuestros padres, pues es un maravilloso recuerdo que tenemos de ellos y es lo que yo predico aquí siempre.
>
> La oración en familia a nuestro Padre Bueno nos ayuda a resolver nuestros problemas y, como dice el eslogan de la Cruzada Mundial de Oración en Familia que el padre Peyton ha venido a predicarnos: 'La familia que reza unida permanece unida' ".

La Comunidad Siervos de Cristo Vivo, con sus dieciocho casas en seis países, se siente hija de este "buen papá" que fue el padre Emiliano para todos nosotros. En el compartir diario y a través suyo, pudimos ir descubriendo el rostro amable y misericordioso de Dios. "El que ama es capaz de hacer grandes sacrificios por el amado", le había dicho el Señor al padre Tardif como inspiración para la fundación de la Comunidad.

Somos testigos de que, en su vida, el amor a Dios y a los hermanos fue el fruto maduro de su relación diaria mediante la oración, que para él fue un verdadero intercambio de amores.

Y es que quien se sienta a los pies del amado para contemplarlo, para escucharlo, para aprender de Él, se va contagiando poco a poco con los sentimientos de su divino corazón, y ya no puede ser el mismo. En este maravilloso intercambio, el alma da a Dios la pobreza de su humanidad y a cambio recibe toda la riqueza del corazón de Dios, su misma entraña de amor y su Espíritu Santo.

Bien solía repetirnos el padre Tardif que todo aquel que tomara tiempo para estar delante del Santísimo, no podía seguir siendo la misma persona. La presencia real de Jesús, vivo y resucitado en la hostia santa, va transformando poco a poco a todo aquel que se sienta a sus pies.

"Si algún día abandonan la adoración al Santísimo, su comunidad comenzará a desmoronarse", ha sido una frase que, como un legado del padre Tardif, ha quedado entre nosotros. Pienso que si tengo grabada profundamente en mis recuerdos una imagen del padre Emiliano es la de verle, en procesión, llevando la custodia en alto entre la multitud, con sus ojos fijos en la Eucaristía, adorándole.

Pues él tuvo una gran devoción al Santísimo Sacramento. Era algo habitual para todos nosotros verle pasar largos ratos en la Capilla de Adoración en la Casa de la Anunciación, o en las diferentes casas de la Comunidad. Él nos enseñaba esta devoción, no sólo con sus palabras, sino también con su ejemplo.

Su fe en la presencia real de Jesús en la Eucaristía lo llevaba a hacer, generalmente, la oración por los enfermos después de la comunión o delante de Jesús Sacramentado. Todos nosotros y millares de personas fuimos testigos de que los frutos de la respuesta del Señor a la oración eran patentes.

No puedo olvidar cuando fuimos invitados al Santuario de Nuestra Señora de los Remedios en México, a principios de la década de los años ochenta. Allí, el padre debía celebrar la santa misa y luego hacer la oración por los enfermos.

Aquel día hizo mucho frío y, para colmo, llovía ininterrumpidamente, mojando a todos los que ocupaban las gradas al aire libre. Recuerdo que el padre Emiliano, desde el principio, manifestó su compasión por tantos enfermos que habían traído y que habían ubicado delante de la multitud reunida frente al altar. Recuerdo que pronunció una homilía corta en consideración con las personas que estaban mojándose y dijo, al final de la misma, que haría una oración por los enfermos para que se fueran aquellos que a causa de la lluvia lo tuvieran que hacer. De más está decir que nadie se movió de su sitio mientras el padre habló primero de la presencia real de Jesús en la Eucaristía y después hizo la oración.

La misa continuó mientras la lluvia y el frío nos calaban los huesos, haciéndonos tiritar. Cuando llegó el momento de repartir la comunión, los organizadores pidieron que una decena de personas se acercara con sus paraguas para llevar a los sacerdotes a repartir el cuerpo y la sangre del Señor.

Debo explicarles que el Santuario de los Remedios está hecho en semicírculo y, de esta manera, todos pueden ver hacia todos los lados desde los lugares donde están sentados. Así, pudimos ver a los sacerdotes llevando la Eucaristía y cubiertos por los paraguas que se iban internando en medio de la multitud.

Aquel día el Señor quiso mediante signos, confirmar la Palabra que se había proclamado: “La Eucaristía, sacramento de sanación”. Todos habíamos dicho:

"Señor, no soy digno de que entres en mi casa, pero una palabra tuya bastará para sanarme". A medida que Jesús Eucaristía fue pasando entre la multitud, empezó a sanar a varios enfermos. Los signos mesiánicos fueron visibles: se soltó la lengua del mudo, quien llevado por su madre que sollozaba hasta el micrófono, dijo emocionado: "¡Gloria a Dios!". Por otro lado, se pararon dos paralíticos de las sillas de ruedas, quienes con pasos lentos y muy emocionados, se acercaron al altar a dar gracias a Jesús. ¡Aquello fue una verdadera fiesta del amor de Dios! Todos, agradecidos, bendecíamos y alabábamos a Dios.

Transcribo aquí parte de una **entrevista que le fue hecha al padre Emiliano por la revista argentina *Resurrección*:**

> "*Periodista:* Nos imaginamos que este mensaje de la buena nueva, hecho como lo quiere el Señor, con 'la eficacia de los prodigios y milagros', como dice san Pablo, llega incluso a países que no son cristianos, que tienen otras religiones.
>
> *Emiliano Tardif:* Claro. Estuve predicando en Siria, hace tres semanas, en la hermosa Damasco, la ciudad en donde se convirtió Pablo. Ahí visitamos el lugar donde Pablo recobró la vista cuando Ananías le impuso las manos, se le cayeron las escamas de sus ojos y recibió un bautismo en el Espíritu Santo. Visitamos ese lugar: una pequeña iglesia a donde tuvieron que bajar a Pablo por una ventana, porque lo querían matar los judíos fanáticos, por proclamar a Jesucristo. Después fuimos a la ciudad de Alepo, segunda población de Siria,

a cuatro horas de Damasco, a predicar un retiro a los sacerdotes.

Terminamos con una misa abierta al público, a las tres de la tarde. Entre los católicos había algunos musulmanes. Allí vimos lo que ustedes acaban de decir: de qué manera hay otras personas que no son católicas y que reciben el llamado del Señor. Una mujer musulmana que llevaba algunos años de estar totalmente ciega, estuvo en la misa de sanación por primera vez y el Señor la sanó. Ella dio el testimonio ante el público con mucho llanto. Tenía dificultad para hablar, pero contaba que, de repente, sintió una luz en sus ojos y comenzó a ver. Daba gracias a Dios y aunque no hablaba de Jesucristo, pues los musulmanes no creen en Jesucristo, daba gracias a Dios por su sanación. Al otro día se llenó la iglesia de musulmanes y no podíamos celebrar la misa afuera. La ley en ese país con dieciocho millones de habitantes, de los cuales dieciséis millones son musulmanes y solamente dos millones son católicos, no permite llevar a cabo el culto por fuera de las iglesias; a pesar de esto, pusieron altavoces afuera de la iglesia y una pantalla gigante para que la gente pudiera seguir la misa. La calle se llenaba de gente cada vez más. Tuvieron que cerrarla al paso del tráfico y se juntó una multitud inmensa en la calle. Las autoridades calcularon que la última noche había como cuarenta mil personas, ¡en un país musulmán! Y se vieron muchos musulmanes. Esa noche, un musulmán nos preguntó:

'Y nosotros los musulmanes, ¿podemos tomar esa medicina que los sacerdotes dan a la gente?'. Él no sabía lo que era dar la comunión y sin darse cuenta había dicho una palabra profética, porque Jesús es la salud de los enfermos y podemos tomar esa medicina que sana.

El Señor está llamando mediante signos y no sólo a los católicos, sino también a los musulmanes, a los incrédulos. Hemos visto a paganos que no tenían fe, que estaban ahí, y Jesús los sanó. La sanación es una respuesta del Señor a la fe de los que oran por el enfermo; la sanación es un llamado a la fe.

Periodista: ¿Quiere, Padre, agregar un mensaje para nuestro país y el mundo?

Emiliano Tardif: En todas partes debemos invitar al pueblo cristiano a volver hacia una vida de más oración. El Espíritu Santo está renovando la oración en la Iglesia. Si el pueblo de Dios deja de orar, su fe se enfría, y hasta se puede apagar. Pero cuando el pueblo cristiano vuelve a orar, su fe crece y se fortalece. Creo que debemos pedir una gracia especial de oración. El Espíritu Santo nos hace buscar y saborear la Palabra de Dios y nos da un gusto nuevo para la oración. Calculamos que en el mundo entero hay por lo menos setenta y dos millones de católicos que participan en la Renovación Carismática Católica y éste es un fenómeno mundial, no es un fenómeno exclusivamente americano; pues el número sigue aumentando en todos los países. En ciento cuarenta países del mundo, la Renovación está organizada como lo está aquí. Sigo insistiendo: creo que el plan de Dios es renovar la fe de su pueblo al renovar la oración y por la oración se fortalece, se manifiesta el poder de Dios. El Espíritu actúa de una manera particular a través de los carismas, que son dones espirituales para edificar la Iglesia".

En una **conferencia** le escuchamos decir:

"La oración no es la fe, pero hay una relación muy íntima entre las dos. La oración siempre reaviva la fe.

Los problemas prácticos que tenemos con la oración son problemas de fe. Tener tiempo para la oración es cuestión de preferencia.

El valor de la oración no es cuestión de tiempo, sino de calidad. Hay que vivir con más intensidad la presencia de Dios.

La oración personal que hacemos cada día es una expresión de nuestra fe. Tener una fe viva es la mejor preparación para la oración.

San Pablo dice que la fe viene por la escucha de la Palabra de Dios. De ahí que la lectura de la Palabra de Dios ha sido siempre el camino de alimentar la fe.

El Espíritu Santo nos da un gusto nuevo por la oración. (Fotografía de Jacques Assal).

Éste es un llamado a todo creyente. Si uno no se alimenta de la Palabra, su fe se enfría y lo primero que deja es la oración.

Cuando una persona no reza, ya no hay nada que decirle. La oración es insustituible. Lo único que se le puede decir es: "Vuelve a orar", pues dejar la oración es romper la amistad con Jesús.

La verificación de nuestro amor a Jesús no se da en una agenda muy cargada, sino en nuestro estar con Él.

El Papa Pablo VI le hablaba a los religiosos: 'No olviden el testimonio de la historia: la fidelidad a la oración o el abandono de la misma es el termómetro de la vitalidad o de la decadencia de la vida religiosa' (Exhort. Et. 42).

Si por desgracia hemos perdido el gusto por la oración y hemos caído en la tibieza; si sentimos que es imposible ser perseverantes en la oración y orar constantemente, ¿qué podemos hacer para renovarnos en este elemento tan vital en nuestro apostolado?

La solución está en la oración misma. Hay que acercarse a ella con confianza y con la fe puesta en la palabra del Señor: "*...todo lo que pidan en la oración, crean que ya lo han recibido y lo tendrán*" (Marcos 11:24).

El papa Pablo VI decía a los religiosos: 'Si ustedes han perdido el gusto por la oración, sentirán nuevamente el deseo de ella, poniéndose humildemente a orar. Éste es el secreto para volver a encontrar el gusto por la oración' ".

Constantemente nos animaba a perseverar en la oración. Él mismo fue un ejemplo vivo de la invitación que Jesús nos hace a orar sin cesar, con la disponibilidad que siempre tuvo para interceder por las necesidades de los que se le acercaban. "Jesús es el Señor de lo imposible", solía decir frecuentemente. "No hay caso perdido, sino sólo hombres y mujeres que se desesperan ante las dificultades de la vida –gritaba al mundo–. ¡Él es la salud de los enfermos!".

A continuación transcribo algunos párrafos sobre la edificación en la fe, charla que dio antes de hacer la oración por los enfermos en el II Encuentro Nacional en República Dominicana, en 1981:

"A veces el Señor nos pide mucha perseverancia en la oración. Por ejemplo, un cristiano de poca fe hace una oración o dos y si no recibe respuesta del Señor, se desanima y no ora más. Todavía algunos, por falta de evangelización, dicen: –Bueno, Él no me da resultado, yo voy a donde un brujo a ver si me hace un trabajo para sacarme de esto. Estos son los cristianos que no han sido evangelizados todavía; pero el cristiano auténtico nunca abandona a Jesucristo, la fuente de agua viva, para buscar ayuda en los brujos de Satanás. ¡Esto nunca!

El Señor está sanando en el mundo entero. Aquí, en Pimentel, en el mes de septiembre pasado, cuando predicábamos la Novena de la fiesta patronal de Nuestra Señora de las Mercedes, la iglesia se llenaba cada noche. Después de la misa y la prédica, orábamos por los enfermos y el Señor manifestaba mucho amor en esa multitud. Siempre veíamos a un muchacho pobre de catorce años de edad que venía de Campeche Abajo, un campo de Pimentel; su mamá lo traía a lomo de caballo, porque no era fácil venir en *jeep*. Lo bajaban del caballo y con mucha paciencia lo entraban en la iglesia. Este joven, paralizado desde hacía varios años, no podía caminar; sin embargo, participaba con perseverancia en la misa que se celebraba cada noche. La última noche lo sacaron en brazos de nuevo y lo llevaron a caballo hasta su casa en Campeche Abajo; al otro día se despertó, comenzó a caminar y ahora está caminando perfectamente.

Ésta es la perseverancia en la oración. El Señor nos dice: 'Pedid y se os dará', pero nunca ha dicho cuándo se nos dará, y ese es el error de muchos que dicen: 'El Señor dice pedid y se os dará, y yo pedí y no recibí nada'. Pero yo te digo: tal vez no has pedido bastante. Hay que seguir pidiendo y entregándonos al Señor, aceptando su voluntad, porque tal vez para ti Él tiene otro plan. Quizás Él quiere darte la salud definitiva que es la vida eterna, en donde no hay más enfermedad, más llanto, más luto, más sufrimiento. Éste es el problema: todo el mundo quiere ir al cielo, pero nadie desea morirse, y ¿por dónde vamos a pasar, hermanos, para llegar allí? Aceptemos también que algún día pasaremos a la vida eterna".

Si hubo un tema que el padre Tardif proclamó por todo el mundo fue el "Poder sanador de la Eucaristía". Creo que el Señor quiso, de una manera especial, utilizar a este hombre lleno de fe para, con signos y prodigios, hacer crecer la fe del pueblo en la presencia real de Jesucristo en la hostia santa.

A continuación sus propias palabras:

"Al terminar esta reflexión sobre la sanación como signo evangélico, quisiera recalcar que en nuestros tiempos de renovación espiritual, el Señor está renovando también la fe en su Presencia Real en la Eucaristía. Antes de la comunión siempre rezamos: 'Señor, yo no soy digno de que entres en mi casa, pero una palabra tuya bastará para sanarme'. A veces me pregunto qué pasaría si todo el que se acerca al altar creyera en la verdad de esas palabras.

Durante la semana del 22 al 28 de abril último, tuve la oportunidad de predicar un retiro carismático junto con el padre Diego Jaramillo de Bogotá, a unos doscientos veinte sacerdotes en México. Durante el retiro habíamos planificado una misa especial por los enfermos, que se iba a celebrar el jueves por la tarde con la presencia de miles de fieles invitados de los distintos grupos de oración de la diócesis de Toluca, y nuestro plan era orar por todos los enfermos durante esa misa. Pero, en una de las conferencias del miércoles habíamos insistido en el poder sanador de la Eucaristía, recordando el pasaje de la mujer hemorroísa que tocó con fe el vestido de Jesús y quedó sana de su flujo de sangre, como lo leemos en Marcos 5:28 ss. Jesús, dándose cuenta de la fuerza que había salido de él, se volvió hacia la gente y dijo: '¿Quién me tocó el manto?'. Mucha gente lo empujaba y lo tocaba, pero una sola mujer lo tocó con fe y quedó curada. Y, comentando ese pasaje, les recordábamos a los sacerdotes que el momento de la comunión es en realidad el instante más maravilloso para pedir sanación al Señor, pues no solamente podemos tocarlo de forma real y presente en la hostia santa, sino que ¡podemos comer su cuerpo y beber su sangre y alimentarnos de su vida!

En el retiro estaba presente un sacerdote de cincuenta y ocho años, el padre Lucio Martínez Luna, de la parroquia de San Francisco de Asís, en Jaltipán; el padre Lucio se había fracturado tres veces las piernas hacía dos años y, a pesar de buenos tratamientos médicos, no se sanada y padecía de muchas dolencias en las piernas, por lo que tenía que caminar con la ayuda continua de dos muletas. Con mucho espíritu de fe, él había ido al retiro sacerdotal, pero con el permiso especial de que su enfermera lo acompañara, para darle las inyecciones y tratamientos que requería su estado de salud. Pues, ese miércoles durante la misa de la tarde, después de haber ido a comulgar arrastrándose con mucho esfuerzo con sus dos muletas, el padre Lucio volvió a su asiento y oraba en silencio durante la acción de gracias. Unos minutos más tarde, se levantó y con lágrimas y sollozos dijo en voz alta: '¡El Señor me está sanando!'. Comenzó a caminar sin muletas... y levantó las muletas al cielo, diciendo: 'He aquí el hombre de las muletas, que no me apartaba de ellas ni de día ni de noche, y miren cómo puedo caminar sin ellas'. Se acercó al altar, lo besó y de nuevo estalló en llantos, y dijo: '¡Bendito sea el día en que me invitaron a venir a este retiro carismático en el cual el Señor me ha sanado!'. Un aplauso general siguió al testimonio del padre Lucio, y él continuó alabando al Señor y dando testimonio durante el retiro. Cuando llegó la misa de sanación del jueves, el padre Lucio dio su testimonio ante miles de personas, contándoles que el Señor Jesús presente en la Eucaristía, lo había sanado en el momento de la comunión. Y el Señor, en dicha misa del jueves, siguió sanando a muchos enfermos más, que después dieron testimonio del poder de Dios.

Algunos sacerdotes dudaban durante el retiro, discutiendo acerca de la realidad de las sanaciones... pero, con la curación del padre Lucio se acabaron las discusiones, aumentó la fe en la presencia real de Jesús en la Eucaristía, y se confirmó con un signo prodigioso la verdad del Reino que ¡está en medio de nosotros! Con la renovación del carisma de sanación, la Iglesia está entrando en un período de evangelización de un poder increíble".

El ministerio de predicación y de oración intercesora del padre Emiliano fue ejercido gracias a un extraordinario espíritu de caridad hacia las personas. Los que tuvimos la oportunidad de compartir con él, pudimos ver que a pesar del cansancio, de la falta de privacidad, del desapego a las comodidades, el padre ponía generosamente sus carismas recibidos, al servicio de todos. Si pienso en el fruto de la paciencia, creo que el Espíritu Santo manifestó su presencia en este sacerdote.

Ejerció su ministerio a través de un extraordinario espíritu de caridad hacia las personas.

Siempre he creído que el ministerio de sanación hace que el ministro que lo ejercita llegue a perder su libertad y su vida privada. Son tantas las personas necesitadas que lo requieren, lo buscan, hasta lo acosan, que este ministro llega a tener muy pocos momentos para sí mismo. Se necesita mucho del auxilio del Divino Espíritu para no caer en la impaciencia, manifiesta quizás en una mala cara, el mal humor, una respuesta dura o una actitud defensiva.

Bajo dichas circunstancias, la actitud del padre Tardif era admirable. Con cuánta paciencia acogía a unos y a otros. Muchas veces, cuando estábamos en grandes estadios de béisbol o de fútbol y se formaban largas filas de personas para tener un momento con él, ya fuera para orar o confesarse, recuerdo que siempre me enternecía ver a aquel hombre de Dios recibiendo a todos los que se le acercaban con una sonrisa, mucha paz y bondad.

El resultado en las personas solía ser el mismo: salían de la entrevista con un sentimiento de haber estado, a través del padre Emiliano, en contacto con el Invisible. Él se había convertido en una señal visible del Invisible, en un 'buen olor de Cristo'.

Alrededor del mundo hay mucha gente que guarda con cariño una foto o unas palabras de él, escritas sobre una Biblia, una tarjeta, un papelito o un libro dedicado. Quizás muchos no saben lo poco que le gustaban estas cosas; sin embargo, raramente se negaba a dejarse fotografiar o a escribir unas palabritas, siempre con el afán de ayudar a las personas que se le acercaban. Muchas veces le escuché decir: "Pero no entiendo por qué buscan que yo haga esto, si no soy un actor de cine".

Cuántas veces lo vi en medio de las multitudes, haciendo que los organizadores del evento lo sacaran muchas veces, hasta con la ayuda de la policía, mientras la gente se agolpaba para requerirle una oración o simplemente saludarlo.

Podría contar varias historias, pero hay una que está muy viva en mi corazón. Habíamos ido a predicar a Salerno, Italia y estábamos bajo una gran carpa que fue alquilada para tal fin. Cuando llegamos allí, la multitud expectante aguardaba cerca de las puertas con el deseo de estar cerca del padre Emiliano. Los organizadores habían solicitado la ayuda de los carabineros de la policía italiana. Habían enviado a unos hombres grandotes, altísimos y cuatro de ellos rodearon al padre. Pude ver que la multitud avanzó, empujando al pequeño grupo. Dos de los policías tomaron al padre, cada uno por un brazo, y empezaron a llevarlo con una actitud ruda, decidida, abriéndole paso en medio de la multitud. Lo mismo hicieron conmigo que estaba justo detrás de él. Estos policías eran tan altos que les dábamos como por los hombros y nos llevaban casi volando, pues nuestros pies apenas tocaban el piso. Todavía me río al recordar que el padre se volteó en un momento y me dijo: "María, esta gente va a creer que nosotros somos dos malhechores apresados por la policía". Yo no pude más que reírme a carcajadas del humor del padre, en medio de una situación hasta peligrosa.

Cuando los policías "nos subieron" al altar, evidentemente por haber recibido la orden de hacerlo, se ubicaron en la escalera de acceso al mismo, evitando con rudeza que la gente subiera y se acercara al padre. En ese momento, vi en él la cara de preocupación, pues esa no era nuestra forma de actuar. Sabía que en su corazón estaba la compasión por los enfermos y no le gustaba que la gente fuera tratada así. Pasado un rato, una señora con un niño aparentemente muy enfermo, pues yacía como desmayado en los brazos de ella, trató de forzar el paso hacia el altar. Por supuesto, los policías, con cara dura y con mucha decisión, se lo impidieron. Ella se devolvió con su cara triste, pero se quedó muy cerca del altar, mirando fijamente al padre y acechando a los policías para aprovechar cualquier descuido.

Una segunda vez trató de escapar de la vigilancia de aquellos, pero de nuevo no lo logró, siendo devuelta por los policías. Yo soy madre también y el corazón se me iba tras ella, sobretodo al verle la cara de angustia y las lágrimas que le corrían por sus mejillas. Entonces, ella levantó en alto a su hijo y se lo presentó al policía. Pude ver cómo el hombre, sorprendido, desvió la mirada. Era evidente que las entrañas se le habían conmovido y no podía sostener la mirada de esta mujer adolorida por la enfermedad de su hijo. Pero ella estaba decidida y seguía con su hijo en alto, ahora como ofreciéndoselo al militar. Él la miró con una cara de angustia, pues estaba experimentando una crisis, porque debía escoger entre acatar las órdenes recibidas u obedecer a la compasión que le indicaba su corazón. Sin saber qué hacer, volteó la cabeza, como en busca de auxilio, para mirar al padre Emiliano. Yo también dirigí mi mirada hacia el sacerdote. ¡Qué hermosa sonrisa, llena de bondad y compasión en la cara del padre!

Entonces vi que él hizo una señal con la mano al policía, indicándole que trajera al niño. Mis mejillas se llenaron de lágrimas al ver a aquel hombrazo acercarse a la madre y tomar con una inmensa delicadeza y cuidado a su hijo enfermo. Lo cargó, lo apretó sobre su pecho y arrodillándose frente al padre se lo presentó para que él orara sobre el pequeño. Pueden ustedes suponer que era imposible no conmoverse ante esta imagen llena de caridad y compasión evangélica.

Y esto fue todo lo que se necesitaba para que, a partir de ese momento, los policías cambiaran su labor. Se empezaron a acercar las madres, trayendo a sus niños enfermitos y los policías, llenos de ternura, los cargaban y se los presentaban al padre Tardif, uno a uno, quien con una gran sonrisa en sus labios, rezaba por ellos, los besaba y los bendecía.

Cuando comenzó la misa, después de una hora de evangelización, pude notar que los policías seguían atentamente la Eucaristía. En un momento, vi que dos de ellos, cercanos a mí, se secreteaban. Uno asintió con la cabeza y, entonces, ambos sacaron sus carteras de sus inmensas botas, de las cuales extrajeron fotos de las propias familias y me pidieron que se las presentara al padre para que, desde allí, bendijera a sus esposas e hijos.

Yo me gozaba por dentro, dando gracias a Dios, pues en aquellas cortas cuatro horas que había durado el acto, se palpaba que estos hombres que llegaron con una actitud dura, fuerte y violenta; ahora eran unos mansos corderitos al servicio de la caridad.

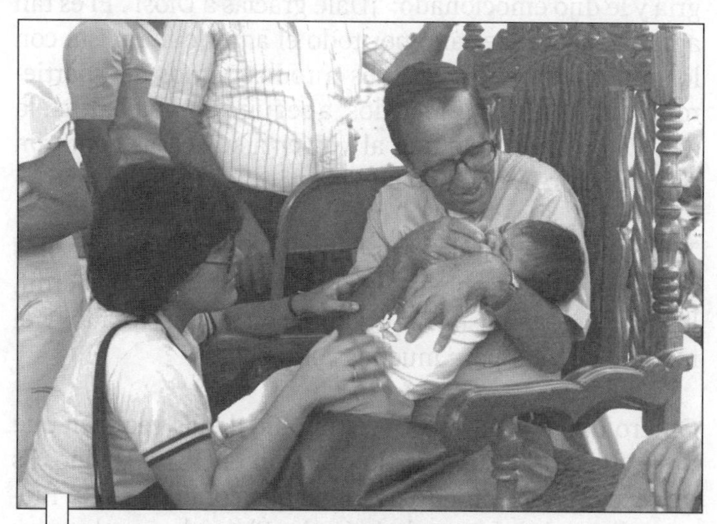

Le presentaban los niños al padre Tardif quien con una gran sonrisa en susu labios, rezaba por ellos, los besaba y los bendecía.

Cuando íbamos a salir nos pidieron, al padre y a mí, que nos abrazáramos a sus espaldas y así, con mucho cuidado, lentamente y sin violencia, nos sacaron de la multitud una vez más agolpada alrededor nuestro.

Nos subimos en el auto y, a toda prisa, guiados por los dos carros de policía, nos alejamos del lugar. Cuando habíamos transitado unas diez cuadras, pedí que nos detuviéramos para saludar a los policías y darles las gracias. Al detenernos, los ocho se tiraron de sus respectivos autos y corrieron hacia el nuestro. Parecían como niños al abrazarnos y reírse. De repente, uno que había abrazado al padre, empezó a subir y bajar el brazo derecho, gritando: "Miren, miren, ya no me duele, puedo alzarlo". Nos contó que había llegado a la misa con un dolor terrible, producto de una bursitis que le impedía mover el brazo libremente; y al abrazar al padre notó que se le había desaparecido todo dolor. El padre Tardif se llenó de alegría y le dijo emocionado: '¡Dale gracias a Dios!'. Él es tan agradecido que te sanó por todo el amor que tuviste con los niños". Y bendiciéndolos a todos, vimos que partieron, sonrientes y agradecidos, a seguir su trabajo de cada día. Estoy segura de que al volver a sus casas contaron con emoción lo que habían visto y oído.

Termino este capítulo consciente de que son muchas las cosas por contar sobre la vida de oración del padre Tardif, los frutos de la misma en su alma, en su apostolado, y el modelo de vida para muchos corazones.

Quiero dar, por último, el testimonio de las veces en que mi fe fue edificada, al verlo orar con el Oficio Divino. Es un recuerdo en el fondo del alma que contagia como fuego ardiente los deseos de imitarlo. Él rezaba en el avión, en los aeropuertos, en la casa, ante el Santísimo, al volver de los retiros, por la mañanita y antes de irse a dormir. El Oficio Divino fue su constante compañía hasta el último día de su vida. Cuando nos entregaron la maleta que había llevado a Argentina con sus pertenencias, me tocó junto con tres hermanas de la Comunidad y su superior provincial, el padre Darío Taveras, M.S.C., la triste tarea de sacar todas aquellas piezas para nosotros tan preciadas.

Entre todas ellas pudimos abrir su Breviario, el cual estaba señalando la página correspondiente a las vísperas del lunes II de la semana X, lecturas de la noche anterior a su muerte.

Me conmueve pensar que su corazón y su pensamiento se elevaron aquella noche ante el Divino Esposo. Muchos años antes se había entregado a Él, esperando cada día el momento en que se consumara la unión eterna, las bodas del Cordero.

En el Breviario, con el Salmo 44 rezó aquella última noche de su vida:

Antífona 2: ¡Que llega el Esposo, salid a recibirlo!
(Mateo 25:6).

"Escucha, hija, mira: inclina el oído,
olvida tu pueblo y la casa paterna;
prendado está el rey de tu belleza:
póstrate ante él, que él es tu Señor.
La ciudad de Tiro viene con regalos,
los pueblos más ricos buscan tu favor.

Ya entra la princesa, bellísima,
vestida de perlas y brocado;
la llevan ante el rey, con séquito de vírgenes,
la siguen sus compañeras:
las traen entre alegría y algazara,
van entrando en el palacio real.

A cambio de tus padres, tendrás hijos
que nombrarás príncipes por toda la tierra.
Quiero hacer memorable tu nombre
por generaciones y generaciones,
y los pueblos te alabarán
por los siglos de los siglos".

Antífona 2: ¡Que llega el Esposo, salid a recibirlo!

"Ahora, Señor, según tu promesa,
puedes dejar a tu siervo irse en paz.
Porque mis ojos han visto a tu Salvador,
a quien has presentado ante todos los pueblos:
luz para alumbrar a las naciones
y gloria de tu pueblo Israel".
Gloria al Padre, al Hijo y al Espíritu Santo,
como era en el principio, ahora y siempre,
por los siglos de los siglos. ¡Amén!

8 El último viaje

Cumplió 71 años el 6 de junio y ésta fue una ocasión extraordinaria para todos los miembros de la Casa de la Anunciación de la Comunidad Siervos de Cristo Vivo.

Generalmente, en su cumpleaños, el padre Emiliano estaba de viaje, predicando en diferentes lugares. Por eso, cuando vimos en su calendario de compromisos que este año estaría en Santo Domingo, la Comunidad Siervos de Cristo Vivo le preparó una gran fiesta de cumpleaños a la cual asistieron los hermanos de la Comunidad, así como los misioneros del Sagrado Corazón y muchos amigos personales.

¡Con cuánta ilusión y cariño se preparó todo! Cada detalle fue cuidadosamente preparado para que la fiesta fuera un verdadero éxito y él pudiera disfrutar su día y cada momento del agasajo.

Los invitados fueron llegando poco a poco y, finalmente, se comenzó con la celebración de la Eucaristía presidida por el provincial de los Misioneros del Sagrado Corazón, padre Darío Taveras y concelebrada por el padre Emiliano y el padre Jorge Bravo, S. J., acompañados por el diácono Evaristo Guzmán.

Toda la casa estuvo engalanada para la fiesta. Las orquídeas lucían su belleza y sus colores adornaban hermosamente el comedor de la Comunidad. En la cara de los presentes había una sonrisa de felicidad por el cariño que todos teníamos al padre. Él, en medio de nosotros, parecía un niño, con ese gesto característico de batir alegremente las palmas de las manos dos o tres veces y luego llevarlas, en gesto de sorpresa, hacia su boca. Parecía un niño gozando de cada momento.

La Eucaristía nos llenó de emoción a todos. Las canciones que a él le gustaban se escucharon entonadas por el coro y seguidas a voz en cuello por todos los asistentes.

Las palabras de su superior provincial, el padre Darío, fueron muy hermosas, llenas de cariño y, en algún momento, de jocosidad, relatando algunos detalles de la vida sacerdotal del padre Tardif.

"Nunca había tenido una celebración de cumpleaños tan bella".

Al final de la Eucaristía el padre compartió cómo fue su llamado al sacerdocio: "¡Algún día yo también seré misionero!".

Las ofrendas tocaron profundamente nuestros corazones, a medida que íbamos escuchando los comentarios de lo que significaban cada una.

Así, se ofreció una paloma blanca como símbolo de la paz que el padre Emiliano, mensajero de paz, llevaba a tantos países, paz que es también símbolo de la Comunidad Siervos de Cristo Vivo. Se ofrecieron unas rosas como símbolo de las flores cultivadas por el padre durante muchos años y entre innumerables personas alrededor del mundo, pidiéndole al Señor que le permitiera seguir trabajando para su reino. También, estaba representado en una ofrenda, el globo terráqueo que él siempre tenía en su habitación, y que conservamos con cariño, como símbolo de los setenta y dos países a los cuales el padre Emiliano viajó, llevando el mensaje del Evangelio. Otra ofrenda fueron sus tres libros: *Jesús esta vivo, Jesús es el Mesías y La vuelta al mundo sin maleta*, obras que habían sido traducidas a más de veinte idiomas y que, al leerlas, muchas personas se habían llenado de una nueva esperanza, de una nueva vida, hasta el punto de que algunos habían deseado, al morir, ser enterrados con ellas. Y por último, se ofrecieron unos videos y cintas como símbolo de la Palabra de Dios transmitida y difundida en tantos países a través de los medios de comunicación, las cuales representaban el gran anhelo del padre Emiliano de que la Palabra llegara hasta los confines de la tierra.

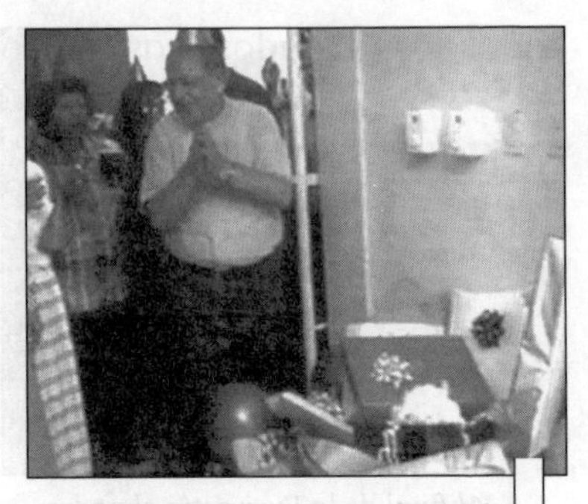

Con ese gesto característico de batir alegremente las palmas de las manos.

Al final, el mismo padre Emiliano también compartió unas palabras. Contó que había sido llamado al sacerdocio a los doce años, al escuchar al misionero dominico que partía al Japón, dato que presentamos al principio de este libro. "Algún día yo también seré misionero", había sido su respuesta en lo profundo de su corazón.

"Yo no sabía que ustedes me querían tanto".

Luego de terminar la Eucaristía, todos pasaron al comedor donde se ofreció un almuerzo que fue bendecido por el padre Tardif, como siempre lo hacía. "Bendícenos, Señor, y bendice estos alimentos que vamos a tomar para seguir evangelizando". Luego, con voz fuerte, dijo: "¡Todos a evangelizar!". Y es que todo en su vida estuvo enfocado hacia este llamado a proclamar al Cristo Vivo que, veintiséis años atrás, lo había rescatado de las garras de la muerte y lo había hecho, por la fuerza de su Espíritu, un testigo con poder.

Lo vimos lucir, como un niño, su pequeño sombrero de pico de cartón azul, típico de los cumpleaños infantiles, que usó graciosamente durante toda la fiesta, al igual que todos los invitados. Los regalos, traídos con tanto amor por los hermanos, fueron llenando una carretilla que él después arrastró para posar en las fotos, pero no abrió ninguno de ellos. Todos los regalos quedaron sobre su cama, en la habitación que también hacía de oficina, ya que a la una del mediodía tuvo que partir junto con Evaristo, hacia el aeropuerto a tomar el avión que lo conduciría primero a Miami y luego, desde allí, a la Argentina.

"Creo que voy a morir pronto, pues nunca había tenido una celebración de cumpleaños tan bella", dijo. "Yo no sabía que ustedes me querían tanto". Y es que el padre era tan humilde que no se daba cuenta de cuánto lo amábamos, lo admirábamos, lo respetábamos; el tesoro tan grande que sabíamos que él era y con el que Dios nos había bendecido al tenerle entre nosotros.

Así lo vimos partir para su último viaje, mientras lo despedíamos entre sonrisas, saludos y los mejores deseos. ¡Quién nos iba a decir que unos días después lo recibiríamos entre lágrimas y sollozos, con nuestros corazones quebrantados por el dolor de su partida de en medio de nosotros!

Cuando llegó a Miami fue recibido por los hermanos de la Casa de la Anunciación de esa ciudad y, como su vuelo hacia Argentina partía hasta las diez de la noche, lo llevaron a cenar a un restaurante donde, como sorpresa, también le celebraron su cumpleaños, al que se unieron todos los camareros para entonar la clásica melodía del "Cumpleaños feliz, te deseamos a ti".

Él estaba radiante, feliz. Después de todo un día de festejos de parte de los que tanto le amamos, partió hacia su

"Bendícenos Señor y bendice estos alimentos que vamos a tomar para seguir evangelizando".

último viaje. Nada parecía indicar que treinta y seis horas más tarde llegaría al destino final, a la Casa del Padre, para celebrar allí las bodas del Cordero por toda la eternidad.

Evaristo, testigo presencial, nos relató las últimas horas que pasó aquí en la tierra. Llegaron a Buenos Aires, Argentina, tras muchas horas de viaje en avión; luego hicieron el transbordo que los llevó a Córdoba, para finalmente dirigirse hasta San Antonio de Arredondo, el lugar donde se celebraría el retiro para sacerdotes. Llegaron a las 3:30 p.m. y como el padre se sentía cansado por la cantidad de horas de vuelo, se retiró a su habitación para descansar.

Los organizadores habían planeado comenzar el retiro a las 4:30 p.m. y, pensando que el padre estaría muy cansado, programaron que el diácono Guzmán diera la primera conferencia. Cuando el padre fue informado del programa, manifestó que él quería hablarles a los sacerdotes, y le dijo a Evaristo que él daría la primera conferencia. "Yo quiero hablarle a mis hermanos sacerdotes", dijo.

Ésta fue la primera conferencia de ese retiro y la última de su vida. La llamó: "El sacerdote, el hombre misterioso". Lo habíamos oído reírse al contar lo que le había ocurrido aquí en Santo Domingo, cuando iba a celebrar una misa de sanación en la Iglesia de Santa Luisa de Marillac.

Se suponía que estaba cerca del lugar, pero como no sabía exactamente la dirección, se detuvo al lado de una señora que caminaba por la acera y le preguntó si ella sabía en dónde quedaba la iglesia.

La buena mujer le dijo que ella iba también hacia allá, por lo que el padre la invitó a entrar en el auto para que lo guiara.

"¿Y qué es lo que hay esta noche en esa iglesia?", le preguntó.

"Es que allí se reúnen los carismáticos –contestó ella– y hay un padre misterioso que ora por los enfermos y estos se sanan".

El padre Emiliano reflexionó, con los sacerdotes, sobre lo extraordinario de la vocación a la que habían sido llamados. De ella podría decirse que es un gran misterio: el misterio del amor de Dios manifiesto a través del servicio y del apostolado sacerdotal. Los sacerdotes son llamados a continuar la misión de Jesús sobre la tierra, son investidos de poderes divinos, para cumplir con la misión de ofrecer una vida de gracia, de distribuir el pan de la Eucaristía y de dedicar su vida para santificar al pueblo de Dios.

Según refirió el padre Emiliano: el papa Juan Pablo II en una reunión sacerdotal en Toronto dijo que "es para celebrar la Eucaristía que existe el sacerdote". El sacerdote es "un hombre enamorado de Dios y de su pueblo".

"Cada día –dijo en un momento de la conferencia– tenemos que pedir fuerzas para cumplir con tan espantoso oficio. En el fondo del alma de cada sacerdote hay un martirio secreto. Ese martirio nos viene primero de nuestro oficio que nos aplasta por su dignidad. Uno se siente demasiado pequeño. Es como una visión grandiosa que nos encanta y nos espanta a la vez".

"Imagínense –agregó en otro momento– el peso de la hostia santa que levanta el sacerdote en el momento de la Consagración. Es pequeña y es más pesada que todo el universo. Contiene al mismo Creador del cielo y de la tierra, pues no es una presencia simbólica de Jesús la que tenemos en la hostia santa, es una presencia real y verdadera. Por eso, después de la Consagración decimos: 'Este es el misterio de nuestra fe'.

Fray Ángel Gabriel Gayte, en el número 81 de la revista *Resurrección* de la **Renovación Carismática Católica Argentina**, publicada en agosto de 1999, narra:

> "Cuando terminó la predicación, mientras tomábamos un té, le conté algunos testimonios vividos a través de *Jesús está vivo* y lo que ese libro había hecho en mi vida sacerdotal. Le comenté que le agradecí mucho a Dios por lo que había hecho en su vida, ya que seguía siendo una bendición para tantos otros. Le dije que, en Rosario, habíamos preparado las oraciones extractadas del libro y que las repartíamos entre los más necesitados de salud, de sanación de enfermedades, de angustias y de tristezas. También la hablé sobre las bendiciones que Dios había derramado a través de esas oraciones que él había compuesto muy sencillamente, pero muy llenas del Espíritu Santo.

> Él era un buen instrumento en las manos del Señor para consolar al Pueblo de Dios. Él se sentía muy gozoso de este testimonio".

Luego se celebró la Eucaristía, también la última de su vida, que concelebró junto con más de doscientos sacerdotes asistentes al retiro.

Armando Pino Viana, coordinador de la Renovación Carismática en Argentina, narra en la **revista *Resurrección*:**

> "Terminada la misa, fuimos a cenar con el padre Emiliano. Le preguntamos si quería un comedor aparte para estar más tranquilo. 'No, no, –contestó– quiero estar con mis hermanos sacerdotes; donde ellos comen, yo también voy a estar'. Cenó con los demás sacerdotes y, después de compartir saludos y abrazos de cariño, se retiró a su habitación para descansar.
>
> A la mañana, poco antes de las 8, Ricardo Ventura (del Equipo Nacional) golpeó a su puerta suavemente, para decirle: 'Padre, ya es la hora' y se devolvió. A esa hora servían el desayuno y había empezado el movimiento en la casa. La oración de Laudes era a las 8:30. A las 9:15, Evaristo daría su primera enseñanza: 'El sacerdote, hombre de Dios'.
>
> Los sacerdotes llegaron al salón para la oración y él no bajaba. Evaristo ya estaba preocupado y dijo: '¿Qué le pasará a Emiliano

> que no ha venido a desayunar y no está aquí?'. Ambos salimos con Chiquito Villalba para ir a su habitación, pero el padre Lucas Casaert llamó a Chiquito para que lo ayudara con los cantos. Entonces, Evaristo y yo fuimos a buscar al Padre.
>
> Frente a la puerta de la habitación, me dijo: 'Golpee'. Yo golpeo y nada. Lo hago de nuevo y nada. Entonces, Evaristo toma la cerradura y abre la puerta. Es ahí cuando vemos al Padre Tardif sobre el lecho, recostado en la cama. Evaristo me mira y dice: 'Emiliano está muerto'. Yo le dije: ¡No, no, no puede ser! Entré en la habitación y giré su cuerpo. Cuando lo toqué me di cuenta de que ya estaba frío. Evaristo decía: 'Mi amigo está muerto'. Y volvía a repetir una y otra vez: 'Mi amigo está muerto'. En ese momento nos abrazamos y nos quedamos así, unos minutos o sólo unos instantes, no lo puedo precisar, no lo recuerdo".

Después del primer impacto de descubrir el cadáver del padre, Evaristo se preocupó por llamar a República Dominicana para dar a los Misioneros del Sagrado Corazón y a nuestra Comunidad Siervos de Cristo Vivo, la terrible noticia que fuimos conociendo poco a poco, uno a uno, a medida que pasaron los minutos.

Repito las palabras tal y como inicié este libro: "La noticia nos cayó como un rayo". Todos nos sentimos sorprendidos, alarmados, algunos no lo podíamos creer, muchos quisimos que fuera una broma pesada o uno de esos inventos que tantas veces surgen por equivocación.

La lamentable noticia era cierta. Recuerdo, como un disco que se repite, la voz de Joselyn por teléfono: "Doña María, llamó Evaristo para decir que el padre murió". ¡Emiliano Tardif había muerto!

El hermano, el amigo, el compañero de tantos viajes misioneros y de tantos proyectos de evangelización. El hombre bueno, servidor de todos, de alma de niño y corazón de gigante, ya no estaba entre nosotros.

Dios lo había llamado para darle la merecida recompensa al siervo fiel, y llevarlo a descansar ante su Señor. Entre nosotros, la noticia corrió como pólvora. Los teléfonos no dejaron de sonar, los fax, el correo electrónico. Todos hacían la misma pregunta: "¿Es cierto que el padre Tardif ha muerto?". Y la misma reacción de todos: sorpresa, dolor, quebrantamiento, y aún sabiendo que era verdad, no podíamos creerlo.

Lo habíamos visto partir con tanta alegría, como siempre, lleno de celo evangelizador. Su agenda estaba llena hasta septiembre de 2001; pero, finalmente el Amado había abierto la puerta de la alcoba nupcial y lo introducía a la experiencia del amor eterno, para el que había sido llamado desde el seno de su madre.

Los días que siguieron a aquel 8 de junio de 1999 han estado colmados de sentimientos mezclados: dolor y gozo, lágrimas y sonrisas, luto y canto. Muchas veces le he dicho en estos días a la Comunidad que cuando hay una persona que muere, hay un duelo. Cuanto más cerca has estado de esta persona y más amor te ha unido a ella, el duelo por la partida es más profundo.

Les he recordado mucho el Evangelio de san Juan, el cual relata a Jesús llorando frente a la tumba de su amigo Lázaro, y les he dicho que se den el permiso de las lágrimas en medio del gozo y que tengan el consuelo de la fe, que nos hace confesar que nuestro amadísimo Emiliano vivió con Jesús, murió con Él y con Él ha resucitado.

Con gozo hoy podemos decir que en la Comunidad Siervos de Cristo Vivo fuimos testigos de su entrega a Dios y al servicio de las almas; de que no escatimó el tiempo para entregarse a su ministerio con alegría, con generosidad, con sacrificio y con una gran bondad hacia todos. Nosotros agradecemos profundamente a Dios que nos dio la gracia de convivir con él muchos años, de conocerle, de compartir sus proyectos misioneros, de aprender de él, de vivir el gozo de la evangelización junto a él, el cual consiste en ver a las almas que se abren al amor salvador de Jesús.

Pero, como he dicho, el gozo ha estado mezclado con las lágrimas. Nos duele el diálogo interrumpido, el no podernos sentar a conversar con él y recibir sus sabios consejos y sus palabras de consuelo. Echamos de menos su ir y venir, sus ojos azules penetrantes, su sonrisa a flor de labios y sus cuentos que nos hacían reír a carcajadas.

A todos nosotros se ha unido una gran cantidad de personas que con su presencia en los diferentes actos, con sus llamadas, fax, mensajes y cartas tan llenas de cariño, nos han hecho llegar, desde todos los rincones del mundo, sus más profundos sentimientos de afecto y aprecio a este hombre de Dios que nos bendijo a todos con su vida y su ministerio. Una de las cosas que más me impresionó fue que aproximadamente una hora después de su muerte, empezó a sonar el teléfono en mi casa y se recibieron llamadas de todas partes del mundo.

Aunque murió el 8 de junio, su cadáver llegó a República Dominicana hasta el viernes 11, día que el presidente de la República, Dr. Leonel Fernández declaró como día de duelo nacional, indicando con este decreto que con la muerte del padre, la mayoría del pueblo dominicano estaba de luto por este gran hombre de Dios, que tanto había servido a nuestro país y al mundo entero.

La decisión de la Iglesia de dar el tiempo suficiente a los fieles, para que pudieran decirle el último adiós a este sacerdote tan amado por todos, fue una gran bendición. Y es que su presencia en las ciudades, pueblos, parajes, lomas, comunidades rurales, fue una realidad evangelizadora que dejó grandes frutos de conversión y presencia de Dios.

En lo profundo de los corazones se sentía la necesidad de despedir los restos mortales de aquel misionero que dio la mayor parte de su vida como sacerdote, en esta tierra dominicana, a la que llegó sólo un año después de haber sido ordenado en 1955.

Ahora, un pueblo agradecido le rendía homenaje. Ante su cadáver, expuesto en un polideportivo de Santo Domingo y en el Estadio de béisbol de Santiago, pasaron miles de personas durante tres días, en silencio, con profundo respeto y, sobre todo, con amor y agradecimiento.

Las Eucaristías presididas en Santo Domingo por su eminencia reverendísima, Nicolás de Jesús Cardenal López Rodríguez, arzobispo de Santo Domingo, y en Santiago por monseñor Juan Antonio Flores, arzobispo de Santiago, fueron verdaderamente entrañables, llenas de profunda emoción, solemnidad y cariño, manifestados en las palabras de los celebrantes y que se reproducen en su totalidad como apéndice de este libro.

Quiero terminar estos relatos, contando algo de lo que fui testigo en el Estadio Cibao, el domingo 13 de junio, día de su entierro.

Faltaban ya pocas horas para la despedida final, ya que su cadáver iba a ser trasladado al cementerio de Santiago para darle cristiana sepultura. Yo sentí una gran necesidad de quedarme cerca de los restos mortales de aquel buen sacerdote que había sido de tanta bendición en mi vida y a quien me unió un gran cariño fraternal.

Mientras estuve por horas, parada junto a su ataúd, pude ser testigo del paso ininterrumpido de miles de personas que le daban el último adiós al padre, al consejero, al amigo, al hermano. Pude ver jóvenes, viejos, niños, esposos, hombres, mujeres, pobres, ricos, negros, blancos, profesionales y campesinos, profundamente conmovidos. Muchos de ellos, al pasar, lloraban.

Pero, lo que no puedo dejar de relatar fue lo ocurrido a esta mujer: llegó delante del cadáver del padre y a gritos, ante la sorpresa de todos nosotros, comenzó a decir: "¡Mírame, Emiliano, mírame! Tú sí sabes que yo no podía caminar. Tú sí sabes que yo me pasé la vida en una silla de ruedas, porque no podía dar un paso. Pero tú, un día oraste por mí, Emiliano, y Dios escuchó tu oración, me levantó y me puso a caminar. Y aquí estoy. ¡Mírame, Emiliano! ¡Mira cómo he venido a tu entierro! He venido de pie, caminando. He venido para darte las gracias. ¡Gracias, Emiliano, por haber orado por mí! ¡Que Dios te bendiga, Emiliano! ¡Qué Él te tenga en el sitio que tú te mereces por haber sido tan bueno con todos nosotros!".

Y mientras oíamos sus gritos, los que estábamos allí presentes llorábamos de emoción, y nuestros corazones estaban agradecidos porque allí nos encontrábamos representados todos aquellos cuya vida había sido bendecida por el paso de este hombre, de quien bien puede decirse que pasó por este mundo haciendo el bien a todos.

Gracias, Señor, por la vida de
este hombre de Dios.
Hoy te decimos: ¡Padre!
Mira a tu siervo Emiliano,
ha corrido la buena carrera,
fijos siempre los ojos en Ti
que eres la meta.
Acógelo entre tus brazos
y hazle reposar en la grandeza infinita
de tu divino amor.
Concédele el premio de tu gloria,
reservada para aquellos, que en esta vida,
han vivido sabiendo que desde Ti
han venido y a Ti deben volver.
Amén.

Apéndice

Durante los días que siguieron a la muerte del padre Emiliano Tardif, muchos de nosotros tuvimos la oportunidad de escuchar la voz de nuestros pastores, así como de algunos de los superiores y compañeros, sobre todo en las diferentes Eucaristías de cuerpo presente.

Hemos querido compartir con los lectores los textos recogidos de las mismas, principalmente por su contenido lleno de cariño y de aprecio a la persona y a la obra del padre Emiliano.

También en esta sección, luego de los discursos y homilías y bajo el título de "Hablan los hermanos y los amigos", se incluyen algunas declaraciones de personas que compartieron con nosotros sus experiencias con el padre Emiliano, especialmente muchos de sus familiares.

Queremos hacer notar que en todas ellas hemos encontrado como factor común la sencillez y la bondad que todos reconocen en este hombre de Dios, el gran amor a su familia y su deseo de que en ella siempre permanecieran los valores inculcados por sus padres, en especial la oración en familia; y, por último, la forma de compartir con ellos durante sus visitas, no sólo las anécdotas de sus viajes, sino las maravillas que hacía el Señor Jesús vivo y resucitado, amando y sanando a su pueblo.

Hablan nuestros pastores

"Tú eres un ciudadano del mundo"

Extracto de la homilía pronunciada por S.E.R. monseñor Nicolás de Jesús Cardenal López Rodríguez, en la Eucaristía de cuerpo presente del padre Emiliano Tardif, el 12 de junio de 1999, en el Polieducativo del Colegio Loyola.

"San Pablo, en la Carta a los Romanos, nos dice que el Espíritu Santo actúa constantemente en nuestra vida. Cuando pensaba un poco sobre este texto, habiendo tratado muy de cerca al padre Emiliano y creyendo conocerlo muy bien, me atrevo a decir que él vivió de este convencimiento: que el Espíritu Santo actúa constantemente en nuestra vida. Y esto no sólo lo vivió a título personal, sino que lo difundió y lo predicó en todas partes. El Espíritu Santo, dice san Pablo, nos hace hijos de adopción de Dios y nos hace gritar Abbá (papá), y esto es lo que Emiliano más trató de convencer con su palabra: en Dios tenemos un auténtico Padre, un Padre que a todos nos reconoce como sus hijos y sus hijas, un Padre amoroso que está constantemente pendiente de nosotros.

Además de ser un predicador incansable, él estaba convencido de que Dios quería que sus hijos estuvieran bien, aunque reconocía que el sufrimiento es parte de la vida cristiana. Esto mismo lo llevó tantas veces a una constante generosidad y entrega sin reservas. Dice el mismo san Pablo: 'Si somos hijos de Dios, somos entonces herederos con Cristo'. Y yo creo que hoy venimos todos a reconocer que el padre Emiliano ha recibido ya la herencia que le corresponde de Dios, su Padre.

El mismo san Pablo habla también de que toda la creación está sufriendo terriblemente. El padre Emiliano conoció también el sufrimiento, yo creo que ésta fue la coyuntura, la gracia que el Señor le concedió para que él diera entonces una orientación distinta a su vida. Desde que lo conocí recién llegado al país, siempre fue un gran sacerdote; pero sin duda que esta orientación a la que me estoy refiriendo la tuvo, sobre todo, después de la experiencia de su enfermedad.

El Señor le concedió la gracia de sufrir, de ser curado, y entonces lo llamó para que él se convirtiera en consolador de afligidos, que mitigaba la pena de tantas personas. Ahora, como dice san Pablo, lo que nos aguarda es esperar la redención de nuestro cuerpo. Emiliano ya está recibiendo esta redención.

En el Evangelio, Jesús habla del Buen Pastor. 'Yo soy el Buen Pastor, conozco a mis ovejas y las mías me conocen. El Buen Pastor da la vida por sus ovejas'. El asalariado que no es pastor cobra por atender las ovejas. El asalariado no conoce a las ovejas y, ante el peligro del lobo que las amenaza, huye y las abandona. Para Jesús, el Buen Pastor es la figura que mejor puede definir todo lo que es solicitud, interés, celo, cariño, amor, entrega generosa por el rebaño. Y yo puedo decir delante de ustedes, Emiliano dio su vida sin reservas, y aquí lo encontramos. El Señor lo llamó predicando un retiro en Argentina a un grupo de sacerdotes. Así que, sobre todo en estos últimos 25 años de su vida, después de la experiencia a que hice referencia hace un momento, él quiso entregar su vida sin reservas, sin límites, a todas las personas y en todas partes.

La arquidiócesis de Santo Domingo en la cual trabajó por tantos años, donde estableció esta primera casa de oración, la Anunciación y la Escuela de Evangelización, tenía la obligación de decirle al padre Emiliano: '¡Hasta luego!'.

¿A quién despedimos hoy? A un hijo de Canadá que se hizo dominicano por más de 40 años; pero que después amplió esa ciudadanía a todo el mundo. Yo siempre le decía: 'Emiliano, tú eres un ciudadano del mundo, igual te encontramos en Nueva York, Suráfrica, Australia, Buenos Aires, Roma o en cualquier punto del África'. Era un hombre que estaba constantemente en ese afán de viajar por todas partes. Yo mismo he escuchado y visto, en mis constantes viajes por el mundo, los casetes y los videos del padre Emiliano en cualquier lugar del mundo.

O sea que es un hombre muy conocido. Incluso, con frecuencia me llegaban cartas para que yo se las pasara al padre Emiliano, de lugares tan disímiles como Suecia, África, Asia... Entonces, le ponía una nota al padre Emiliano: 'Te voy a cobrar por ser tu correo, porque las cartas me llegan a mí constantemente para que yo te las mande a ti'. Parece que no sabían a dónde dirigirse y las mandaban al arzobispo, ignorando que yo era un gran amigo personal del padre Emiliano. Así que me alegra tanto saber que la gente lo conocía, lo buscaba, lo quería.

Despedimos hoy a un excelente sacerdote que ejerció con gran dignidad su sacerdocio. Esto no se puede negar: Emiliano era un hombre que trabajaba muy bien, siempre dentro de un plan de relación personal de cariño, de respeto mutuo con los obispos y con sus superiores. Por esa razón, su imagen era tan querida y admirada por muchos. Repito que lo conocí muy bien desde mis primeros años de sacerdocio; pero más aún después cuando él fue superior de los Misioneros del Sagrado Corazón y cuando, siendo yo obispo de San Francisco de Macorís, le tuve de párroco en Sánchez. Me permitía muchos chistes con Emiliano: en una ocasión cuando estaba de párroco en Sánchez, después de la experiencia de Pimentel, ya comenzaba a viajar por todas partes y casi no residía en Sánchez. Lo llamé y le dije: 'Emiliano, te voy a suspender el nombramiento de párroco, porque tú no resides en Sánchez'. Y me dijo: 'No, qué va, tú me quieres mucho, tu no me vas a hacer eso a mí'. Ésta era la forma en que nos tratábamos siempre. Mantuvimos una gran amistad y yo siento quererlo profundamente y sé que él me quería.

¿Cómo percibía yo al Padre Emiliano? Siempre vi en él al sacerdote y al misionero. Emiliano fue heredero de la tradición misionera canadiense en nuestro país. Era un misionero realmente convencido de su propia vocación. Trabajador incansable, se daba muy poco tiempo para sí. Era un hombre que estaba permanentemente pendiente de lo que otros pudieran necesitar de él. Emiliano era un hombre virtuoso, sencillo, muy amable, profundamente humilde, sobre todo cuando tuvo ya esta dimensión universal. Tanta gente que le quería, le admiraba, le buscaba y pedía su favor y su oración, y él decía: 'Yo no soy el que hace los milagros, es Jesús quien los realiza'. Jamás se apropió nada y pasaba como un instrumento del Señor.

La experiencia de su curación personal lo marcó definitivamente. Orientó su vida en una dimensión mucho más comprometida con el mismo Señor. Incluso en ese momento hubo muchas personas que cuestionaron la verdad o validez de esto. Él a todos los oía, pero eso no le quitaba un segundo de sueño. No le interesaba que la gente dijera que se inventó una curación. Muchos, comenzando por algunos hermanos sacerdotes, lo criticaron; pero él no daba ninguna importancia a eso.

Muchas veces conversamos y me daba cuenta de que él sentía la necesidad de predicar. Incluso cuando lo veía algunas veces un poco fatigado, yo tenía temor de que su salud fallara. Él estaba muy confiado de que hasta que el Señor quisiera, hasta ese momento, estaría trabajando. Por esta razón no se preocupó nunca de si tenía salud o no. Era un hombre optimista, nunca vi en él actitudes de depresión, nada de eso. Un hombre que estaba proyectado en una dimensión distinta.

Me consta del inmenso bien que hizo a innumerables sacerdotes en el mundo. En más de una ocasión, compartí con él algunos retiros internacionales. Recuerdo muy bien que en esos años él tenía particular interés en ayudar a los sacerdotes en crisis, en problemas. Yo le decía a su superior que me parecía que por ese ministerio merecía que se le liberara de otras obligaciones, para que él continuara trabajando en esa línea. Yo fui testigo con él, predicando retiros a sacerdotes y siempre lo estimulé, y me consta que hizo un bien inmenso.

Ustedes saben lo que el padre Emiliano hizo en República Dominicana. Esa labor que sólo el Señor la puede evaluar en toda su dimensión. A quienes se beneficiaron de su servicio hoy les digo: ¡Alégrense! Porque si Dios, por su misteriosa voluntad, ha dispuesto la partida de Emiliano, ahora él se constituye en el gran intercesor de todos ante el Señor y esto nos consuela.

Me atrevo a asegurar que ha sido uno de los sacerdotes más queridos por el pueblo dominicano. Ahí están sus obras: las casas de oración y adoración, la Comunidad Siervos de Cristo Vivo, las escuelas de evangelización que se van extendiendo por distintos lugares (están esparcidas hoy, prácticamente, por los cinco continentes)... Por eso creo que se puede decir, con las páginas bíblicas: 'Emiliano, amado de Dios y de los hombres, su memoria es una bendición', y esto lo podemos proclamar hoy delante de todos ustedes.

Ante la muerte, él siempre proclamaba la Pascua, la glorificación del Señor, el hombre de la trascendencia. Repito: a partir de ahora, él se constituye para todos, en el gran intercesor ante el Señor y esto nos consuela. Así que ¡ánimo, vamos adelante!, que Emiliano no deja de estar con nosotros. Está con nosotros de un manera distinta. Esta verdad también la tenían muy clara los cristianos de los primeros tiempos. Cuando despedían a sus difuntos lo hacían con el convencimiento de que ellos seguían siendo miembros de su comunidad, en una dimensión ya completamente nueva. Habían trascendido los umbrales de la muerte y los esperaban en la gloria definitiva; pero, seguían siendo sus hermanos y por esta razón se oraba constantemente por ellos en la plegaria eucarística. Vamos a continuar nuestra celebración con la seguridad, garantía y convencimiento de que Emiliano está gozando de la gloria inmensa de su Padre".

Homilía en la iglesia de La Altagracia de Santiago
Padre Darío Taveras, Misionero del Sagrado Corazón, Superior Provincial
Domingo 13 de junio, 8:30 a.m.

"Queridos padres Lucas, Ciprián y Juan Tomás:

A ustedes les toca hoy recibir en esta Iglesia bajo su cuidado, a su hermano de Congregación, Emiliano Tardif, que hace cerca de 43 años hizo el mismo trayecto de hoy. El 16 de septiembre de 1956 llegó de Canadá, aterrizando en Santo Domingo, y acto seguido, tomó la carretera Duarte rumbo a Santiago. Esta vez, viniendo de Argentina fue recibido en el Aeropuerto Internacional de las Américas, y hoy entra a la parroquia de La Altagracia, de paso hacia la casa del Padre.

Queridos amigos y estimados fieles de esta parroquia, que es como una gran familia para muchos de nosotros; en una ocasión rememorando su llegada a Santiago por primera vez, en 1956, el padre Emiliano recordaba que al asomarse a la ciudad de Santiago, lo primero que alcanzó a ver y le llamó la atención fueron estas dos torres blancas de la iglesia de La Altagracia, que como dos brazos, abiertos y en alto, le daban la bienvenida a esta ciudad corazón.

La parada en esta iglesia abarrotada de pueblo es una estación en el camino hacia el Estadio Cibao.

Permítame escoger dos ideas de los textos que la liturgia nos ofrece en este décimo primer domingo ordinario. Dos pequeños trozos de la Sagrada Escritura que nos pueden ayudar a leer este acontecimiento de la muerte del padre Emiliano. El primero es del libro del Éxodo: '...esto dirás a la casa de Jacob, esto anunciarás a los hijos de Israel... a ustedes los he levantado sobre alas de águila y los he traído a mí'.

Esta imagen tan entrañable nos presenta a Dios como un Padre, como un Padre lleno de ternura y de misericordia. La vida del padre Emiliano fue un testimonio alegre y sencillo, de lo más genuino de su carisma de misionero del Sagrado Corazón: **la misericordia**.

La segunda idea que deseo presentarles viene de la lectura del Evangelio según san Mateo: "En aquel tiempo, al ver Jesús a las multitudes, se compadecía de ellas porque estaban extenuadas y desamparadas, como ovejas sin pastor. Entonces, dijo a sus discípulos: 'La cosecha es mucha y los trabajadores pocos. Rueguen, por tanto, al dueño de la mies para que envíe trabajadores a sus campos'.

Guardadas las debidas distancias, podemos decir que el padre Emiliano, como Jesús, al ver las multitudes se compadecía de ellas. El carisma que el padre Emiliano recibió, Dios lo regala muy de vez en cuando en el mundo, para bien de muchos. En este caso, para bien de muchos en más de 70 países de los cinco continentes. También él pasó haciendo el bien.

Superada, por la gracia de Dios, su enfermedad pulmonar en 1973, el padre Emiliano hizo suyo el grito de Pablo: '*¡Pobre de mí si no anuncio el Evangelio!*' (1Corintios 9:16).

Nuestra Congregación consideró suyo el deber de darle libertad al padre Emiliano, para que compartiera a manos llenas y como hombre de Iglesia lo que para él fue un don extraordinario, la curación física y el llamado del Señor al ministerio de la predicación, proclamando a un Cristo vivo y lleno de compasión y de misericordia, para con los enfermos y pecadores, preferencialmente. Fueron veintiséis años cargados, intensos, llenos de fatiga. Muchos nos asombrábamos de su resistencia. Una hora antes de salir para el aeropuerto en su último viaje, le volví a decir: 'Emiliano, ¿tú no te cansas?'.

Largos viajes en carro, viajes en avión, cambios de horario, de clima, dificultades de lenguas, culturas diferentes, cambios de comida, falta de sueño, largas horas escuchando a personas que necesitaban precisamente eso: ser escuchados en confesión, en orientación espiritual, en consejería. Fueron años de fundación y de atención paternal a las 17 comunidades de los Siervos de Cristo Vivo, años de búsqueda de innumerables recursos humanos y cuantiosos recursos económicos para las escuelas de evangelización y para los guiones de evangelización por televisión.

Jesús dijo a sus discípulos: 'La cosecha es mucha y los obreros pocos'. El padre Emiliano fue eso, un trabajador en la viña del Señor. Un siervo en la casa del Señor, no el dueño de la mies, ni el señor de la casa. Emiliano fue un obrero, en la casa del Señor, un hombre de trabajo.

En su vocabulario no existía eso de 'no tengo tiempo, estoy ocupado, dígale que venga después, no puedo atenderlo'. Todo lo hacía no solamente con sencillez, sino con alegría y con sentido del humor. Y todo por el nombre de Jesús. El corazón de Jesús fue el centro de su vida, el porqué de sus setenta y un años de vida.

El padre Emiliano nunca pasó factura, ni a la sociedad ni a la Iglesia. Se fue sin condecoraciones, sin distinciones, sin medallas. El año pasado, esta ciudad de Santiago lo sorprendió agradablemente, declarándolo su hijo adoptivo. Fue un gesto que agradó al padre Emiliano y honró a la ciudad de Santiago.

Muchas gracias a todos, por el cariño y el amor que le demostraron al padre Emiliano. Gracias particularmente a ustedes, Siervos de Cristo Vivo, por haberlo tratado en vida y ahora ya muerto, como a un hermano y a un padre, como a un papá.

Doy gracias al Padre porque no se lo llevó en 1973. ¡De lo que se hubiera perdido el padre Emiliano, y de lo que nos hubiéramos perdido nosotros!

Quiero terminar leyéndoles estas dos antífonas que nos ofrece la liturgia de hoy para la comunión. ¿Cuál de las dos les parece la mejor?

> *'Una cosa al Señor, sólo, le pido, la cosa que yo busco: habitar en la casa del Señor mientras dure mi vida'*
> (Salmo 27:4).

o bien:

> *'Padre Santo, guárdalos en ese tu Nombre a los que a mí me diste...'*
> (Juan 17:11).

¿No les parece que esta frase del Salmo y estas palabras de Jesús, puestas en los labios del padre Emiliano, nos ayudan en esta mañana a leer el acontecimiento de su muerte y a recoger su último mensaje?".

El padre Emiliano "Un gran profeta para la Iglesia y el mundo de hoy"

Homilía de monseñor Juan Antonio Flores, arzobispo de Santiago, en la misa celebrada en el Estadio Cibao de Santiago, República Dominicana
13 de junio de 1999

"Queridos Hermanos:

Saludamos y acogemos con afecto a tantas personas que han llegado hasta aquí, del Cibao, del país y del mundo. Venimos a participar de este momento intenso de nuestra vida eclesial, y a contemplar el paso de nuestro querido padre Emiliano Tardif con Jesucristo glorioso, a la Casa del Padre. El padre Emiliano, a quien, estando en peligro de muerte, el Señor haciendo un verdadero milagro, le devolvió la salud por la oración de un grupo de la Renovación Cristiana en el Espíritu, en Canadá, trabajó apostólicamente en la línea de este nuevo movimiento, inspirado por Dios en el mismo seno de la Iglesia. Trabajó con una visión bíblica y teológica y siempre obediente al Magisterio auténtico de la Iglesia. Lo hizo también sin descuidar la dimensión humana y social.

Siendo superior provincial de los Misioneros del Sagrado Corazón, el trabajo por la justicia social y por los pobres fue precisamente lo que, aún siendo joven, deterioró su salud y lo llevó al borde de la muerte. Él mismo nos dice en su libro *Jesús está vivo,* que había consumido su tiempo y su vida en actividades materiales, construyendo iglesias, edificando seminarios, centros de promoción humana, de catequesis y buscando dinero para sostener esas obras.

Desde que éramos jóvenes nos conocíamos muy bien, y a los dos nos tocó trabajar aquí en Santiago. Siempre noté en él a un 'Hombre de Dios', que vivía a cabalidad su vida sacerdotal y religiosa; y, por otra parte, un hombre con grandes dotes humanas: inteligencia, mística de trabajo, empeño, gran capacidad de organización y tenacidad para realizar sus proyectos evangélicos y humanos, venciendo con la gracia de Dios y con fuerza de voluntad y sensatez, las innumerables dificultades que se le presentaban. ¿A qué grado alto de santidad puede llegar un ser humano cuando, libre y totalmente, se deja poseer por Jesucristo? El caso de san Pablo se sigue repitiendo en todas las épocas y generaciones, pues siempre habrá personas que se dejen seducir plenamente por el Señor y se dejen transformar por *'la fuerza de lo alto'* (Hechos 1:8).

San Pablo parece delirar ante los que total o parcialmente mantienen una mira terrenal o mundana, cuando grita a todos los vientos: *'Atención, señores, decía a todos los circunstantes. Yo mismo he sido tocado, alcanzado, poseído por Cristo Jesús, juzgo que todo es pérdida; es más, lo considero basura ante la sublimidad del conocimiento de Cristo Jesús, mi Señor; y ojalá ustedes sintieran también lo que estoy viviendo'* (ver Filipenses 3:7-16).

Exactamente eso fue lo que experimentó el padre Emiliano Tardif. Era un magnífico sacerdote y religioso, con un extraordinario celo apostólico, pero no había llegado hasta la plenitud del amor de Cristo. Cuando tuvo ese encuentro de ojos abiertos y corazón palpitante con Cristo vivo, entonces dijo: 'Jesús entró en mi corazón'.

Su padre superior, pensando que el padre Emiliano se había agotado trabajando tanto por la Iglesia y por los pobres, quiso mandarlo a Europa a renovar sus estudios teológicos, bíblicos y sociales, para que eso a la vez le sirviera para descansar y reponer las fuerzas corporales y espirituales. Pero él le expuso humildemente que, si lo mandaba bajo obediencia, iba; pero que en su conciencia, él sentía un impulso grande de salir por todo el mundo a pregonar el amor y las maravillas del Señor con todos nosotros, y a renovar en nombre de Cristo el llamado a la conversión, para que todos disfrutaran los bienes del Reino de Dios. En silencio y con un pausado discernimiento de Espíritu, el superior se dio cuenta de que esa era la voluntad de Dios y no podía impedírselo.

El mismo Emiliano cuenta que de niño escuchó a un misionero dominico hablar con ardor sobre el amor de Dios, y que su espíritu se sintió arrebatado, y se dijo a sí mismo: 'Un día yo tengo que ser como ese misionero'.

Todo eso que Jesús hizo con el corazón de Pablo, de Emiliano y de tantos otros, se puede realizar, en mayor o menor grado, en cada uno de nosotros. Todo depende de nuestra actitud, de nuestra respuesta, de nuestra fidelidad a continuar con el encuentro íntimo con Él. Cómo el Señor, en todas las épocas de la historia hace surgir grandes profetas, de manera que *'por todo el orbe resalta su ritmo, sus palabras llegan hasta el fin del mundo'* (Salmo 19:5). El Señor dijo de Pablo: *'...éste me es un instrumento de elección que lleve mi nombre ante los gentiles, los reyes y los hijos de Israel'* (Hechos 9:15 - B. de Jerusalén).

Y a Emiliano le dijo: 'Yo haré de ti un testigo de mi amor'.

Sólo una persona poseída por el Espíritu de Cristo, como el padre Emiliano, puede llevar a cabo tantas obras y llegar a evangelizar a tantos pueblos por los cinco continentes del mundo. Ha dirigido retiros de sacerdotes, religiosas y fieles, ha predicado misiones en todo el mundo. Comenzó los viajes apostólicos por el mundo en 1976 y fue a evangelizar a setenta y dos países, muchos de ellos visitados varias veces por él. Ha sacado tiempo para escribir varios libros. Ha fundado las comunidades de los Siervos de Cristo Vivo, que dirigen las casas de oración y las escuelas de evangelización, creadas algunas ya en España, Italia y en otros países del mundo. El objetivo de estas comunidades es la contemplación, y de ahí llegar a la evangelización y a la transformación de las personas en 'hombres nuevos', según Cristo.

Consideramos al padre Emiliano como uno de los grandes hombres de la Iglesia de estas últimas décadas. Pero, ¿por qué llegó tan alto e hizo tantas obras de dimensiones universales? No las podría haber hecho, si no hubiera sido como fue: 'humilde de corazón', dejándose guiar dócilmente por el Espíritu de Dios, y sin atribuirse nada a sí mismo, a imitación de la Virgen María. Al viajar por todo el mundo proclamando el Evangelio, él mismo se describió como el borrico que llevaba a Jesús de Betfagé y Betania a Jerusalén (ver Lucas 19:29).

Me contaba una persona que un día antes de inaugurar la Casa de la Evangelización de Santiago, todavía había muchas cosas que arreglar; por lo que ayudó con sus propias manos a limpiar y a cargar objetos. No permitía que otros lo hicieran, sin su cooperación. ¡Bendito el padre Emiliano que ha cumplido con fidelidad su misión en este mundo!

Es natural que, con la partida del padre Emiliano a la Casa del Padre, se siente un gran vacío en la Congregación de los Misioneros del Sagrado Corazón y en toda la Iglesia; pero el mismo Dios hará que siga floreciendo la Congregación y que surjan nuevos profetas en ella y en toda la Iglesia para que las obras fundadas por él continúen creciendo. Terminamos con las palabras que Santo Domingo de Guzmán, moribundo, dijo a sus hermanos y que podemos aplicar al querido padre Emiliano: 'No lloren, les seré más útil después de mi muerte y les ayudaré más eficazmente, que durante mi vida. Así sea' ».

Semblanza del padre Emiliano

Padre Darío Taveras, M.S.C.
Polieducativo del Colegio Loyola
20 de junio de 1999

"El padre Emiliano fue el noveno de catorce hijos. Todavía sobreviven ocho hermanos que están en Canadá. El día de su nacimiento esperaban lo peor en la casa, esperaban que muriera la mamá y que muriera el hijo. Por eso, en esa ocasión dos médicos estaban presentes y también el sacerdote de la parroquia. Según el médico, su mamá, doña Anna, no podía dar a luz. En un momento hasta le aconsejó que evitara los hijos. Ante esta sugerencia, doña Anna dijo: 'Más vale morir en gracia que morir en pecado. Yo prefiero sacrificarme y que nazca el hijo'. Gracias a Dios todo salió bien y después de Emiliano vinieron cinco más, cuatro entraron en la vida religiosa. Emiliano y Armando como Misioneros del Sagrado Corazón, Luis como religioso oblato y Adriana con las hermanas de nuestra Señora Auxiliadora.

A los pocos años la familia tuvo que emigrar. Al papá no le fue bien en los negocios y buscó nuevos horizontes. El padre Emiliano decía: 'Es que papá tenía el carisma de la pobreza. Si hubiéramos sido ricos no seríamos lo que somos con nuestra vocación'. Su hermana también decía: 'En casa siempre hemos sido pobres'. En 1941, el padre Emiliano salió para el seminario misionero desde ese pueblo a donde emigró. En el seminario pasó varios años estudiando y luego continuó el noviciado con nueve compañeros más. Entre ellos, el padre Raymundo que está aquí, y el padre José que ustedes conocieron. De ese grupo que profesó y se ordenó, tres fueron enviados a República Dominicana. Quiero leerles un párrafo de una carta que el padre Emiliano escribió el 3 de julio de 1952 al provincial: 'Deseo sinceramente, padre, consagrarme a Dios en la Congregación de los Misioneros del Sagrado Corazón para servirlo como religioso y sacerdote. Después de pedir las luces del Espíritu Santo y después de reflexionarlo mucho, yo le pido, Reverendo Padre, la admisión a los votos perpetuos. Mi confesor me anima a seguir esta vocación y ese es mi más vivo deseo'. Hizo los votos. Había estudiado filosofía. Siguió haciendo la teología en Quebec. Se ordenó de sacerdote el 24 de junio de 1955 y el 8 de diciembre del mismo año escribió otra carta:

'La historia de los orígenes de nuestra congregación nos dice que esta fiesta de la Inmaculada es un día muy favorable para obtener un gran favor de Dios. A mí me parece que es la ocasión favorable para pedirle algo a usted, que para mí es el representante de Dios. Yo sería feliz de ejercer mi apostolado misionero en Santo Domingo. La razón de mi preferencia es la gran pobreza de la gente que está privada de los sacramentos, y también porque me parece que en el apostolado misionero yo podría hacer fructificar mejor los pocos talentos que Dios me dio. Yo confío esta petición a nuestra Señora del Sagrado Corazón'. El Padre Emiliano, como muchas veces en su vida, recibió una respuesta positiva. Llegó aquí el 16 de septiembre de 1956.

Quiero añadir algunos pequeños detalles de su familia. ¿Cuál fue la escuela en que este apóstol se formó? ¿En qué pozo bebió? Él perteneció durante cincuenta años a una familia religiosa que, como dice Juan Pablo II: 'Sus miembros tienen sus corazones humanos en particular sintonía con el corazón divino'. ¿Cuál fue la inspiración del padre Emiliano sino la espiritualidad del corazón? ¿Cuál fue el modelo de su vida, sino el padre Julio Chevalier? El padre Emiliano no se quedó en la contemplación, sino que fue de aquellos grandes hombres de la Iglesia que, como sigue diciendo Juan Pablo II: 'Sacan del corazón de Cristo, de modo pragmático, la energía vital de su actividad apostólica'. El padre supo unir la espiritualidad del corazón con el ardor misionero de la Nueva Evangelización. Hizo de la devoción al Sagrado Corazón la espiritualidad de su vida y predicó el Evangelio del amor misericordioso, presentando un Jesús vivo, esforzándose por darles a conocer a los pobres de este mundo que Dios los quiere libres de toda clase de enfermedades.

¿De dónde sacó su ardor y su energía? En las ofrendas había un pequeño libro que está aquí sobre el altar. Este libro: *Las Constituciones de la Congregación de los Misioneros del Sagrado Corazón* fue el libro de su vida, su guía de peregrino, la inspiración de su vida consagrada.

Este libro dice en el numeral 3: 'El padre Julio estaba profundamente conmovido por los males que afligían a la gente de su tiempo, y descubrió en la contemplación del Corazón de Cristo el remedio para los males del mundo. Impulsado por ese amor y guiado por el Espíritu fundó la Congregación de Misioneros del Sagrado Corazón'. El padre Emiliano siguió leyendo en el numeral 4: 'También nosotros somos impulsados por el mismo don que recibió nuestro fundador. Somos enviados al mundo a proclamar la Buena Noticia del amor y la bondad de nuestro Salvador, con nuestra vida y testimonio'.

¿Cómo sorprenderse de la vida del padre Emiliano al conocer esta consigna que recibió de su fundador? Amado es en todas partes el corazón de Jesús. No hay que sorprenderse de que haya recorrido nuestro país de norte a sur y de este a oeste, y haya viajado por 72 países. ¿Cuál fue el espíritu que recibió en sus años de formación? Como nuestro fundador dice en el numeral 6 de las Constituciones: 'Contemplamos a Jesucristo unido al Padre. Jesús lleno del Espíritu Santo daba gracias al Padre por haberse revelado a los pequeños, porque Él era su siervo'. En el numeral 7 sigue diciendo: 'En Jesús vemos al Buen Pastor que va en busca de las ovejas perdidas. Es nuestro maestro, manso y humilde que alivia nuestras cargas y nos procura descanso; pero también nos plantea exigencias y nos habla con autoridad'. Entonces, ¿qué significa la muerte del padre Emiliano? Hay una frase en el numeral 8 de ese pequeño libro que fue la guía de su vida: 'Jesús cumplió la voluntad del Padre y se hizo servidor de sus hermanos hasta morir por ellos'. ¿Cómo se explica que un hombre tan ocupado tuviera un vida interior tan intensa? Con su Breviario y como misionero del Sagrado Corazón, el padre Emiliano leía en el numeral 4 de ese librito: 'Debemos estar convencidos de la necesidad de una profunda vida interior abierta al Espíritu Santo, para que podamos crecer en la fe y en el conocimiento del misterio revelado en el Corazón de Cristo'. Muchos se preguntan: ¿Por qué esa insistencia del padre Emiliano en la Eucaristía, en la devoción a la Virgen y en el Sagrado Corazón? Fieles al espíritu de nuestro fundador, daremos a esta devoción un lugar especial en nuestra espiritualidad y en nuestro apostolado. Las Constituciones también indican: 'En la Eucaristía y por medio de ella, Dios renueva su alianza con nosotros y nosotros renovamos nuestra entrega personal. Reconocemos que este sacramento es el centro de nuestra vida de fe. Sobre María, por estar íntimamente unida al misterio del corazón de su hijo, la invocamos, como nuestro fundador, como nuestra Señora del Sagrado Corazón. Ella conoce las riquezas del Corazón de Cristo y todo su ser está lleno de su amor. Y ella nos lleva a Él'.

El padre Emiliano siempre se comportó como un hombre de Iglesia. Brindó gran confianza a los laicos. En su trato con el clero no hizo diferencia entre diocesanos o religiosos. Tuvo un aprecio y una adhesión sincera a sus pastores. Esto lo conjugó muy bien con un sentido de pertenencia a la vida religiosa y una pertenencia a su grupo y a su congregación a toda prueba. En estos días, después de su muerte, me tocó con María abrir y recorrer su habitación en la Casa de la Anunciación. Tuve la sensación de subir, como dice el libro de los Hechos, a la habitación superior, al aposento alto, desde donde se ve la vida y los sucesos de la historia desde la perspectiva del Reino, mirando más allá de nuestras narices y de nuestras parcelas, sin dejarse seducir por lo efímero, ni dejarse deprimir por lo mezquino; desde el lugar donde se miran los grandes horizontes. No en el aposento bajo, cuyas ventanas no reciben ni la luz ni el soplo del Espíritu. Tal vez por eso el padre Emiliano era un hombre simplemente de Iglesia, de todos.

Hay una pequeña frase en ese libro, que tal vez lo explica. En el numeral 27: 'Nuestra misión para trabajar por el Reino como misioneros nos viene en la Iglesia y a través de la Iglesia. Aceptando esta misión como una gracia y una responsabilidad, queremos estar unidos a la Iglesia por un amor leal y fiel'. Ayer tuve tiempo, finalmente, de escuchar esa última meditación que el padre Emiliano dio unas horas antes de morir. Siempre salpicada de anécdotas, de historias, de sentido del humor. En el fondo se oyen risas y aplausos. El numeral 32 de nuestra Constitución dice: 'El nuestro es un espíritu de familia y de fraternidad, hecho de bondad y de comprensión, de compasión y perdón, de delicadeza, de humildad y sencillez, de hospitalidad y de sentido del humor'. El padre Emiliano en ese punto fue un buen misionero. Tenía sentido del humor. Nos hacía reír y se reía de sí mismo.

Como un último rasgo, a Emiliano se le pueden aplicar las palabras de Pedro: *'No tengo plata ni oro, pero lo que tengo, te doy: en nombre de Jesucristo de Nazaret levántate y anda'* (Hechos 3:6 - B. Dios habla hoy). ¿Cuántos recibieron esta invitación de Emiliano: '¡En nombre de Jesucristo, levántate y anda!'. Pero, ¿cuántos otros necesitados recibieron también el oro y la plata que pasó por sus manos y que él no retuvo egoístamente, sino que compartió, con discreción y con amplitud? Se fue ligero de equipaje. Fue un buen administrador de los dones del Señor. Sus colaboradores más próximos se asombraban de su atrevimiento y audacia para echar obras hacia adelante. Y es que hay una frase que él repetía entre nosotros. Una frase de su fundador: 'Cuando Dios quiere una obra, los obstáculos son medios'. No hay que sorprenderse, entonces, de lo atrevido y persistente que era ante las adversidades.

Monseñor Arnaiz nos presentó el mensaje que nos trae la Palabra de Dios y a partir de éste me permito añadir algo. Con el Evangelio de san Mateo de este domingo, el padre Emiliano nos dice a todos, tal vez particularmente a los Siervos de Cristo Vivo y, ¿por qué no?, también a nosotros, sus hermanos misioneros: *'No tengan miedo… ¿No se vende un par de pájaros por muy poco dinero? Y sin embargo ni uno de ellos cae en tierra sin que lo permita el Padre. En cuanto a ustedes, hasta los cabellos de su cabeza están contados. No teman, pues ustedes valen más que todos los pájaros'* (Mateo 10:28-31 - B. de América).

Hermanos y hermanas, el padre Emiliano nos dice hoy con el Evangelio de Mateo en la mano y haciendo eco de las palabras de su Maestro Jesús: **'No tengan miedo'** ".

En olor de santidad y multitudes

Monseñor Francisco José Arnaiz, S. J.
Obispo auxiliar Arquidiócesis de Santo Domingo

"Desde siglos, cuando alguien con fama de santo dejaba este mundo, se decía que 'había muerto en olor de santidad'. Plagiando a la Iglesia, Eugenio Montes, el escritor de: *El viajero y su sombra*, se inventó lo de morir en olor de multitudes. El querido y admirado padre Emiliano Tardif se nos ha ido en olor de santidad y en olor de multitudes.

La búsqueda del padre Tardif ha resultado entre nosotros no sólo un fenómeno religioso, sino también un fenómeno social. Los testimonios públicos de admiración, aprobación y ensalzamiento de él son muy sintomáticos. Han puesto de manifiesto el influjo que ejerce siempre, sobre las multitudes, el hombre verdaderamente de Dios y la convicción universal de la posibilidad del milagro por parte de Dios. Pesa en ello ese subconsciente que nos grita que la omnipotencia que trasciende el fracaso de todos los medios naturales, puede lograr lo que éstos no consiguieron.

Yo conocí y traté a los dos padres Tardif. El de antes de su experiencia profunda de Dios y el de después de ella. Antes de esa experiencia, el padre Tardif era un buen sacerdote, serio, con gran sentido del humor, cumplidor y entregado. Un poco tímido y concentrado en sí mismo. A medida que su enfermedad lo iba minando e iba quebrantando sus fuerzas, se le iba notando cierta preocupación y desánimo.

En 1973, al salir para Canadá con el fin de atender su salud, la satisfacción de todos los que se habían beneficiado con la presencia y trabajo del padre Tardif era unánime, pero diría que común a la que siente la gente por la mayoría de los sacerdotes. Al volver de Canadá en 1974, el padre Tardif era otro. Tenía un halo luminoso de transfiguración. La luz divina lo tornasolaba por dentro y la irradiaba a través de todas sus expresiones, manifestando esa luz ostensiblemente en su rostro y además en una imperturbable paz y serenidad gozosa y contagiante.

Hablaba con seguridad y aplomo de Dios, no como un concepto y palabra difuminada y abstracta; sino de un Dios-Padre, lleno de comprensión, bondad y misericordia que hace partícipe de su herencia al hijo bueno y fiel, y que al pródigo que ha despilfarrado disolutamente su fortuna lo llama y espera con los brazos abiertos, para estrecharlo contra su corazón y devolverle plenamente la dignidad perdida. Hablaba de Jesús de Nazaret, no como de un personaje histórico que recorría los caminos y aldeas de Galilea anunciando el Reino de Dios y ofreciendo la salvación; o de aquel que hablaba misteriosamente de renacer a una nueva vida; que pronunciaba discursos inspirados en cómo su Padre se comportaba con todos los seres humanos y cómo estos debían comportarse con él y con los demás seres humanos; que repetía que Él era el camino, la verdad y la vida; que insistía en la ley del amor: 'amarás a Dios con todo tu corazón y al prójimo como a ti mismo'; que repetía la necesidad e importancia de la fe; que amaba entrañablemente a los niños; que se conmovía sensiblemente ante todo el que sufría y que ante tanto dolor no dudaba en aliviar algunos de esos hondos dolores, sanando a los diez de Genín, al criado del Centurión romano, a la hemorroísa que desde hacía mucho tiempo padecía flujos malignos de sangre, al paralítico de Betzatá, al ciego de Betsaida, al ciego de Jericó, a la hija de la Cananea, a la mujer encorvada, y devolviendo a la vida a la hija de Jairo, al hijo de la viuda de Naín y a Lázaro, su amigo de Betania, hermano de Marta y María; y que muerto en cruz había resucitado; por el contrario, Él hablaba de un Jesús vivo, inmortal y glorioso, que está hoy muy presente y activo entre nosotros y en nosotros, a través del Espíritu Santo.

Esto, sin embargo –y aquí está lo especialísimo de su caso– no fue fruto de una reflexión serena sobre un pasaje del Evangelio después de la resurrección de Jesús. Tal pasaje es de Mateo que nos dice diáfanamente: *'Los once discípulos se fueron a Galilea, al cerro que Jesús les había indicado. Y cuando vieron a Jesús, lo adoraron, aunque algunos dudaban. Jesús se acercó a ellos y les dijo: 'Dios me ha dado toda autoridad en el cielo y en la tierra. Vayan, pues a las gentes de todas las naciones y háganlas mis discípulos, bautícenlas en el nombre del Padre, del Hijo y del Espíritu Santo, y enséñenles a obedecer todo lo que les he mandado a ustedes. Por mi parte, yo estaré con ustedes todos los días, hasta el fin del mundo'* (Mateo 28:16-20 - B. Dios habla hoy).

No fue, repito, fruto de una toma de conciencia de este texto evangélico, sino que fue fruto de una experiencia vital de esta realidad, fruto de una irrupción extraordinaria de Dios en el padre Tardif. Él mismo lo ha contado. Cuando llegó a Canadá y fue recluido en el hospital, el diagnóstico fue: tuberculosis pulmonar aguda. Para curarse necesitaba de un tratamiento severo de más de un año. Antes de comenzarlo, recibió la visita de cinco laicos que oraron por él, imponiéndole las manos. De repente se sintió curado y los análisis inmediatos mostraron que sus dos pulmones estaban totalmente cicatrizados.

Aquella irrupción de lo divino sacudió verticalmente al padre Tardif. Lo sucedido en él se transformó en conciencia real de que Jesús vivía entre nosotros y actuaba sobre nosotros, a través del Espíritu Santo. Esta experiencia se tornó inmediatamente en pasión y obsesión apostólica. Lo que le quedaba de vida lo debía dedicar, no tanto, a proclamar esta realidad, sino a hacerla sentir y vivir. Y hacerla sentir y vivir no sólo a unas cuantas parroquias de la República, sino a toda la nación; y no sólo a la nación, sino al mundo entero. Esa ha sido la vida del padre Tardif a partir del año de 1974 en que retornó a nosotros transfigurado.

Tardif llegó a esa experiencia vivencial de Jesús vivo actuando por medio del Espíritu Santo, gracias a una sanación física; pero sabía que las enfermedades espirituales son peores que las físicas y dedujo coherentemente que Jesús vivo quería realizar ambas. Y, por eso, quiso recorrer nuestro país y el mundo entero, ofreciéndose como instrumento de ambas sanaciones. Es justo resaltar que, aparte de querer hacer el bien a manos llenas y sobre la base de su propia experiencia, siempre intuí dos anhelos en el interior del padre Tardif a lo largo de estos años: el primero, lograr que los que le oían se abriesen a Jesús vivo, presente y actuante en ellos, para que tuviesen una experiencia semejante a la que él había tenido, y el segundo, convencer a cada uno de los que le oían, que Jesús vivo quería manifestárseles en toda su majestad y poder. Tardif estaba convencido de que Jesús vivo está deseando manifestarse. El caso de su encuentro especial y tansfigurador con Dios, no es único y quizás es más común de lo que pensamos.

Alguien que también tuvo ese mismo encuentro nos lo contó en unas notas privadas, publicadas después de muerto. Se trata de Manuel García Morente, considerado el mejor expositor de Kant. Sin ruborizarse se definía como ateo de convicción y profesión. La guerra civil lo desterró a París. En la medianoche del 29 al 30 de abril, solitario en su apartamento, se puso a oír música. Escuchaba *L'enfance de Jésus* de Berlioz y ahí le esperaba el Jesús vivo; siguiendo el hilo del texto musical comenzaron a desfilar por su mente imágenes sucesivas de la vida de Jesús, hasta darse cuenta de que estaba de rodillas, intentando balbucear el Padrenuestro, el Avemaría y otras oraciones reconstruidas a duras penas, debido a un largo periodo de olvido.

Dado por terminado el episodio, se sentó, quedándose medio dormido. Súbitamente se despertó bajo la impresión de un sobresalto inexplicable, el cual nos narra textualmente: 'No puedo decir exactamente lo que sentía: miedo, angustia, aprehensión, turbación y presentimiento de que algo inmenso iba a suceder en ese mismo momento. Sin tardar me puse en pie, tembloroso y abrí de par en par la ventana. Una bocanada de aire fresco me tocó el rostro. Volví la cara hacia el interior de la habitación y me quedé petrificado. Allí estaba Él. Yo no lo veía, no lo oía, no lo tocaba; pero, Él estaba allí. Yo permanecía inmóvil, petrificado por la emoción. Y lo percibía, percibía su presencia con la misma claridad con que percibo el papel blanco sobre el que estoy escribiendo y las letras negras que estoy trazando. Pero no tenía ninguna sensación ni en la vista, el oído, el tacto, el olfato o el gusto. Sin embargo, lo percibía allí, presente, con entera claridad. Y no podía caberme la menor duda de que era Él, puesto que lo percibía aunque sin sensaciones. ¿Cómo es esto posible? Yo no lo sé. Pero sé que Él estaba allí presente y que yo, sin ver, ni oír, ni oler, ni gustar, ni tocar nada, lo percibía con absoluta e indudable evidencia. Si se demuestra que no era Él o que yo deliraba, no tendría nada que contestar a esa demostración; pero, tan pronto como en mi memoria se actualice el recuerdo, resurgirá en mí la convicción inquebrantable de que era Él, porque lo había percibido.

No sé cuánto tiempo permanecí inmóvil y como hipnotizado ante su presencia. Sé que no me atrevía a moverme y que hubiera deseado que todo aquello –ese momento– durara eternamente, porque su presencia me inundaba de tal y tan íntimo gozo, que nada era comparable al deleite sobrehumano que yo sentía. ¿Cómo terminó la estancia de Él allí? Tampoco lo sé. Terminó, en un instante desapareció. Una milésima de segundo antes estaba aún allí, yo le percibía y me sentía inundado con ese gozo sobrehumano que describí. Una milésima de segundo después ya no estaba, ya no había nadie en la habitación, estaba yo pesadamente gravitando sobre el suelo y sentía mis miembros y mi cuerpo, sosteniéndose por el esfuerzo natural de los músculos'.

Manuel García Morente terminó siendo ordenado sacerdote.

¿Quién no conoce al guitarrista Narciso Yepes? Ya a edad avanzada, cuando el autor de *Testigos de la Hora Décima*, le preguntó por su ferviente fe, él respondió: 'Fue algo muy especial que sucedió en París. Desde uno de sus puentes contemplaba el fluir del Sena; de repente recibí una gran iluminación y un fuerte llamado interior. Me fui a la primera Iglesia que encontré, hablé con un sacerdote y empecé una vida nueva' ".

(Tomado del periódico *Listín Diario*)

El padre Emiliano Tardif y la diócesis de La Altagracia

Carta circular No. 114-99
10 de junio de 1999

"A lo largo de sus años de ministerio sacerdotal y evangelizador en República Dominicana y en otros setenta y dos países más, el padre Emiliano Tardif visitaba periódicamente diferentes parroquias de esta Diócesis de Nuestra Señora de La Altagracia y fue vicario Parroquial de San Pablo, en la Romana, en el período entre 1981 y 1984.

Pero en los últimos años, sistemáticamente, llevaba a cabo importantes actividades en Higüey, pues en el mes de enero se realizaba un retiro preparatorio a las fiestas altagracianas; ademàs tenía una actividad en la Romana en el mes de octubre; y había comenzado el año pasado algo parecido en la provincia del Seybo.

Uno de los servicios que el padre Emiliano prestaba a la Iglesia en diferentes países, era la fundación de Casas o Comunidades Siervos de Cristo Vivo y de las Escuelas de Evangelización, con la debida aprobación del obispo del lugar. Las dos últimas obras de este tipo que estableció en su vida y por las que se interesó, fueron las de la Romana, que fueron bendecidas el 25 de marzo del presente año: la Comunidad de Siervos de Cristo Vivo, bajo el título de la Santísima Trinidad y la Escuela Diocesana de Evangelización, Padre Sebastián Cavalottto.

A pesar de sus múltiples invitaciones y compromisos, tanto dentro como fuera del país, este gran sacerdote, evangelizador, misionero y poseedor del don de milagros, consagraba por lo menos tres visitas anuales a la Diócesis de Nuestra Señora de La Altagracia y, a veces, más.

La muerte inesperada del padre Emiliano se convierte en duelo nacional y hasta mundial; y para esta Diócesis de La Altagracia es duelo particular, por los nexos permanentes y especiales que mantuvo con nosotros.

Canadiense de origen y misionero del mundo, por un llamado de Dios, el padre Emiliano Tardif se hace dominicano por vocación y ministerio (aquí fue enterrado) y 'altagraciano' por el amor especial que tuvo a esta diócesis, el tiempo que pasó en ella y los invaluables servicios que le prestó durante muchos años, en nombre de Jesucristo vivo, centro de su vida y de su actividad carismática y ministerial.

En Jesús, Buen Pastor, y María de La Altagracia".

Ramón Benito De La Rosa y Carpio
Obispo de Nuestra Señora de La Altagracia, Higüey

Homilía de monseñor Ramón Benito De La Rosa y Carpio, Obispo de la Diócesis de La Altagracia, durante la Eucaristía celebrada en la Casa de la Anunciación, el 23 de junio, en víspera de la Fiesta del Nacimiento de san Juan Bautista

> *"Antes de haberte formado yo en el seno materno, te conocía, y antes que nacieses, te tenía consagrado: yo te constituí profeta de las naciones"*
> (Jeremías 1:5 B. de Jerusalén).

"Será para ti gozo y alegría, y muchos se gozarán en su nacimiento, porque será grande ante el Señor; no beberá vino ni licor; estará lleno de Espíritu Santo ya desde el seno de su madre; y a muchos de los hijos de Israel les convertirá al Señor su Dios, e irá delante de él con el espíritu y el poder de Elías, para hacer volver los corazones de los padres a los hijos, y a los rebeldes a la prudencia de los justos, para preparar al Señor un pueblo bien dispuesto" (Lucas 1:14-17 B. de Jerusalén).

"Juan, Bautista nos anima con su presencia. Juan Bautista, el precursor (el que va delante) de Cristo. Juan Bautista, el que se siente servidor de Cristo. Juan Bautista, adornado de una fuerza de predicación maravillosa que convocaba tantas multitudes que la gente pensaba que él era Cristo, el Mesías enviado por Dios. Y tuvo que decir: 'No soy yo; detrás de mí viene otro que tiene más poder que yo, a quien no soy digno de desatarle la correa'. Juan Bautista, con sus carismas excepcionales, con una vida de santidad a toda prueba, reconocida en todo Israel. Pero Juan Bautista siempre hacía referencia a Cristo Jesús como el Señor, el Salvador, el Mesías, el centro de la Historia.

Estoy seguro de que, al escuchar estas lecturas, estamos pensando en el padre Emiliano Tardif. Al oír este plan de Dios, esta vocación de Jeremías y de Juan Bautista, recordamos la vida del padre Emiliano. 'Irá delante del Señor'. Eso era Emiliano: iba delante del Señor como un precursor, servidor de Cristo vivo, con esa expresión tan hermosa del padre Tardif cuando decía que él era el borrico que cargaba a Cristo. ¡Qué profundidad hay ahí: cargaba a Cristo a dondequiera que iba, como un borrico!

'Irá delante de él... para hacer volver los corazones... para preparar al Señor un pueblo bien dispuesto'. Esas frases que se refieren al Bautista, también se pueden estampar mirando la vida del padre Emiliano. Ese fue el testimonio de su vida. Como Jeremías, también hemos tenido un profeta de las naciones, un sacerdote adaptado a nuestros tiempos, un precursor como Juan Bautista. Al fin y al cabo, todo cristiano, todo sacerdote, todo predicador, toda persona con carismas no es más que un precursor de Cristo, un borrico que carga a Cristo para que el Señor actúe.

Hay una reflexión que he venido haciendo y que es necesario hacer. Con frecuencia, los periodistas me hacen esta pregunta: '¿Qué va a hacer la Iglesia ante la pérdida del padre Emiliano?'. Es verdad que es una pérdida; lo hemos perdido físicamente, hay un vacío. Ahora nos preguntamos: ¿qué pasará con esos carismas? ¿Qué pasará con ese carisma de ciencia, ese carisma de sanación, esa fuerza de predicación, ese sentido de amor a los enfermos, esa capacidad de discernimiento? ¿Todo eso ha muerto con el padre Emiliano Tardif? Estoy seguro que ustedes me van a responder enseguida que no. Todo eso no muere, porque esos carismas están dentro de la Iglesia. Ya el cardenal López, monseñor Flores y este servidor, hemos repetido que perdimos al padre Tardif en un sentido: como intercesor visible, como aquel que imponía las manos y oraba por los enfermos, que podía ir a nuestra casa. Lo perdimos en ese sentido; pero lo ganamos en otro sentido más fuerte todavía: ahora él, como intercesor, es más fuerte que antes. Lo perdimos en un sentido y lo ganamos en otra dimensión más profunda.

Pero otra dimensión más grande y más profunda es la siguiente: el padre Emiliano en su obra siempre estuvo acompañado por laicos. Dondequiera que él iba, lo acompañaban uno o dos laicos de República Dominicana; laicos de la Comunidad Siervos de Cristo Vivo; laicos que tenían los mismos carismas que él tenía, la misma fuerza de predicación, la fuerza de sanación, de liberación y de discernimiento. Y ustedes lo han experimentado aquí. La mayor parte de las veces no estaba en esta casa de oración, como no estaba en ninguna de las otras casas de oración que se establecieron en República Dominicana (la última de ellas en mi diócesis, en la Romana). Pero allí, a través de los laicos, siguen actuando los carismas con esa misma fuerza y esa misma gracia.

El Señor en su bondad, en su amor y en sus planes, iluminó al padre Emiliano para que creara esta comunidad que continuará su obra, sus carismas y sus dones, que diera seguimiento al Cristo vivo que actuaba en él. Esta comunidad tiene esa experiencia. El Señor en sus planes lo quiso y lo quiere así. La comunidad tiene que seguir actuando en esta Casa de la Anunciación y en las otras casas que están en República Dominicana, y las que están esparcidas en otras cinco naciones.

Estas casas seguirán multiplicándose. Aunque parezca increíble, ahora se van a multiplicar más. Hay algo que es tan profundo y tan misterioso en los planes de Dios. Y sucedió con el mismo Cristo Jesús: cuando se fue al Cielo les dijo a los apóstoles: 'Les conviene que yo me vaya' (Señor, ¿por qué no te quedaste? Qué bueno sería tenerte visiblemente aquí). Es que si Jesús estuviera visiblemente aquí, ¿creen ustedes que Cristo pudiera actuar en tantos cientos de miles de personas? Todo el mundo quería buscar a Jesús, no iban a buscar a Pedro, a Santiago o a Juan. El Señor tenía que irse para que nosotros trabajáramos, para que la Iglesia creciera, para que el Espíritu Santo pudiera actuar.

Jesús sigue actuando, pero en nosotros. Convenía que él se fuera y convenía que el padre Emiliano se fuera para que la comunidad crezca ahora. La Comunidad Siervos de Cristo Vivo tiene que asumir esta tarea. El padre Emiliano se iba a ir, más tarde o más temprano. ¿Cuántos años más? ¿Diez? ¿Cien? En cien años hubiéramos tenido que mantener al padre Emiliano con pastillas... Se fue con toda la energía, con toda la fuerza para que lo recordáramos así: vivo, auténtico, lleno de vida, lleno de gracia. Pero, ahora su obra sigue a través de la Comunidad Siervos de Cristo Vivo, a través de estas casas de oración, a través de la exposición del Santísimo Sacramento (él insistió que debía permanecer siempre), a través de las escuelas de evangelización, formando evangelizadores con fuerza y poder que den testimonio de Cristo vivo, Cristo que vive por el Espíritu Santo.

Por eso, los laicos tienen que seguir adelante. Ustedes son testigos que vieron con sus ojos, que palparon con sus manos las obras que Dios hacía por medio del padre Emiliano Tardif, mediante este precursor de Cristo, este 'borrico' –como él mismo se definía– que llevaba a Cristo por todas partes. Ahora es el tiempo de retomar esto y de asumir el compromiso porque, cuando Cristo se fue y subió al Cielo, los apóstoles adquirieron una fuerza que no tenían antes. Y se esparcieron por el mundo entero y edificaron esta Iglesia inmensa, en la que nosotros vivimos y estamos. Pero lo hicieron porque descubrieron que ese era el plan de Dios. Ahora ocurre lo mismo: es necesario continuar esta parte del plan de Dios que el Señor ha querido hacer, a través de su servidor, el padre Emiliano, y seguir con esa obra.

Estas casas tienen que continuar siendo un lugar de oración, un lugar en donde los carismas se sigan manifestando: dones de sanación, ciencia, profecía... Esta misma obra tiene que seguir esparciéndose por el mundo entero, con los laicos que acompañaron al padre Emiliano a diferentes países, y por medio de los cuales el Señor ejerció la predicación y la sanación (no sólo a través de Emiliano). Esos laicos tienen que retomar ahora ese mismo ministerio con nuevas fuerzas, con nueva ilusión, con nuevo vigor. Y no solamente ellos, sino que los dormidos tienen que despertarse y ponerse de pie. Fíjense que digo 'tienen que', porque es una obligación, un deber, una responsabilidad. Por eso, esos hombres, como Jeremías, Juan Bautista, Pablo, Emiliano y otros tantos, han de seguir así.

Pienso en la Compañía de Jesús. San Ignacio de Loyola, ese hombre carismático del siglo XVI, crea la congregación de los jesuitas. Cuando muere se pudo pensar que la Compañía de Jesús se iba a perder, se iba a debilitar. Pero, después de su muerte esta orden cobró todas sus fuerzas y energía, y hoy es la congregación que más miembros tiene en la Iglesia. Ignacio de Loyola tenía que morir para que la Compañía creciera y se desarrollara en el mundo. Con esto lo que quiero decirles es que el Señor sigue su obra, sigue su tarea y nosotros tenemos que retomarla con un renovado ardor y entusiasmo.

La mejor memoria que podemos tener del padre Emiliano es no decir: 'murió el padre Tardif y nos queda un vacío'. Sin negar esa realidad, nosotros tenemos que decir: partió el padre Tardif al encuentro definitivo con el Señor, a una nueva dimensión, y ahora tiene una nueva presencia con nosotros, va a tener con nosotros una nueva responsabilidad de que aquellos carismas que hemos recibido, los pongamos a funcionar en el nombre del Señor. Y que nosotros seamos lo que él fue: un 'borrico' cargando a Cristo por todas partes, o como Juan Bautista, un precursor para preparar un pueblo bien dispuesto para el Señor, Dios nuestro".

Tú estás en el corazón de Dios

Testimonio resumido del diácono permanente Evaristo Guzmán, cofundador de la Comunidad Siervos de Cristo Vivo

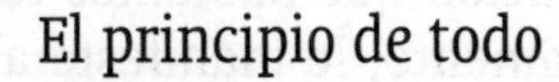

El principio de todo

"En el año de 1974, un año después de su sanación, el padre Emiliano llegó a la parroquia de Nuestra Señora de La Altagracia en Nagua y cuando me enteré de su llegada me dije a mi mismo: ¿A qué habrá venido el padre Emiliano a Nagua? Algunos de ustedes se preguntarán, ¿por qué? Yo fui seminarista y me tocó vivir unos dos años con los Misioneros del Sagrado Corazón, en San José de las Matas. El padre Emiliano era parte del equipo de formadores y no me sentí muy amado ni considerado por él. Al salir de allí y volver a mi casa, llevaba en el corazón una herida que me producía un sentimiento de rechazo hacia él. Pero los planes de Dios son distintos a los nuestros. En su condición de párroco le tocó acompañarnos en una ultreya[3] parroquial de los cursillistas de cristiandad. El dio el 'rollo' místico y al final ofreció una oración por los cursillistas enfermos. En ese momento, yo estaba sufriendo de una hepatitis B y al escuchar su oración sentí que el Señor había tocado la parte de mi hígado afectada y sentí un calor suave. Era el amor de Dios que me estaba sanando y comencé a

3. Nombre del retiro para los cursillistas.

llorar. Nadie sabía lo que me pasaba. Empecé a sentir una gran mejoría, y tres meses más tarde, los resultados de los análisis indicaron que la hepatitis había desaparecido. No había señales de la enfermedad. A partir de esa experiencia comencé a recibir también la sanación de mi corazón herido.

Tras una reunión de oración que habíamos tenido ante el Santísimo Sacramento, le manifesté al padre Emiliano lo que por años había llevado dentro. Nos abrazamos con una gran sinceridad de corazón y, a partir de ese momento, él me pidió que lo acompañara en la predicación y en el ministerio que apenas comenzaba. Yo, con gran temor, comencé a vivir la alegría de haber encontrado a Cristo en mi vida. ¡Dios es grande!, dice el profeta: 'No tiene fin su amor'.

El ministerio se da a conocer

Con ánimo alegre me invitó a una reunión en Santo Domingo y tuve la bendición de Dios de conocer al ingeniero Miguel Guerra y a su esposa Pilar, quienes nos recibieron en su casa con mucho amor. Nunca había visitado una casa semejante. También conocí a María Armenteros, hermana de Pilar, que más tarde fue el instrumento para que mi relación con el padre sanara por completo. Es importante darles a conocer que en la casa de los Guerra se habló de un ECCLA en Venezuela. Días después, estando en Nagua, fui llamado para participar en ese evento internacional. Todavía no se a quién se le ocurrió incluirme en ese lío, pero me consiguieron la visa, me pagaron el boleto aéreo, me dieron dinero para mi estadía, etc. Lo curioso es que durante ese año, 1976, la persona más conocida en el ministerio de sanación era el padre Francis McNutt, sacerdote norteamericano, que nunca llegó a la reunión y, en su lugar, llamaron al padre Emiliano Tardif, M.S.C. Fue la primera vez que él participó en algo tan grande, relacionado con el ministerio que apenas se estaba dando a conocer. Él nos invitó a que lo acompañáramos a orar y lo hicimos, aunque llenos de miedo. El Señor nos ayudó a ser instrumentos de su gracia para tantos enfermos.

Los dirigentes del ECCLA descubrieron algo nuevo y fue que el Señor no sólo sanaba por medio del padre Francis, sino que Él lo hace y lo sigue haciendo a través de quien Él quiera. Y así, el padre Emiliano fue dándose a conocer, así comenzó todo.

El cumpleaños

El 6 de junio por la mañana le celebramos su cumpleaños en la Comunidad Siervos de Cristo Vivo, junto con los sacerdotes y los hermanos de la congregación. Fue algo maravilloso, él se sentía feliz. El padre Darío, provincial de los Misioneros del Sagrado Corazón, dijo muchas cosas bellas acerca del padre Emiliano. Después, me tocó acompañarlo en su último viaje a la ciudad de Córdoba, Argentina. En el avión me dijo: 'Nadie me había celebrado jamás un cumpleaños tan bello como éste. Estoy feliz. No pensé que el padre Darío me quisiera tanto, ¿será que me voy a morir pronto?'. Yo le contesté:

'No, padre, es que el Señor y la comunidad, junto con los Misioneros del Sagrado Corazón, lo queremos mucho'. Y él, con su sonrisa del corazón, me dijo: '¡Gracias!'. En ese viaje tan largo, después de dormir un rato, me desperté con este pensamiento: '¡Vas acompañándolo vivo, pero después él te acompañará muerto!'. Me di un gran susto y pensé que eso no podía venir del Señor. Al padre no le dije nada.

Al retiro sacerdotal en Córdoba llegamos alrededor de las 3:30 de la tarde de un día muy frío. Descansamos un poco después de tan largo viaje y, unas horas más tarde, comenzamos el retiro con unos doscientos cuarenta sacerdotes de todo el país. Tenían programado que yo comenzara el retiro y que el padre Emiliano descansara un poco. Pero él, con su espíritu misionero, dijo que tenía programado iniciarlo él. Así que comenzamos el retiro; después de cantos y alabanzas ofreció la primera conferencia y la última enseñanza de su vida: 'El sacerdote es un hombre misterioso'. Luego, vino la preparación para la misa que concelebró y enseguida de la cena descansó. Recuerdo que cuando íbamos a cenar me dijo: 'Tú ves, los mismos cuentecitos de siempre y ¿viste cómo se reían? Lo mismo que les doy a los laicos en todas partes, es lo mismo. ¡Jesús está vivo!'. Reímos un poco y nos fuimos a dormir. Al día siguiente, el martes 8 de junio, bajé a desayunar y lo busqué para saludarlo pero no había bajado. Desayunamos y nos fuimos a rezar el Laudes. Al comenzar la oración me extrañó que tampoco hubiese bajado y me sentí inquieto. Le dije al coordinador del retiro: '¿Qué pasa con el padre Emiliano? ¿Estará descansando todavía o estará enfermo?'.

Enseñanzas de su muerte

De inmediato nos dirigimos a su habitación. Tocamos la puerta dos veces, pero nadie respondió. Yo, que me sentía a la vez su hijo y su amigo, abrí la puerta de su habitación con mucho cuidado. ¡Cuál sería mi sorpresa al encontrarlo muerto! El padre Emiliano había muerto de un infarto hacía una hora, según el médico legista. Yo casi no lo creía. Comencé a llorar. Fue algo tan grande que, en estos momentos, no tengo las palabras para expresar lo que sentí, lo que sigo sintiendo. Tuve una experiencia espiritual muy fuerte y se me abrieron los ojos del espíritu. Vi que estaba muerto, sí, pero vestido, calzado, con su mirada penetrante, las manos abiertas y la boca entreabierta; y pensé, tal como vivió, así murió: vestido de acuerdo con su dignidad sacerdotal. Calzado, porque así deben morir los que anuncian el evangelio de la paz. Con las manos abiertas, porque todo lo que recibió lo compartió. Con la luz encendida, porque la Palabra de Dios siempre fue lámpara para sus pasos, luz para su vida. Con sus ojos penetrantes, porque así miraba a los corazones y en el nombre de Jesús los sanaba. Con la boca entreabierta, porque desde que conoció a Jesús resucitado, vivo y verdadero, lo proclamó a todo pulmón por todo el mundo. ¡Jesús está vivo! Su rostro no era de dolor, sino de dulzura. Esa era su misión: unir a todos los hombres en el amor al corazón de Cristo. Así quiso Dios que esto sucediera y yo grito de dolor por una parte y de agradecimiento por otra. ¡Amado sea en todas partes el Sagrado Corazón de Jesús, corazón que tanto ama, pero que no es correspondido como merece! Es mi deseo que por siempre sea amado. Deseo que el Señor ponga su corazón misericordioso en las miserias de nuestro corazón. Que sea amado y servido, que sea proclamado y testimoniado porque en mí la vida se manifestó. ¡Jesús está vivo, es verdad! Lo siento dentro de mí y dentro de cada uno de los que aman al Sagrado Corazón. Pido a Dios la gracia de permitirnos también a nosotros, morir vestidos, calzados y con las luces encendidas.

Despedida

Gracias, padre Emiliano, porque te fuiste dejándonos a Jesús dentro del corazón. Todo está cumplido. ¡Qué bien lo hiciste! Te desgastaste por el Evangelio, viviste por Jesús y por Jesús moriste. Todos los siervos del Señor te decimos, gracias, muchas gracias, padre Emiliano, por tu amistad, por tu sencillez y simplicidad, por tu humildad, pero también por tu coraje. Recuerda, Emiliano, que un día el Señor me dijo que nos escogía como una yunta de bueyes para evangelizar el mundo de este a oeste, de norte a sur; pero, Jesús me dijo: 'No tengas miedo, estaré contigo'. Y así fue, hasta el final. Sólo la muerte física nos separó, pues recuerda que el amor es más fuerte que la muerte. Te amé y te seguiré amando. Dios te bendiga, bendito seas, gran intercesor, testigo de Cristo hasta los confines de la tierra. Te amamos, padre Emiliano. Ahora, ruega por todos nosotros, los que nos quedamos, quizás no por mucho tiempo, para que sigamos predicando un Cristo vivo, el Cristo que predicaste como Camino, Verdad y Vida. En Él no hay engaños ni desengaños. Te amo, te amamos, te seguiremos amando, sigue con nosotros, porque ¡tú estás en el corazón de Dios!".

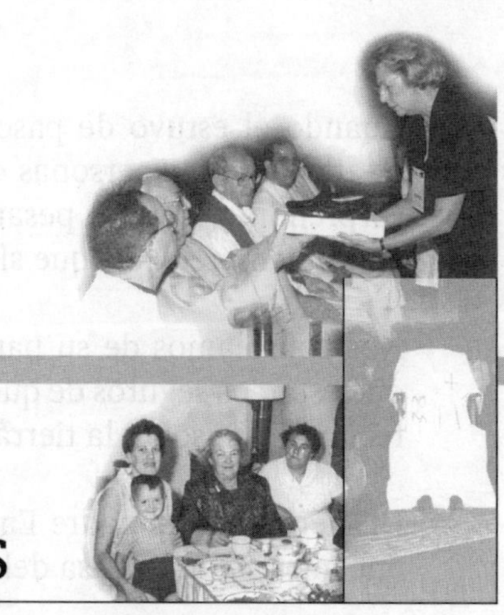

Hablan los hermanos y los amigos

Recuerdos de su hermano Louis Tardif, O.M.I.

"De Emiliano guardo el recuerdo de un sacerdote entregado y disponible. Creo que él ha pasado por nuestra tierra, nada más que para buscar el bien de los demás.

Con ocasión de ciertas contradicciones o frustraciones inevitables en la vida, él encontró siempre la manera de arreglar las cosas con paciencia y humildad. Tenía una gran devoción a la Eucaristía, la cual le dio la idea de establecer varias capillas en diferentes lugares de República Dominicana. Y en estas capillas había siempre algunas personas en adoración, desde la mañana hasta la noche.

Cuando él estuvo de paso por Montreal, yo le dí una lista de las personas que querían verlo. Y me sorprendía porque, a pesar de su horario sobrecargado, siempre decía que sí.

Nos consolamos de su partida hacia el cielo, porque estamos seguros de que su misión allá será más fecunda que sobre la tierra.

Un hermano del padre Emiliano que será feliz de encontrarlo en la Casa del Padre".

Louis Tardif, O.M.I.

Rose Tardif: mi hermano Emiliano, servidor fiel

"Mi esposo y yo nos sentimos muy contentos cuando Emiliano nos anunció que quería ser un misionero del Sagrado Corazón. A pesar de la alegría de verle consagrado al Corazón de Jesús, para servir a todos aquellos que no tenían la oportunidad de conocer a Cristo, sabíamos que los encuentros con él serían escasos. Con su partida para República Dominicana, mi hermano debía ejercer por cinco años en diferentes ministerios para poder volver de nuevo a ver a su familia y a sus amigos en Quebec. Solamente entonces, después de un período de tres años, pudo retornar y compartir con nosotros sus experiencias en un país de adopción tan hermoso.

Durante todos esos años, nuestros hijos fueron creciendo y esperaban, junto con nosotros, la llegada de su tío misionero que tenía siempre hermosas experiencias que contarnos en cada visita. Cuando llegaba, la familia se reunía para recibirlo y escucharlo contar sobre las personas tan simpáticas que él tenía, en su país de adopción. Amaba profundamente a esas personas y nos hablaba de ellas con mucha emoción y sentimiento. Nos describía su país como el país más bello del mundo, aun después de sus numerosos viajes por el mundo.

Emiliano tenía el poder de reunir a las personas. Siempre esperábamos su visita con mucha impaciencia.

Cuando nació, yo tenía ocho años. ¡Era para mí como mi hijo pequeño! Yo lo acunaba, tanto como mamá. Recuerdo que en el momento del rosario en familia, por la noche y después de cenar, iba repetidas veces a acostarlo y me recostaba cerca de él para dormirle, ya que distraía a los demás durante la oración familiar. Yo dormía a mi hermano pequeño por cerca de un año. Era un momento privilegiado para mí.

Cuando Emiliano estudiaba en Beauport, cerca de Quebec, donde los Misioneros del Sagrado Corazón, venía a pasar sus vacaciones de Navidad con mi esposo y conmigo en Saint-Côme. Se mantenía muy cercano a mis hijos y se interesaba por cada uno de ellos. Le gustaba conversar con mi esposo y pasaban muchas noches charlando juntos. Durante las vacaciones de verano, regresaba a Abitibi con nuestros padres y hermanos que vivían en Rapide

Danseur. Entonces, ayudaba a la familia en los trabajos del campo, era muy activo y permanecía muy contento de formar parte de ella.

Después de su relación con la Renovación Carismática, Emiliano nos visitaba cada verano y nos contaba las maravillas que el Señor hacía por todo el mundo. Celebraba la Eucaristía con toda la familia y los niños pequeños se interesaban particularmente por encontrarse con su tío, quien hablaba del Señor con tanta sencillez y admiración. Las celebraciones, aunque largas, jamás nos hacían sentir cansados.

Le doy gracias al Señor por Emiliano, servidor fiel y amante del Sagrado Corazón de Jesús, que fue mi hermano".

Su hermana mayor,
Rose

¿Quién era Emiliano para Armandine Tardif?

"Soy Armandine, la más pequeña de su familia. Cuando estaba pequeña y llegaba el primer día del año, me gustaba ser la primera en desearle 'Feliz Año Nuevo' a nuestro visitante colegial, uno de mis hermanos preferidos: Emiliano. Después de la bendición paternal, mi deseo se hacía realidad. Me ponía muy contenta de su alegre presencia durante las vacaciones. Nos instruía mucho al enseñarnos, de una manera interesante, algunos fragmentos de lo que él había estudiado. Algunas veces tocaba en el órgano cantos de Navidad, particularmente 'Noche de paz', canción que toda la familia cantaba a coro.

Cerca del 10 de julio de 1963, unos días antes de casarme con Jean-Guy, a mi papá le dio un infarto. Luego de que Emiliano fue avisado por teléfono, vino a visitarlo. En esa ocasión, bendijo nuestro matrimonio.

Después de su sanación en 1973, tuvimos la oportunidad de recibirle cada vez que venía a predicar y a orar por los enfermos en Quebec. Él decía que nuestra casa era como su segunda casa, y que yo le hacía recordar a mamá. Cuando llegaba aquí, nos contaba de sus viajes; pero, al día siguiente estaba comprometido. Después de que él oraba a solas, se ocupaba de responder su voluminosa correspondencia. Afortunadamente, cuando él descansaba de su trabajo a la hora de las comidas, entonces vivíamos intensamente el rosario y la Eucaristía. Si sufríamos, quería consolarnos y reconfortarnos. Dios nos concedió hermosas sanaciones, después de sus oraciones.

Emiliano no nos daba ningún problema. Se contentaba fácilmente con nosotros y se mostraba siempre agradecido de estar cerca nuestro.

Mi esposo se complacía de manejarle el automóvil para que él pudiera hacer sus diligencias. Los dos se amaban como dos hermanos.

Sentimos una gran pena al saber sobre su fallecimiento: pensamos en el gran tesoro que ya no teníamos aquí en la tierra. Pero, ¡qué hermoso regalo recibí: Dios me hizo disfrutar de esa alegría que ya Emiliano sentiría en el cielo!

Aquí incluyo un recuerdo de papá y mamá, un pensamiento que los guió durante su vida:

> *'La oración es para nuestra alma lo que la lluvia es para la tierra. Trabajen la tierra todo lo que quieran, pero si falta la lluvia, todo lo que hagan no les servirá de nada. El mejor medio para acercarse a Dios es a través de María' ".*

Armandine Tardif

Irene Tardif: nos amamos mucho

"Mi querido hermano era el noveno niño de nuestra familia. Siendo yo la séptima y cuatro años mayor que él, me sentí muy contenta de su nacimiento, ya que Louis sólo tenía dieciocho meses. ¡Era como si tuviera dos bebés para jugar a ser mamá! Por eso no me sorprende que yo nunca deseara tener una muñeca para jugar. Emiliano siempre fue tímido, pero muy dulce, amoroso y con muy buen carácter. Nunca se alejaba del delantal de mamá. Ella acariciaba siempre a su pequeño Emiliano.

Cuando nació Louis, mamá tuvo un momento muy difícil. El alumbramiento fue en la casa y el médico le dijo a mi papá: 'No puedo hacer nada, ya que tu esposa está muy agotada, creo que la perdemos al igual que el niño, necesitamos un sacerdote'. De prisa y a caballo, mi papá salió a buscar al cura. Cuando éste supo que mi mamá estaba en peligro, el buen sacerdote se recogió unos instantes y luego le dijo a mi papá: 'Regresa a tu casa que estará mejor'. Cuando llegó a la casa, mamá lo miró sonriente y le dijo: 'Tenemos un hijo'. Ya tenían cuatro hijas, antes que Louis.

El médico le dijo: 'Su esposa no debe tener más hijos, sería muy peligroso para ella'.

Emiliano decía: 'Si mamá hubiese rehusado ese embarazo, hoy yo no estuviera aquí'. Nuestro hogar era escenario de múltiples e inolvidables momentos de alegría familiar.

Aquí le envío el primer sermón dado por él, después de su ordenación. El querido Emiliano nos pedía que siempre oráramos por los sacerdotes el Jueves Santo, que admiráramos la sublimidad del sacerdocio y que intercediéramos por él ante Dios, para que lo hiciera crecer más rápidamente en santidad y en su amor. Para él, esto era lo único necesario aquí en la tierra.

Siempre me aconsejaba que actuara de tal manera que fuera muy agradable a los ojos de Dios. En sus conversaciones, él amaba recordarnos la gloria que nos esperaba en la eternidad.

Los nueve hermanos Tardif. "¡Todos nos amamos mucho!".

Durante un grupo de oración carismático, orando por Emiliano, una persona recibió la siguiente profecía que aún conservo: 'Mi amado hijo, hoy te dice el Señor. He puesto mi mano sobre ti. Mi corazón te dice que tú eres para mí un instrumento de mi predilección, tú eres mi hijo, tú me perteneces para siempre. Te abrazo contra mi corazón y te doy todo mi amor'.

Somos una familia muy unida. Existen muchos lazos de amor entre nosotros, ¡todos nos amamos mucho!".

Irene Tardif Sloan

Artesano de fe y de oración, por Adrienne Tardif, N. D. A.

"¿Quién era Emiliano para mí? No es fácil responder esta pregunta.

El proyecto de Emiliano de querer ser misionero lo viví en mi corazón durante mi infancia, y fue lo que me estimuló a responder afirmativamente al llamado a mi vocación.

Me acompañó al postulantado junto con nuestro párroco y luego, a la semana siguiente, partió para el seminario. Mantenernos unidos durante nuestra separación fue una agradable tarea.

Emiliano fue para mí un artesano de la fe y de la oración, todavía más después de su sanación. Nos contaba de sus experiencias, lo cual me animaba a continuar colaborando con los grupos de oración de la Renovación.

Yo presentía que su deseo era que los corazones ardieran de amor. El lema de su congregación: 'Amado sea por siempre el Sagrado Corazón de Jesús', fue llevado siempre muy dentro de su corazón.

A veces me parecía obsesionado con la evangelización, pues todo lo referente a ella lo impulsaba. Este sentimiento había sido fuertemente inspirado por mamá, en el corazón de mi hermano.

Devoraba sus cartas, pues escribía con interés, con gracia, y se reía de sí mismo si era necesario. Se ocupaba de los asuntos familiares a través de sus cartas dirigidas a cada miembro de la familia. Emiliano estaba muy unido a cada uno de nosotros. Él era el que nos reunía a todos. Yo planeaba mis períodos de vacaciones para coincidir con su visita a Quebec.

Un día, durante las vacaciones en Beauce, en casa de mi hermana, Emiliano recibió una llamada. Una señora le pedía que fuera a su casa al salir de Quebec. Quería hacerle un 'regalo'. En el trayecto, se detuvo en la dirección señalada. Encontró allí a una pobre anciana que lavaba con lejía, 'frotando su ropa en una tabla de lavar, igual que lo hacía mamá'. De la misma forma que la moneda de la viuda del Evangelio, esta anciana buscó en su raída cartera veinte pesos y se los dio a Emiliano, el misionero. Emiliano, conmovido, edificado, nos dijo: 'Les aseguro que guardaré estos veinte pesos sin gastarlos nunca'.

Cuando llegaba a Quebec vestido con un traje nuevo, se sabía que no lo había comprado él. Frecuentemente nos decía: 'Me lo dieron, ya que la muerte se ha llevado a su propietario y su viuda me lo regaló'. Se reía de ver cómo el Señor proveía su ropa, después de que un hombre de su talla fallecía o, a veces, lo recibía de alguien a quien ya no le servía.

Como pobre, Emiliano sabía recibir todo lo que le daban, pero le costaba mucho pedir. Sin embargo, lo hacía para las casas de adoración o las escuelas de evangelización. Para estas obras, era un instrumento del Señor. No recuerdo que hubiese pedido algo para sí mismo. Siempre estaba contento con lo que la gente le donaba y con frecuencia lo donaba, a su vez, a otros como regalo.

"Emiliano tenía una sola ambición: ser sacerdote y misionero a cualquier costo".

Un día, alrededor del año de 1944, siendo yo muy joven, recibimos en casa una carta de Emiliano desde el colegio en Quebec. Éramos pobres agricultores en Abitibi. La carta decía: 'Mis zapatos están agujereados. Debo comprarme un par que cuesta $3,25, pero no tengo dinero'. Mamá nos reunió a todos, nos leyó la carta de Emiliano –ella ya no tenía más dinero– y papá trabajaba cortando madera. Fue un llamado al sacrificio para cada uno, con el fin de que buscáramos en la alcancía los centavos, los lanzáramos sobre la mesa, y entre todos reuniéramos la cantidad que él necesitaba.

Conversando con mis hermanos, Philippe y Adrien, ellos recuerdan que Emiliano trabajaba la tierra como agricultor en Abitibi. A pesar de no tener la misma resistencia física que los demás, trabajaba casi igual. Recuerdan que nunca respondía a las burlas que le hacían. Sus silencios detenían las disputas, consiguiendo así 'desbaratar' los conflictos. En una ocasión, me contó Emiliano, lo visitó un hombre vestido con un abrigo muy viejo. El Señor le puso en su corazón la idea de darle uno de los suyos. Abriendo la puerta de su armario, sintió en su corazón darle el mejor, el que más le gustaba. Se lo dio. A la semana siguiente, atravesando una ciudad, la señora que lo había alojado en su casa, le regaló un abrigo tan bueno como el otro y nuevo. Le dio gracias a Dios.

Cuando era estudiante en Beauport y durante los primeros años de colegio, sufría mucho por lo poco que adelantaba en los estudios. Su profesor había manifestado que, con tanto trabajo y tan poco éxito, no podía jamás salir adelante. Sus compañeros recuerdan su gran timidez. Pero lo que sus profesores desconocían era que mientras estudiaba en el sexto curso de la pequeña escuela, la maestra le hacía leer los libros de primer y segundo grados; mientras los demás estudiantes se beneficiaban de mejores profesores, mejor organizados y con programas más completos. Para Emiliano, esto significó una prueba grande de limitaciones y de humillaciones. Sus bajas calificaciones subían lentamente en los cursos segundo y tercero. Nos decía que se sentía menos débil que antes. ¡Qué empeño tan grande para poder estudiar!

Armand, religioso M.S.C., el más joven de la familia, era cocinero del mismo colegio. Él había luchado para que aceptaran a Emiliano allí, a pesar de la pobreza de nuestros padres. En ese momento de dificultad con los estudios, intercedió con el director para que no lo hiciera regresar a casa en las vacaciones de Navidad. Emiliano tenía una sola ambición: 'ser sacerdote y misionero a cualquier costo'. Era tenaz y perseverante.

Emiliano, Louis, monseñor Auguste Dion, primer párroco de Rapide Danseur, Adrien y Adrienne durante una de sus visitas a Canadá.

Adrien, dos años más joven que Emiliano, recuerda que cuando alguien le preguntaba a Emiliano qué quería ser en el futuro, siempre respondía igual: 'Quiero ser misionero para ir a predicar el Evangelio por los países del mundo'. Muchos se burlaban de él, pero su idea nunca cambió.

Cuando me visitaba, pasaba largas horas frente al Santísimo Sacramento. Durante sus vacaciones, lo veíamos con frecuencia con su breviario en la mano. Se notaba que la oración lo alimentaba espiritualmente.

Emiliano me dejó el recuerdo de su disponibilidad, a veces exagerada, de responder a las necesidades de los enfermos. Durante sus vacaciones, aceptaba las llamadas telefónicas y las visitas de los enfermos, y muchos le impedían disfrutar de su descanso llevándole sus necesidades. Ejercía este carisma con mucha dulzura y con una paciencia que siempre me emocionaba.

Cuando sufría alguna contrariedad, siempre nos decía: 'Lo único que importa es lo que tengo que responder frente a Dios, a la hora de mi muerte'.

Cuando supe la noticia del fallecimiento de Emiliano –'con las manos abiertas'– le presenté al Señor a este 'mendigo' que había dado su vida con total abandono por la evangelización. Las manos abiertas: ofrenda y acogida de su encuentro con María, nuestra Señora del Sagrado Corazón, a la que él tanto le había rezado y al Sagrado Corazón de Jesús, que tanto había proclamado por todo el mundo.

Entonces, una gran paz llenó mi apenado corazón".

Adrienne Tardif, N. D. A.

Un hombre con corazón de niño

"Conocí al padre Emiliano después del otoño de 1973, año de mi compromiso con Diane Paquet, su sobrina y ahora mi esposa. Durante su convalecencia en casa de su hermana Rose, la madre de Diane, descubrió entonces la Renovación Carismática por medio de las reuniones de oración de los jueves en la noche y de las múltiples manifestaciones del Espíritu Santo en esos momentos.

Curioso por comprender y profundizar ese viento nuevo de evangelización, partió hacia América del Norte en busca de las fuentes de este nuevo soplo de Pentecostés.

Hombre de amistades, amaba encontrarse con las personas, conversar con ellas e intercambiar sobre las maravillas del Señor en sus vidas. Muy preocupado por verificar el buen fondo evangélico y teológico de sus descubrimientos, consultaba a las personas responsables en la jerarquía católica.

Hombre de fe, fiel a su Iglesia, quien proclamaba desde el principio que era Jesús el que sanaba, no era él. Experimentando su carisma de sanación, se esforzaba por llevar a las personas a que incluyeran la oración en sus vidas, frecuentando los sacramentos y la Eucaristía. Se entristecía siempre al constatar el gran número de personas que no querían reconocer a Cristo actuando en medio de su pueblo, mientras que él se maravillaba constantemente de la acción de Dios por todo el mundo.

Siempre sencillo, continuaba su trabajo de misionero conscientemente, con mucha autoridad.

El padre Emiliano bendijo nuestro matrimonio. Le gustaba venir a nuestra casa a comer, a ver a los muchachos, a compartir sus testimonios y a celebrar todos juntos.

No siempre reconocido en su propio país de origen, sufrió los muchos ataques que le hicieron. Su fe era siempre la primera ayuda. El padre Emiliano, un hombre generoso, arriesgado, organizador, que realizó grandes cosas que él admiraba con un corazón de niño, con los ojos de un niño. Jamás satisfecho de su trabajo cumplido, volvía de nuevo a proclamar una y otra vez: '¡Jesús está vivo entre su pueblo!' ".

Charles Roberge, diácono permanente.

Mi tío Emiliano

"Mi tío Emiliano es para mí, a la vez, una fuente inexplicable de fe, un modelo de rectitud y de abandono en Dios. No se preocupaba de la condición social de las personas que él apreciaba. Ricas o pobres, el Señor podía sanarlas. Y él, en su generosidad, corrió por todo el mundo compartiendo su tesoro: la fe".

Tu sobrino, Benoït.

Recuerdos inolvidables

"Mi recuerdo de este querido tío se remonta muy atrás. En el año de 1955, cuando yo tenía sólo diez años, lo vi acostado delante del altar, en su ordenación en Abitibi. ¡Me impresionó mucho! Más tarde, después de ese momento, no volvió a casa hasta después de cinco años. En el año de 1973, el mismo año de mi matrimonio y también el año en el que la Renovación Carismática repuntaba, mi tío Emiliano, tuvo que volver a Quebec para un descanso prolongado y una larga convalecencia, debido a una gran enfermedad.

Durante ese tiempo, él fue sanado y se convirtió en gran amante del Señor.

Tanto mi esposa Noellene como yo, tuvimos la suerte de vivir todos esos hermosos acontecimientos, ya que vivíamos cerca de su hermana. Así que, cada una de sus visitas en verano, nos dejaban unos recuerdos inolvidables, principalmente el bautizo de nuestro primer hijo, Pierre. Recordamos todas las hermosas misas celebradas en nuestra familia. En cada ocasión nos hacía llorar de alegría, contándonos las maravillas del Señor.

Querido tío: ¡tú eres una maravilla del Señor! Hasta luego".

Tu sobrino Luisson.

Testimonio de amor y de generosidad

"Mis primeros recuerdos del tío Emiliano datan de mi infancia. Cada verano venía a visitarnos durante las vacaciones. Esperábamos su venida con alegría. Era un gran orador que hablaba del Señor con el ardor de un testigo de Cristo vivo.

En efecto, me encantaba oírle contar las maravillas del Señor con la sencillez que le era característica. Nos contaba mucho sobre lo que el Señor hacía en los ministerios de sanación. Cada uno de sus testimonios me tocaban profundamente. Podía escucharle durante largas horas, pues tenía una gran facilidad de llegar a lo profundo de nosotros y de regalarnos el deseo de seguir a Cristo cada vez más.

Luego, en 1996, tuve la oportunidad de ir a pasar cuatro meses en su país de adopción, República Dominicana. De hecho, él me había dado el privilegio de invitarme a su casa, en la Comunidad de Siervos de Cristo Vivo. Fue una experiencia inolvidable durante la cual pude descubrir una cultura nueva. Ese país me permitió encontrar un pueblo de fe que me nutrió y me guió en mi caminar espiritual.

En ese país, los católicos son confirmados y no tienen miedo de proclamar su aceptación de Cristo vivo. Además, la cantidad de jóvenes comprometidos en sus comunidades cristianas es sorprendente. La belleza de esta juventud me tocó enormemente. Este choque cultural me permitió constatar que la fe estaba viva, una vez más, hoy en día; la gente de dicho país es una prueba viva de ello.

En junio de 1999, me sorprendió y me entristeció mucho saber la noticia de la muerte de mi tío Emiliano. Luego, algunos miembros de mi familia y yo misma fuimos a República Dominicana para asistir a sus funerales. Hicimos un viaje muy bueno, repleto de gracias. Cada día, a lo largo de la semana, se celebró una misa por el alma de mi tío.

Desde nuestra llegada a República Dominicana, estuvimos en Santiago, en el estadio de béisbol donde su cuerpo estaba expuesto. Durante todo el día, muchas personas desfilaron delante del ataúd, sin parar, para así poder rendirle su último homenaje a mi tío Emiliano. Se puede decir que en esa ocasión, alrededor de quince mil personas asistieron a la ceremonia religiosa. El estadio estaba lleno de gente y la ceremonia religiosa fue maravillosa. Después de la misa, llegamos hasta el cementerio donde el cuerpo fue depositado en un nicho. Lo más impresionante fue la procesión hacia ese lugar. Miles de personas caminaban, cantando y ondeando pañuelos blancos como un signo de esperanza. El trayecto duró más de una hora, ya que había automóviles y peatones en la avenida. Los automóviles bloqueaban la avenida por completo y un centenar de personas iba a pie.

Después, la avenida por la que regresamos, que es una arteria principal de dos vías en cada dirección, estaba llena de automóviles y de peatones que habían venido a acompañar a mi tío hasta su última morada terrestre. Depositado en el cementerio, la multitud se hizo más densa y la gente trataba de empinarse un poco por todos los lados, con la esperanza de ver a mi tío por última vez. Así, algunos se habían trepado en los árboles, mientras otros con las cámaras de televisión, (que transmitieron en directo el entierro, a todo el país y a Latinoamérica) se encaramaron sobre los techos de las tumbas.

La atmósfera, aunque llena de tristeza y de dolor, era de paz y de esperanza en la resurrección y en la vida eterna. Se escuchaban unos cantos maravillosos, alabando al Señor. También, se dedicaron algunas despedidas a mi tío Emiliano. Las personas se acercaban al micrófono instalado en el cementerio y, espontáneamente, agradecían por el testimonio de este hombre de Dios.

Los días siguientes, además de asistir a las misas por él, pudimos compartir con los miembros de su comunidad, los Siervos de Cristo Vivo, así como con los Misioneros del Sagrado Corazón. También pudimos visitar la nueva Escuela de Evangelización de Santo Domingo que él estaba construyendo y que quedó sin terminar. Ésta es una obra magnífica que permitirá que muchos se formen como evangelizadores. En efecto, esta escuela fue el último gran sueño de mi tío Emiliano. ¡Gracias por este testimonio de amor y de generosidad que tú nos dejaste a unos y a otros!".

Tu sobrina agradecida,

Jacynthe.

Quién era Emiliano Tardif para mí

"Lo primero que debo decir es que yo amaba mucho a mi tío, pues él se lo merecía. Conocí a Emiliano desde mi niñez y mi juventud. Recuerdo que desde que él estudiaba en Beauport, íbamos con mis padres a verle una o dos veces al año. Con el paso del tiempo, este viaje se convirtió en algo que me impresionaba mucho.

Recuerdo que venía a vernos en Saint-Côme durante las vacaciones festivas y que se escapaba conmigo. Yo tendría como cinco o seis años. Le gustaba reírse y era una agradable compañía. Nos amaba mucho y si hago un recuento del pasado, constato que amaba a todo el mundo con su corazón sencillo y generoso, aunque para nosotros era muy difícil hacer lo mismo.

Hace un tiempo, un pequeño grupo de personas me pidió que les hablara del padre Tardif; entonces, compartí la opinión con mi esposa Jacqueline que lo conocía desde los veinticinco años, y nos sorprendimos de repetir que no lográbamos contar las veces que vimos su gran sencillez y su acogida, como sólo un padre bondadoso podía hacerlo.

Podemos decir que poco importaba que fuéramos ricos, pobres o simplemente obreros. Sus gestos y sus palabras nos transmitían la mirada de Jesús que nos decía: 'Tú eres precioso a mis ojos y yo te amo', tal y como lo decía el mismo Jesús".

Richard Paquet
sobrino del padre Tardif

Orando en familia

"Mi tío formó parte de mis primeros recuerdos de infancia. Recuerdo esas pequeñas reuniones de oración en familia, en la humilde sala de mis padres. Yo era muy pequeño y mi corazón, lleno de gozo, se reanimaba con el amor de Dios ya que lo sentía tan cerca de mí, como sentía a mi papá, a mi mamá o a mi tío.

La sanación de su tuberculosis sucedió un poco después. Lo vi de nuevo, luego de un tiempo, en un pasillo del aeropuerto de Montreal a donde fuimos

Los Tardif: una familia muy unida.

a encontrarnos con él. Ver a un hombre tan enfermo me impresionó profundamente, pues como yo era un niño pequeño, nunca antes había visto nada parecido. Quizás me chocó el contraste entre el recuerdo que tenía de mi tío y este hombre tan delgado que estaba frente a mí, y que venía a nuestro encuentro en una silla de ruedas. Seguidamente, lo ubicamos en el avión que lo llevaría hasta Quebec, donde él debía ser curado. Esto sucedió antes de su curación.

Después de su sanación, vinieron las reuniones familiares en las que él siempre tenía mucho que contar sobre todas las maravillas del Señor. Yo me bebía las palabras de mi tío.

Evidentemente, estas reuniones terminaban con la oración en familia. Durante su estadía, celebraba la misa en nuestra pequeña cocina. Aunque yo era niño, tenía la certeza de que el mensaje de Cristo vivo se iba a escuchar por toda la tierra; pero, debo reconocer que, jamás en esa época pensé que mi tío iba a viajar tanto.

A través de él, Dios sembró en mí una fe inexplicable. Una fe que no es sólo la certeza de que Dios existe, sino también la certeza de que Dios nos ama. Este regalo es, ciertamente, el mejor regalo que alguien puede darle a un niño pequeño.

¡Gracias, tío, por todo! Y también, gracias por haber desviado tu itinerario en uno de tus viajes alrededor del mundo, –con casi setenta y un años y durante una escala entre dos aviones y tres horas de automóvil entre Montreal y Quebec– para venir a celebrar mi matrimonio, ocasión ésta que fue tu última estadía entre nosotros".

Jacques Lauzon,
hijo de Armandine Tardif

Una familia muy unida

"La primera vez que conocí al padre Emiliano Tardif fue en una boda familiar, mientras era novia de mi actual esposo. Lo que recuerdo de ese día es el momento en que él llegó y pronunció una oración con dos de nosotros, en la parte trasera del carro. Fue muy emocionante y pudimos sentir fuertemente la presencia del Espíritu Santo.

La otra vez que lo encontré fue durante su cuadragésimo aniversario como sacerdote, en su pueblo natal de Rapide Danseur. Fue muy hermoso verlo junto a todos sus hermanos. Era una familia muy unida, todos se amaban mucho y se veía que no existía ningún sentimiento adverso en sus corazones, del uno hacia el otro.

Mi relación familiar hacia él está determinada por mi esposo, que es su sobrino.

El padre Emiliano siempre dijo que no era él quien sanaba, sino el Señor, y siempre decía **'nosotros'**, como diciendo él y Jesús".

Salma Sloan

Presencia del Espíritu Santo

"Conocimos al padre Emiliano en 1997 en nuestro país, El Líbano. Estaba allí en una misión en la que nos encontramos con todo el clero, en la región de nuestra ciudad Zahle (Bekas, Valley).

Ese día en la tarde, él estaba celebrando una misa afuera en la que había alrededor de doscientas mil personas que vinieron de todas partes del país, inclusive desde nuestro vecino país de Siria.

El momento de la homilía fue muy emocionante e impresionante. Uno podía sentir con mucha fuerza la presencia del Espíritu Santo. Se sucedieron múltiples

Misa en el estadio de Beirut con una aistencia aproximadamente de doscientas mil personas.

sanaciones, especialmente en miembros de otras religiones, además de cristianos y musulmanes.

Recuerdo cuando las personas iban a agradecerle por sus bendiciones, a lo cual él decía que era la labor del Señor y no la de él. 'Yo sólo soy el burrito de Jesús', frase que dejó en mí una fuerte impresión".

Gabriel y May Mounayer

El padre Emiliano Tardif

"Conocí a Emiliano Tardif en el Seminario Mayor de Quebec en el año de 1953. Yo estaba comenzando mis estudios de Teología para ser sacerdote y él ya estaba en su tercer año de Teología, y vivía en casa de los padres misioneros del Sagrado Corazón en Beauport, su congregación.

Después de su ordenación y su partida hacia Santo Domingo, no lo volví a ver hasta el año de 1973, año de su enfermedad y de su sanación, cuando nos encontramos en Saint-Côme de Beauce. En muchas ocasiones compartimos las maravillas que el Espíritu Santo hace en el cuerpo y en el alma de las personas: conversiones, sanaciones, oración en lenguas, ejercicio de los carismas, liberaciones y ministerios especiales. Eran los comienzos de la Renovación Carismática en Beauce, Quebec.

Frecuentemente lo escuché predicar con una gran sencillez, aportando pequeños ejemplos de testimonios recibidos de muchas personas, siempre con la firme convicción de que el Señor está vivo y que quería sanar a su pueblo. Nos enseñó a tenerle confianza al Señor.

Su ministerio de intercesión por los enfermos, después de la comunión, nos revelaba su corazón de sacerdote, de pastor, que deseaba aliviar la miseria del pueblo de Dios siendo él un instrumento de Jesucristo, el Buen Pastor de las almas.

Varias veces lo vi cuando visitaba a su hermana Rose Tardif Paquet, durante sus vacaciones y siempre compartía los testimonios de las maravillas del Señor al tiempo que llevaba el Evangelio por muchos países.

Dos años antes de su fallecimiento, en enero de 1997, tuve la oportunidad de ir a República Dominicana, junto con un compañero sacerdote, el padre Roy, a pasar una semana con el padre Emiliano acompañándolo en su misión evangelizadora en Santo Domingo, Santiago, Nagua; así como visitar las casas de la Comunidad Siervos de Cristo Vivo y varias escuelas de evangelización que él había fundado. Allí descubrí a un padre Emiliano que veía más allá, a un buen papá para muchas personas y vi a mucha gente que venía a verlo porque tenía necesidad de encontrar un apostolado en el cual servir o, simplemente, para pedirle oración.

Entre una ciudad y otra, rezaba su breviario y juntos rezábamos el rosario. Descubrí también la grandeza del alma del padre Emiliano. He perdido a un gran amigo que animaba mucho mi ministerio sacerdotal y me enseñaba cómo presentarle las almas a Cristo y cómo presentarlo a Él ante las almas. Pero estoy seguro de que he ganado a un gran intercesor en el cielo, que velará por mí y por el pueblo de Dios. ¡Qué reine siempre Cristo vivo, modelo del corazón generoso y del alma amorosa del padre Emiliano!".

Padre Victorien Faucher,
Saint-Côme, Beauce. Quebec, Canadá

Emiliano Tardif: mi Bernabé
"Se fio de mí" (ver Tito 1:3)

"En el libro de los Hechos de los Apóstoles leemos que cuando muchos cristianos aún desconfiaban de la conversión de Pablo, hubo alguien que lo llamó a colaborar en la evangelización: Bernabé (ver Hechos 9:27). Bernabé creyó en las posibilidades de Pablo y lo asoció a su equipo evangelizador (ver Hechos11:25-26). El padre Emiliano ha sido mi 'Bernabé': creyó en mí y me invitó a evangelizar.

Empecé a conocer al padre Emiliano en el año de 1984. Yo atravesaba por unos momentos difíciles en mi vida. Una persona me consiguió una cita con el padre, en la casa de los Misioneros del Sagrado Corazón en Los Prados. El padre Emiliano me recibió en dos ocasiones, me acogió con cariño, me atendió y oró por mí. Por supuesto que el Señor escuchó su oración y me libró de mis angustias.

Pasaron los años. En 1994, ingresé como candidato a la Comunidad Siervos de Cristo Vivo. Como el padre Emiliano era el asesor espiritual, empecé a relacionarme más con él.

Mi mentalidad de evangelizador se la debo en gran parte a Emiliano Tardif, quien me dio muchas oportunidades; con él aprendí que evangelizar es sencillo: sólo tenemos que anunciar que Jesús está vivo, contando nuestro testimonio con alegría y buen humor.

Me envió a la Escuela de Evangelización Juan Pablo II para que me formara, y luego me llamó a ser parte del equipo de profesores. Atento a mis necesidades económicas, adquirió becas para capacitarme como evangelizador en Roma y en Guadalajara, cubriéndome todos los gastos. Me encomendó formar evangelizadores, sin descuidar la predicación. En diversos retiros me invitó a proclamar que Jesús está vivo. Recuerdo la vez que evangelicé con él en un congreso en Costa Rica, ¡cuánto gozamos escuchando al padre contar chistes, uno tras otro!

Yo me preguntaba por qué me invitaba a mí; hasta que comprendí que el padre Emiliano era una persona que creía en mí, Él era mi Bernabé. Mientras otros pensaban que yo era muy muchacho para el ministerio, el padre Emiliano confiaba en mí.

Cuando en el Ministerio de Jóvenes grabamos una producción musical, me escribió una carta entusiasmándonos. Me apoyó ciento por ciento en las actividades juveniles. Por una sugerencia suya empezamos a impartir cursos de evangelización para la juventud e insistía mucho en incluir a predicadores jóvenes en los seminarios de vida en el Espíritu. El padre Emiliano creía en los jóvenes y siempre nos animaba con el apostolado juvenil.

Con motivo de una visita a un grupo de jóvenes que quería formar una comunidad, el padre Tardif me dijo que pensara en la posibilidad de alquilar un local para abrir una casa de oración, dedicada a la juventud. ¡Definitivamente creía en nosotros! A mí me consta.

Pienso que mientras viajaba, el padre Emiliano nos podría haber dicho: *'Que nadie menosprecie tu juventud. Procura, en cambio, ser para los creyentes modelo en la palabra, en el comportamiento, en la caridad, en la fe, en la pureza. Hasta que yo llegue, dedícate a la lectura, a la exhortación, a la enseñanza'* (1Timoteo 4:12-13 B. de Jerusalén).

En un mundo de tanta desconfianza, necesitamos que confíen en nosotros y así mismo nos den confianza. Así como el padre Emiliano fue un 'Bernabé' para mí, también podemos ser los 'Bernabés' para otros. Hay muchos jóvenes con deseos de evangelizar, pero tal vez no se atreven porque no saben cómo o no han encontrado las oportunidades. Estamos llamados a apoyarles y animarles como el padre Emiliano lo hizo conmigo.

Un detalle del funeral del padre Emiliano

Al final de la Eucaristía en el estadio Cibao acompañé, junto con otros hermanos de comunidad, el cuerpo de nuestro querido padre Emiliano. Estuve al lado del féretro, justo antes de ser trasladado al cementerio, en el momento de cerrar el ataúd. Sobre el cuerpo lucía una preciosa Biblia. Tenía que ser así, pues la pasión del padre Emiliano era la Palabra, proclamada con señales y prodigios. La Biblia se hallaba cerrada y pensé que debía estar abierta, de modo que la abrimos. Los familiares depositaron flores encima de esta Biblia abierta. Entonces me acerqué más para ver en qué cita se había abierto. Leí las tres primeras líneas de la página:

'Confianza en Dios.
Por tanto, así dice el Señor Yahveh Sebaot: 'No temas, pueblo mío que moras en Sión...' (Isaías 10:24).

La Palabra se abrió en esa página de confianza, sobre el pecho del padre Emiliano. ¡Qué manera tan hermosa de decirnos 'hasta luego'! En ese momento, el Señor me llenó de paz y no pude evitar esbozar una sonrisa. Dije en voz baja: '¡Gracias, mi querido Bernabé!' ".

Yuan- Fuei Liao
Comunidad Siervos de Cristo Vivo
Casa de la Anunciación, Santo Domingo

Una experiencia inolvidable

"Guardo un recuerdo muy hermoso del padre Emiliano, ya que a través de él tuve mi reconciliación con Dios. Hacía más de veinte años que no me confesaba y no iba a la iglesia; por lo que había en mi vida una ausencia de Dios.

En esos tiempos, 'todo andaba bien en mi vida', aparentemente. Mis dos hijos estaban creciendo con salud, mi hogar permanecía muy bien junto a mi esposo y aún vivían mis padres. Aunque todo parecía en orden, sentía que 'algo' faltaba en mi vida, pues no era totalmente feliz. No sabía qué me pasaba, pero sí sentía un vacío grande dentro de mi corazón.

Una buena amiga me invitó a un retiro que daban en el Colegio Santo Domingo. Fui a ese retiro con gusto, pues inconscientemente empezaba mi búsqueda, mi necesidad de Dios.

Al llegar supe que el tema del retiro era la reconciliación y me dije a mí misma: 'Olga, este retiro es para ti'. Lo daba un padre llamado Emiliano al que no conocía. ¡Quién me iba a decir que unos años más tarde, yo también pertenecería a la Comunidad Siervos de Cristo Vivo, de la cual él era cofundador!

Cuando llegué, el padre Emiliano empezó enseguida a hablar de Dios. Sus palabras llegaban profundamente a mi corazón, sentía muchas cosas en mi interior y, casi sin darme cuenta, empezaron a caer lágrimas de mis ojos, lágrimas abundantes que rodaban sobre mis mejillas y que ablandaron mi corazón duro de pecadora.

Aún no entendía qué me estaba pasando, pues nunca me había sentido así. Creo que en ese momento Dios tocaba profundamente mi corazón con su amor, el cual se abría cada vez más a Él por medio de las palabras del padre Emiliano, haciéndome caer en cuenta de la gran necesidad que tenía de Dios, de su perdón y de experimentar su amor.

Al terminar su charla, el padre Emiliano dijo que había sacerdotes en el patio para los que quisieran confesarse, recibir el sacramento de la Reconciliación y que, luego, terminaríamos con la Eucaristía.

Rápidamente y muy contenta fui a hacer la fila para confesarme; cuando sólo faltaba un turno, vi que el sacerdote era muy viejito y pensé que cómo le iba a contar todos esos pecados de más de veinte años, ¡qué vergüenza! 'Buscaré a otro más joven', me dije. Así lo hice, pero me pasó lo mismo: cuando ya iba a llegar mi turno, vi que ese padrecito era tan joven y pensé: '¡No me va a entender... tantos pecados!'. Pues, me salí de la fila.

Me sentí desencantada y triste por no haber tenido el coraje de confesarme. Caminé hacia la parte de atrás de la iglesia, y de pronto, me encontré de frente con el padre Emiliano, a quien Dios usó para mover mi corazón. En ese momento le pregunté: 'Padre, ¿puede usted confesarme?'. Enseguida me dijo que sí y se dispuso a escucharme con dedicación. Me confesé y ¿qué puedo decir? Creo que ese ha sido el día más feliz de mi vida. Sentí un gozo interior indescriptible, ¡cuánta paz, cuánta alegría! ¡Dios había llegado a mi vida con su amor de Padre Misericordioso!

Esa noche era sábado y, como siempre lo hacíamos, salimos con dos parejas de muy buenos amigos. Siempre cenábamos juntos, tomábamos vino, etc. Esa noche todos estaban extrañados de que aunque me gustaba mucho el vino, esa noche no quería ni probarlo. ¡Me sentía embriagada con el amor de Dios! Ellos no entendían, yo no necesitaba nada. ¡Estaba reconciliada con Dios, me sentía perdonada y amada!

Han pasado ya catorce años de esa experiencia, de mi reconciliación con Dios a través del padre Emiliano. Ese día se inició mi conversión y, desde ese momento, la figura del padre Emiliano fue muy importante en mi vida espiritual: como guía, confesor y miembro de la Comunidad Siervos de Cristo Vivo.

Tengo que darle muchas gracias a Dios, quien en su gran bondad me dio la oportunidad de expresarle al padre todo el cariño que sentía en mi corazón hacia él. El 6 de junio le celebramos su cumpleaños en la Casa de la Anunciación. Al irme, le dije: 'adiós' como siempre, pues él partía para la Argentina donde iba a predicar un retiro sacerdotal. Después de haberme despedido, no sé por qué, me devolví. Fui a donde él, lo abracé y le dije: 'Padre, quiero que sepa lo importante que ha sido usted en mi vida espiritual y lo mucho que siempre he admirado su dignidad sacerdotal'. Él sólo me contestó con una gran sonrisa y partió.

Así fue mi despedida. Dos días después emprendió su último viaje, hacia el cielo".

Olga de Soñé
Comunidad Siervos de Cristo Vivo
Casa de la Anunciación, Santo Domingo

"Muy gustosamente gastaré y me desgastaré totalmente por vuestras almas"

(2 Corintios 12:15 - B. de Jerusalén)

"Conocimos al padre Emiliano en la Ciudad de los Mochis, en el año de 1984, en un encuentro que se realizó en el auditorio Benito Juárez.

Fue una experiencia hermosa escuchar, por primera vez, de sus propios labios las cosas maravillosas que Dios estaba realizando en el mundo entero, por medio de su ministerio. Hubo momentos muy especiales en aquel evento. Nunca olvidaré aquella Eucaristía al final del encuentro, que debió realizarse en el estadio de béisbol para poder recibir aquella multitud deseosa de estar presente.

La Eucaristía inició ya entrada la noche. Recuerdo que hacía un frío escalofriante que, por momentos, se hacía insoportable a pesar de que tratábamos de mantenernos muy juntitos unos de otros, para transmitirnos calor. Aun así no podíamos evitar el temblor de nuestro cuerpo.

Había muchos enfermos alrededor del altar, entre estos muchos niños, como una cosa poco común; ya que a pesar de la inclemencia del tiempo, los niños pequeños habían permanecido en el lugar junto a sus madres. De pronto, el padre Emiliano inició el ministerio de sanación y hubo un momento en que, al orar por los niños, estos empezaron a llorar. El padre empezó a transmitir la palabra de conocimiento y dijo: 'Estos niños no están llorando de frío, están llorando por el calor intenso del amor de Jesús que los está curando en este momento...'.

Estas palabras, confirmadas posteriormente en algunos testimonios, impactaron tanto en nuestros corazones que, todavía el día de hoy, algunos revivimos esta experiencia y aquellas palabras resuenan en nosotros.

Al año siguiente, en noviembre de 1985, tuvimos por primera vez la inmensa bendición de recibir al padre Emiliano en Navojoa, para celebrar un encuentro carismático cuyo lema fue: 'Jesús está vivo'.

¡Qué hermosos recuerdos guardamos también de esta experiencia! Jamás habíamos visto el estadio de béisbol con esa multitud de personas que casi no cabían en ese espacio. Incluso el campo se llenó con toda esa gente que venía, no sólo del noroeste del país; es decir, la región geográfica a la que pertenece nuestra diócesis, sino que también vino gente de regiones distantes.

Esto sucedía siempre alrededor de la persona del padre Emiliano, así de poderoso fue el ministerio que el Señor le regaló. A él lo seguían las multitudes hasta el último rincón del mundo, en donde él se encontrara. Recuerdo que la primera ocasión en que estuvo en Navojoa, una pareja llegó de Francia con un familiar gravemente enfermo, buscando al padre Emiliano para que orara por él.

A pesar de la fama y de la fuerza de atracción que el ministerio del padre Emiliano ejercía sobre los demás, lo más impactante de su persona eran su extrema sencillez en la predicación, la forma de ejercer su ministerio y todo lo que hacía.

Él dejó una huella profunda en la vida de Carlos, en la mía y en nuestra comunidad entera. El padre Emiliano fue un maestro; él nos enseñó a conocer el corazón misericordioso de Jesús, mejor dicho, él mismo nos lo mostró mediante su ministerio.

Además de ser nuestro maestro, el padre Emiliano fue nuestro amigo muy querido; ¡cuántos países y lugares visitó el padre Emiliano! Sin embargo, jamás olvidaremos la primera ocasión que estuvo entre nosotros. Al partir, estaba muy conmovido en su corazón y derramando lágrimas. Esto creó entre él y nosotros un lazo indisoluble que a pesar de su muerte, no se puede romper.

Por la gracia de Dios, Carlos y yo, debido a nuestro ministerio de predicación en todo el país, fuimos testigos de todo lo que Dios realizó en los años en los que el padre Emiliano pasó por estas tierras, haciendo el bien, curando enfermos, liberando personas y restaurando corazones al mismo estilo del Evangelio.

En México se han escrito libros, contado, gritado a los cuatro vientos y transmitido y publicado en los medios de comunicación los hechos del ministerio del padre Emiliano. Él forma parte de nuestra historia nacional, no sólo por el aspecto religioso, sino también porque escribió páginas en la historia de una sociedad que, en estado de grave descomposición social, renació al paso de un hombre como él.

Y así mismo, otros han dejado una huella indeleble, tanto en los corazones de los que hemos sido bendecidos por su ministerio, como en todo el entorno nacional. Los que hemos sido parte de este proceso de renovación nacional, constatamos lo que dice la Escritura: *'Yo voy a hacer algo nuevo'* (Isaías 43:19 - B. Dios habla hoy).

La vida del padre Emiliano se acabó antes de tiempo, pensamos muchos de nosotros; él hubiera podido vivir por más tiempo, pues no era una persona tan mayor. En términos naturales, probablemente esto hubiera sido así; pero a la luz de la fe, los que lo conocimos sabemos que Jesús, la opción de su vida, lo llevó a decir como San Pablo: *'Muy gustosamente me gastaré y me desgastaré totalmente por vuestras almas'* (2 Corintios 12:15).

Si el padre Emiliano no hubiera tenido aquella experiencia de Dios en el momento de su sanación hace veintiséis años, quizás hubiera muerto entonces. El Señor lo sanó y llegó a los 71 años con una vida llena de frutos. Esto era lo que el padre Emiliano le había entregado al Señor Jesús en su aniversario 2.000.

Quiero hacer una reflexión final sobre la meditación profunda que hice al conocer la noticia de su muerte. Recuerdo al padre Emiliano como una de las personas más entusiastas entre todos los que conozco en la Renovación Carismática, por haberle preparado al Señor su Jubileo desde hacía más de diez años. ¡Vaya si le preparó al Señor su gran celebración del año 2.000! Y, además, llegó muy puntual a la cita.

Que Dios le dé la corona de gloria que Él ha prometido a los que le sirven, y desde allá ruegue por todos nosotros".

Irma Romo de Quiroz
Navojoa, Sonora, México

Ver a Jesús actuando hoy

"Nunca podré olvidar las maravillas de Dios realizadas por medio del padre Emiliano Tardif, al celebrar la Eucaristía o al exponer al Santísimo y orar por los enfermos en algunos lugares de México.

Recuerdo hace años la primera vez que lo vi ejerciendo su carisma de sanación. Empezó a orar con sencillez y espontaneidad, invocando la presencia del Espíritu Santo y de Jesús, el Buen Pastor que viene en busca de la oveja perdida y de la oveja herida, y las encuentra para sanarlas. Poco a poco, en el ambiente se experimentaba la cercanía de Dios a su pueblo; todos los presentes alabábamos su nombre y agradecíamos el don de la Eucaristía en el que se encuentra Jesús realmente vivo y presente.

El padre Emiliano dijo: 'Aquí, delante de Jesús, pidámosle por nuestros enfermos, que se acerque a tocarlos y sanarlos como lo hizo con el ciego de Betsaida' (ver Marcos 8:22). Todos empezamos a suplicar a Jesús para que tocara nuestros corazones y nuestros cuerpos. Realmente le hablábamos a Jesús y podíamos tener la certeza en fe de que nos escuchaba.

Lo que sucedió después en aquel lugar, es imposible borrarlo de mi mente y de mi corazón. El padre Tardif empezó a dar, por impulso del Espíritu Santo, algunas palabras de conocimiento que casi inmediatamente eran confirmadas por hermanos que se ponían de pie, levantaban sus manos o pasaban al estrado para glorificar al Señor. En esa ocasión hubo personas con cáncer que sanaron, paralíticos curados, era como ver una página viviente del Evangelio de Marcos. También hubo matrimonios que no podían tener hijos y que recibieron la noticia de que tendrían un bebé al siguiente año, y así hubo muchas, pero muchas bendiciones del Señor. Como respuesta a lo que sucedía, siguió una ola de alabanzas y agradecimientos al Padre, a Jesús y al Espíritu Santo por las maravillas obradas; ciertamente, la fe de los que ahí estábamos se aumentó con cada signo realizado.

Una de las primeras palabras de conocimiento que se dio se refería a una persona que venía en silla de ruedas y que tenía bastantes años de estar paralítico, por un problema en su columna. Todos guardamos silencio cuando el padre Tardif anunció la sanación y pidió, además, que esa persona se identificara para dar gloria a Dios, porque sabía que estaba ahí y lo que le estaba sucediendo. De repente, para sorpresa de todos, un hombre vestido de blanco levantó su mano y dejó su silla de ruedas. El padre Emiliano le preguntó: '¿Es usted?' 'Sí –confirmó él– soy yo, soy sacerdote y tenía años sin caminar'. '¡Gloria a Dios!', –exclamamos todos–, y el padre Tardif le pidió que caminara un poco. El sacerdote lo hizo, aunque con dificultad naturalmente, y dándole gracias a Dios. El padre Emiliano le dijo al sacerdote que tenía que seguir orando por su recuperación total y que debía seguir caminando. 'Jesús poco a poco, te fortalecerá', le dijo.

Yo estaba llorando de alegría, de gozo, de admiración, de agradecimiento por la presencia de Jesús sanando a sus ovejas. Veía lo que pasaba y daba infinitas gracias a Dios que ama entrañablemente a su pueblo. ¡Era verdad, era Jesús vivo sanando! Todos lo alabábamos grandemente, llenos de alegría.

Yo sabía que Dios existía, pero esta vez comprobaba que no sólo existía en algún lugar, sino que es una persona divina realmente viva, que camina entre nosotros por los pasillos y toca con poder a sus hermanos, sanándolos. ¡Qué alegría tan grande! Puedo decir con María: '*¡Mi alma glorifica al Señor porque ha hecho maravillas!*' (ver Lucas 1:47-49).

Si el sacerdote está llamado a ser otro Cristo, así como todos los cristianos, quiero decirles que al ver al padre Tardif sirviendo generosamente al pueblo de Dios, veía a Jesús predicando su palabra y sanando. Nunca atrajo la atención sobre sí, sabía servirle y darle a Jesús su verdadero lugar como centro y Señor de todo. Cuando el padre Emiliano se iba, nos quedábamos pensando en Jesús; podíamos distinguir fácilmente al servidor Emiliano y al Señor Jesucristo.

Esa fue la gran enseñanza del padre Tardif para mí y para muchos. Que después de compartir con los familiares, amigos, hermanos y compañeros, y al alejarse de ellos, podamos dejarlos pensando en

Jesús. El padre Emiliano fue siempre así hasta el final. Él se fue a la casa del Padre y nos dejó pensando en Jesús vivo, el que vive y actúa hoy en medio de su pueblo".

Alfonso Sánchez Palacios
Navojoa, México

Junto al padre Emiliano

"En diciembre de 1981, John y yo llegamos a La Romana, República Dominicana, para hablar con el padre Emiliano. Lo que más nos impactó fue la gran sencillez de este sacerdote canadiense, sentado en una silla de paja, en el zaguán de la parroquia de San Pablo. Nos hizo sentir inmediatamente muy cercanos, como de la familia, con su amplia sonrisa y su mirada tan transparente.

Esta impresión confirmaba la que ya habíamos vivido en el Encuentro Nacional de la Renovación Carismática en el Estadio Olímpico de Santo Domingo, cuando nos pidió dar el testimonio ante una multitud de unas sesenta mil personas. La seguridad que sentíamos junto a él era tal, que los acontecimientos más grandes se convertían en algo tan normal y no te cuestionabas si estabas hablando con él a solas, o si estabas ante una multitud que no podías abarcar.

En el verano de 1982, al volver de su gira misionera por Europa, nos dijo: 'Mañana nos iremos a la playa para hablar de nuestra futura comunidad'.

Llegamos a la playa de Las Minitas y nos sentamos junto al mar. El padre pidió unos refrescos para cada uno de nosotros y, sin más, empezamos el diálogo tan deseado sobre lo que debía ser la Comunidad Siervos de Cristo Vivo. Aquí, ante el mar abierto y acariciados por la brisa suave del Caribe, tuvimos aquel diálogo de corazón a corazón sobre los planes del Señor. Este encuentro puso un sello muy grande entre nosotros, estrechando unos lazos de amistad muy especiales. Por primera vez, pero no por última, el padre Emiliano nos hizo sentir esta experiencia de cielo y tierra.

Fue un hombre muy humano y a la vez muy de Dios. Tan grande y tan pequeño. Su visión fue como el océano infinito, pero su sencillez fue siempre como la de un niño que encuentra todo cercano y a su alcance.

Su fe, firme y sencilla, marcó nuestra vida espiritual. En la mesa del comedor nos hacía reír a carcajadas con una cadena inagotable de cuentos y anécdotas. Al regresar de cada misión, dentro o fuera de República Dominicana, llegaba con innumerables testimonios de lo que el Señor había hecho a través de la evangelización y de la oración por los enfermos. Nos hacía arder el corazón cuando nos contaba de la misericordia sin límites de Dios, sanando y transformando los corazones.

Cada signo y manifestación del Espíritu eran algo nuevo para el padre, y cuando nos lo contaba, nos hacía vivir su sorpresa y alegría, al ver actuar la mano de Dios como si fuese algo inédito y nunca esperado.

En una ocasión en México, durante la Eucaristía, el padre Emiliano iba bajando del altar para dar la comunión a la multitud y se encontró con un niño enfermo en los brazos de su madre. Se sintió impulsado a darle un beso y siguió adelante. Más tarde, la mamá dio testimonio de que su hijo fue sanado a través del beso del padre Emiliano. De regreso a Santo Domingo, el padre estaba admirado y habló sobre la originalidad del Señor que sanaba con un beso.

El padre Emiliano fue un hombre de Dios, unido a Cristo Vivo y de una fe gigante. Sin embargo, tenía el corazón de un niño que siempre esperaba las sorpresas de Dios.

Dejó grabado algo grande en nosotros: su gran amor a la Eucaristía. Siempre insistía en orar por los enfermos dentro del contexto de la Eucaristía, insistiendo que quien sanaba era el Señor. Siempre proclamó que él no era capaz de sanar ni un dolor de muelas.

Constantemente nos recordó a los siervos cuál era nuestra primera vocación: 'Estar a los pies del Maestro'. Conservamos la siguiente frase que recibió el 21 de julio de 1998 en Castellón, España, mientras adoraba a Jesús Sacramentado en la capilla de la Casa Magníficat: 'Si un día ustedes descuidan la adoración al Santísimo, su comunidad comenzará a desmoronarse'.

Muchas veces en la celebración eucarística contemplábamos sus ojos fijos como extasiados ante la hostia consagrada, que elevaba después de la consagración. A menudo insistía en que no era posible evangelizar, si antes no pasábamos un tiempo escuchando al Señor que nos esperaba con amor en el silencio del Sagrario, 'como un amigo espera a su amigo'.

Una de las cosas que más recuerdo era cuando llegábamos a la capilla y lo encontrábamos con su Breviario, recitando la Liturgia de las Horas o con sus ojos fijos en Jesús expuesto en la custodia, adorándole. Al fin y al cabo, el secreto de la vida del padre Emiliano Tardif, M.S.C. fue su amor incondicional a Dios, y mediante Dios, el amor a la Iglesia, a su Congregación, a la Comunidad y al mundo entero.

Recordamos, sobre todo, su gran amor por los pobres y por los que sufren. No le importaba el cansancio o los caminos difíciles. Si hacía falta un poco de amor o de consuelo, él se ponía 'en camino', ya fuera en burro o en avión. Así vivió el lema principal que recibió el 28 de noviembre de 1982, al inicio de nuestra Comunidad Siervos de Cristo Vivo: 'El que mucho ama es capaz de hacer grandes sacrificios por el Amado'.

Bendigo al Señor, y doy las gracias a Nuestra Señora del Sagrado Corazón por habernos regalado la oportunidad de compartir estos años, junto a un hombre de Dios: el padre Emiliano Tardif, misionero del Sagrado Corazón.

Gracias, padre Emiliano, en nombre de mi esposo John y en el mío propio".

Nidia de Fleury
Comunidad Siervos de Cristo Vivo
Casa de la Anunciación, Santo Domingo

Mi último adiós al padre Emiliano

"Conocimos al padre Emiliano en el año de 1987, a los pocos días de adquirir la propiedad donde hoy se encuentra la Casa de la Anunciación en Santo Domingo, República Dominicana. Recuerdo que mi esposa Ingrid tenía una crisis de fe, pues estaba en la búsqueda de un Cristo vivo. Había estado asistiendo a distintos grupos de oración en diferentes iglesias cristianas. Un día del mes de junio de ese año, ocurrió que su corazón parecía lleno del gran amor de Dios. Ese día Ingrid encontró respuesta a sus preguntas.

Tan pronto me vio exclamó: '¡Viejo, he encontrado lo que buscaba! Tienes que venir conmigo. Fíjate, vengo de un lugar maravilloso. Una casa de oración en donde se siente paz, tienen una capilla y está expuesto el Santísimo. Allí vive un sacerdote muy sencillo, pero muy cariñoso, y me ha invitado a ir cada día a las misas y a participar de los Laudes (Liturgia de las Horas). Allí también viven laicos y oran por los enfermos que llegan'.

Ese día vi a Ingrid con tanto gozo, que el brillo de sus ojos parecía decirlo todo. Su alegría me fue envolviendo de tal forma, que sentí el deseo de salir corriendo para aquel lugar. De pronto me detuve a pensar, y me di cuenta que lo me contaba resultaba para mí un poco fuera de lo común. Como Católico tradicional, nada de esto podía ser cierto. Mi reacción fue rápida y dudosa. Empecé a hacerle preguntas: ¿una casa de oración? ¿Una capilla? ¿El Santísimo expuesto? ¿Vive un sacerdote? ¿Viven laicos?. Mi sorpresa fue mayor al recordar que ella había dicho que oraban por los enfermos, imponiéndoles las manos. En mi mente había muchas más preguntas que respuestas. Sin embargo, era tal el entusiasmo de Ingrid que, sin darme cuenta, llegué a la Casa de la Anunciación.

El sacerdote misterioso

Llegamos a la casa de oración y nuestro primer impacto fue el ser recibidos con gran amor. Recuerdo que yo miraba cada rincón de la casa, como queriendo encontrar respuesta a todas mis preguntas. De pronto, desde una capilla salió un sacerdote y dirigiéndose a Ingrid y a mí, con un acento un poco extraño, nos saludó dándonos la bienvenida a la casa del Señor. Desde ese momento, descubrí que ese sacerdote tenía una mirada que atraía. Era como recibir por un momento una gran acogida que no era humana, sino muy espiritual; pero también descubrí a un cura distinto, alegre e infantil, y muy convincente. Era tan convincente que, de pronto, me vi aceptando una invitación para asistir a una misa de sanación. Recuerdo que me dijo: 'Tú vienes conmigo y me ayudarás a cruzar entre la multitud'. Yo no entendí por qué me decía esto, pero tan pronto llegamos al lugar donde se celebraría la misa de sanación, comprendí el sentido de sus palabras. El coliseo estaba repleto de gente. Muchos habían llegado desde temprano en la mañana, llevando a sus enfermos para que fueran sanados por Jesús. Era como llegar a la piscina de Betzaida y contemplar a los enfermos que serían introducidos en el agua del estanque.

Esa tarde, por primera vez en mi vida, vi el poder de Dios derramarse en los corazones de los que estábamos allí. Era la primera vez que oí que oraban en lengua extraña y que escuché la expresión ¡Jesús está vivo! Todo era nuevo para los dos, pero estábamos felices porque era lo que hacía mucho tiempo estábamos buscando. Así conocimos al padre Emiliano Tardif. Esa tarde, Jesús nos lo presentó mostrándonos que era uno de sus siervos elegidos, para Él darse a conocer mediante un evangelio sencillo, pero de gran poder, con señales y prodigios.

Pasó el tiempo. Tanto Ingrid como yo fuimos invitados por el padre para participar en la comunidad de laicos que hasta ahora iniciaba: los Siervos de Cristo Vivo. En el año de 1990, por razones de trabajo, nos mudamos a la ciudad de Miami en el estado de la Florida, Estados Unidos. A los pocos meses de llegar, nos visitó el padre Emiliano Tardif. Nos visitó por unas pocas horas, pero ese tiempo fue suficiente para animarnos a empezar una célula fraterna de la Comunidad en Miami. Era el verano de 1992, y con el estímulo y el apoyo del padre Tardif, celebramos la primera misa de sanación en nuestra primera casa de oración en Miami: La Anunciación, con una multitud de 5.000

fieles. Ese día descubrimos que el padre Emiliano había sido elegido, por el mismo Jesús, para realizar en él las palabras que dijo a los discípulos de Juan: *'Vayan y cuéntenle a todos lo que están viendo, los ciegos ven, los cojos andan, los sordos oyen...'* (ver Mateo 11:4).

El padre nos visitó muchas veces; pero, en cada viaje nos sorprendía con uno de sus afanes por el Evangelio. Antes de que llegara, todos estábamos esperando alguna de sus sorpresas. Así, fuimos aprendiendo que podíamos ser predicadores, organizando y predicando en las plazas, parques, centros comerciales, auditorios, iglesias, etc; que podíamos ser profesores, cuando fundó unos de sus más hermosos legados: las escuelas de evangelización; que podíamos administrar, poniendo las casas de oración bajo nuestra propia responsabilidad. En fin, era tanto su entusiasmo, que nos contagiaba, nos estimulaba para aceptar retos que, por nosotros mismos, nunca hubiésemos aceptado. No importaba si llegaba muy cansado de sus viajes, su sonrisa siempre fue su más hermosa presentación y saludo. Tan pronto lo veíamos llegar, nuestros corazones se llenaban de gozo y de entusiasmo para seguir adelante.

Él era para nosotros como un padre (en mi caso personal así fue, pues perdí a mi padre a la edad de trece años); pero también era uno de los nuestros. Sin perder su figura de pastor, se ponía a nuestro nivel, para hacerse sentir como uno más en el grupo. Así descubrimos su buen humor como también su camaradería. Recuerdo que, siempre que llegábamos de un encuentro, se sentaba con nosotros a compartir, a recoger materiales o a poner en orden todas las cosas. Su corazón de niño lo hacía sentir como parte de nuestra familia. Cada noche, Ingrid, como buena mamá, le preparaba su vaso de leche fría con galletitas. Nuestras niñas eran como sus hijas y para cada una de ellas, él era su 'abuelito'. Realmente siempre que nos visitaba le gustaba estar en nuestra familia y sentirse parte de ella.

La despedida

El 6 de junio, día del cumpleaños del padre Emiliano, Ingrid, las niñas y yo lo llamamos muy temprano en la mañana, para expresarle nuestra felicitación. En medio de la algarabía y la bulla que se sentía al otro lado del teléfono, tomó el auricular para contarnos lo feliz que se sentía: 'Es la primera vez que celebro mi cumpleaños en casa, así que de ahora en adelante me las arreglaré para pasarlo de nuevo aquí', ésta fue su más hermosa expresión. Y agregó: '¿Sabe, Alfredo, que esta tarde salgo para Argentina y pasaré por Miami?'. Le dije que su vuelo no salía hasta la medianoche, así que pasaría a recogerlo para llevarlo a cenar y así celebraríamos su cumpleaños.

Ingrid, María Alexandra, mi hija menor, y yo llegamos al aeropuerto, justo cuando el padre Emiliano salía de la aduana. Venía acompañado de Evaristo Guzmán, uno de los fundadores de nuestra Comunidad. Venía muy feliz, con su sonrisa de siempre. Luego de los saludos, nos trasladamos a un restaurante de Miami y pedimos su plato favorito: 'Tesoros del mar'. Durante la tertulia de la cena nos contó sobre la fiesta de cumpleaños y lo feliz que lo había hecho la presencia de su superior, el padre

Darío. Esa noche, el padre empezó a hablarnos, pero no de la manera que lo hacía antes. Esta vez nos daba instrucciones sobre la vida de fe, sobre la comunidad y acerca de la necesidad de ser humildes. Era como si el padre Emiliano se estuviera despidiendo y nos daba las últimas instrucciones, antes de partir a la Casa del Padre Celestial. Recuerdo frases tales como: 'El Señor da a cada quien sus carismas'. 'No abandonen nunca la adoración a Jesús'. Su último comentario fue: '¿Saben? Creo que el Señor me va a mandar a buscar pronto, pues he pasado un día muy feliz; primero, con los hermanos de la Comunidad de Santo Domingo y ahora con ustedes, los hermanos de Miami. Yo no merezco tanto. ¡Gracias, gracias!'. Así transcurrió la noche hasta que llegó el momento de despedirnos. Los llevamos al aeropuerto, bajaron del vehículo, tomaron sus maletas y mientras el padre Emiliano caminaba hacia la terminal, levantaba los brazos en señal de despedida, con la mirada fija puesta en cada uno de nosotros. Nunca pensamos que sería la última vez que nos veríamos.

Dos días después, recibimos la noticia de su fallecimiento cuando impartía un retiro para sus hermanos sacerdotes en Argentina. Su último aliento de evangelización se lo entregó a los ministros de Dios, como diciendo con eso: 'El que mucho ama es capaz de hacer grandes sacrificios por el Amado' ".

Alfredo Pablo
Comunidad Siervos de Cristo Vivo
Casa de la Anunciación, Miami, Florida

Descansaré en el cielo

"Son muchas las sorpresas que vamos experimentando a lo largo de la historia de nuestra vida. Yo tuve la hermosa experiencia de ser sorprendida por el padre Emiliano, al salir un día de la capilla en el año de 1985. Digo que fue una verdadera sorpresa, porque de repente nos encontramos frente a frente y me dijo: 'Deseo conversar contigo'. Jamás imaginé que me diría: 'Quiero que formes parte de esta Comunidad'. Al poco tiempo de este encuentro, empecé a trabajar con él.

¿Quién fue el padre Emiliano para mí? Puedo decir que fue como un papá que comprende a sus hijos y sabe cómo tratar a cada uno, de forma individual. Su delicadeza era visible en la relación con cada uno de nosotros. Por el más leve detalle, siempre nos daba las gracias. Siempre estaba atento a todo y a todos, y a cada uno nos daba el consejo y la dirección oportuna.

Siempre recordaré el ambiente de entusiasmo que irradiaba en donde quiera que estaba. La tristeza no tenía espacio cuando él llegaba. Todos queríamos estar junto a él para escuchar los testimonios que traía de los retiros y, muchas veces, estaban acompañados de sus característicos cuentos, con los cuales nos hacía reír a carcajadas.

Hoy quiero abrirles mi corazón para decirles que me siento una persona muy afortunada, por haber tenido la oportunidad de estar al lado de un ser tan especial como el padre Emiliano. Digo especial, porque considero un poco difícil encontrar tantas condiciones reunidas en una misma persona.

En ocasiones me preguntaba cómo podía recibir a las personas con tanta amabilidad, después de largas jornadas de trabajo, ya que siempre lucía incansable. Jamás he conocido a otra persona que tenga esa capacidad de trabajar hora tras hora, y que siempre estuviera dispuesto a atender a todo el que necesitara de su oración o de sus consejos.

Recuerdo con cuánto amor y simpatía recibía a todos, especialmente a los enfermos. Nunca podré olvidar la ternura que observé en él, al tratar el último grupo de enfermos que recibió aquí, en la Casa de la Anunciación. Y aunque ésta era su forma habitual de recibir a los enfermos y de despedirlos, ese día me llamó mucho la atención. Él se daba por entero a los demás y, por eso, cada persona que lo trataba quedaba prendada de él por su cariño y simpatía.

Fueron innumerables las veces en que le dije: 'Padre, debe descansar por el bien de su salud y de su ministerio'; pero su respuesta siempre era la misma: 'Descansaré en el cielo'. Y esta frase siempre venía acompañada de una amplia sonrisa.

Lo admiré por las tantas virtudes que lo adornaron. Por encima de todo, lo que siempre me llamó la atención fue su gran amor a Jesús. Y es que este nombre, pronunciado de labios del padre Emiliano, se oía diferente. Verdaderamente yo sentía que él estaba enamorado del Señor, y por eso, trabajaba con tanto amor por la extensión de su Reino.

En él pude observar que no hacía distinción para atender a las personas, ya que nunca decía no. Él recibía a pobres y a ricos, fueran estos jóvenes o adultos, así como también a los niños. Mi lucha constante fue tratar de proporcionarle un poco de reposo, pero él hacía todo lo contrario, porque su compasión por los enfermos y los necesitados se lo impedía.

Mis vivencias fueron muchas y, por cierto, muy hermosas durante los años que pasé a su lado. Su partida todavía está latente en lo más profundo de mi corazón y, aunque quisiera hablar mucho más de él, el sentimiento que experimento por su ausencia no me lo permite.

Hoy quiero darle muchas gracias al Señor por la oportunidad que me dio de poder estar al lado de este gran 'Hombre de Dios' ".

Leonor Alcántara
Comunidad Siervos de Cristo Vivo
Casa de la Anunciación, Santo Domingo

¡Ven a predicar conmigo!

"Sin duda alguna, los que por gracia amorosa del Señor tuvimos la oportunidad de encontrarnos y tratar con el padre Emiliano, hemos quedado marcados con su indeleble huella en el corazón. Qué gran don y privilegio haber podido encontrarnos con un verdadero testigo actual, humilde, incansable y valiente de Jesús vivo, proclamador del Evangelio con sus palabras y su vida en el poder del Espíritu Santo. Pienso que ese es su gran legado, el camino que nos deja trazado.

Aun cuando había conocido del padre Emiliano a través de sus libros y los casetes de sus enseñanzas, desde mis inicios en la Renovación Carismática Católica en 1988; mi primer encuentro con él ocurrió en 1993. En ese año vino por primera vez a predicar a Santa Marta, un martes de carnaval en el que, en medio de esa fiesta del mundo y como un signo de la Providencia, el Coliseo Cubierto local se llenó completamente con algo más de cuatro mil personas, para vivir la proclamación del Evangelio, acompañada de los signos y de las maravillas del Señor.

Esa noche, al terminar el encuentro, mi esposa y yo fuimos invitados por unos amigos a cenar con el padre Emiliano y sus acompañantes: Elba de Camilo y Ana María (Pura) Deogracia, en un restaurante local. En realidad, no recuerdo cuánto tiempo había transcurrido en medio de los testimonios y de los cuentos con los que nos deleitaba el padre, cuando repentinamente se dirigió a mí y, con su sencillez característica, me preguntó: 'Y tú, ¿por qué no vienes a predicar conmigo?'. El impacto de la pregunta fue tal que, al unísono se agolparon cientos de ideas y respuestas en mi mente: 'Que era casado... que tenía una profesión... que..., que..., que...', y cuando finalmente alcancé a balbucear algo, la conversación en la mesa tomó un giro. Así, sin haberme recuperado de la pregunta, aún y prácticamente sin haberla respondido, la cena terminó.

Sin embargo, desde entonces, esa pregunta siguió golpeando mi pensamiento y mi corazón por mucho tiempo, y más de una vez me reproché no haberle contestado al padre con un sí audible y decidido. En el fondo, yo podía intuir que la invitación recibida a través del padre, provenía de Aquél a quien él proclamaba y ¡cuánto me dolía no haber respondido con presteza a su amorosa invitación!

Así, a partir de ese día y de alguna manera oculta y especial, quedó establecido en mi corazón un lazo de unión con el padre Emiliano. Al despedirse en el aeropuerto local el día siguiente, nos demostró a mi esposa y a mí, una especial deferencia y una calidez imborrable, dejándonos una palabra de consuelo: 'Me gustó mucho Santa Marta. Yo vuelvo aquí', y sacando, sin más, su apretada agenda, señaló una fecha de diciembre de ese año, cuando efectivamente retornó a nuestra ciudad caribeña.

De esta manera, se abrió el camino para que, en enero de 1995, María Sangiovanni, directora general de la CSCV, nos visitara. En respuesta a nuestra inquietud, nos invitó a conocer la Comunidad de los Siervos de Cristo Vivo en Santo Domingo, la cual un año más tarde, el 17 de enero de 1996, dio oficialmente inicio a la Célula Fraterna de la Misericordia en Santa Marta, su primera célula en Suramérica.

Unos meses antes, esta vez en Cartagena, Colombia, volví a encontrarme con el padre Emiliano, quien estaba acompañado de algunos hermanos de la entonces incipiente célula. Esa mañana, al llegar a la parroquia en la que el padre predicaba un retiro a los servidores locales de la Renovación Carismática Católica, vimos que en el descanso, como siempre, cientos de personas intentaban hablar con él. Bastó que, a través de un mensajero, nos identificáramos como 'los de Santa Marta', para que ante el asombro de los demás y como hijos muy esperados, nos mandara a llamar para recibirnos con inmenso gozo. Así se interesó por cada uno de nosotros, y muy especialmente por los que no habían podido viajar a encontrarse con él, por cada detalle de la vida de la futura célula, por la casa que pensábamos abrir, etc.

Sin duda alguna, para el padre Emiliano era claro que dentro de su ministerio no resultaba suficiente predicar a grandes multitudes, sino que era necesario dar vida a una comunidad que, a través de la contemplación y de la adoración a Jesús Eucaristía, continuara llevando el Evangelio a los confines de la tierra.

A partir de entonces, el padre Tardif siempre estuvo pendiente de la Célula de la Misericordia, y nos visitaba cada vez que pudo hacerlo, en medio de sus múltiples compromisos. Así lo hizo el 18 de diciembre de 1998, cuando los primeros ocho hicimos nuestro ingreso como miembros de la Comunidad en Santa Marta. Había que ver la felicidad que traslucía su rostro y, luego de animarnos a seguir adelante unidos al Señor, nuevamente nos prometió volver pronto.

Lo hizo en mayo de 1999, esta vez para despedirse. Volvimos entonces a recibir sus recomendaciones y consejos, y la última noche nos mantuvo a todos sus hijos de Santa Marta durante más de una hora, animándonos en medio de risas con sus historias y chistes.

Por gracia del Señor, un mes más tarde pude asistir a despedir sus restos en Santo Domingo y, animado únicamente por el convencimiento de que nada nos separa del amor de Dios y de aquellos que nos han amado hasta el final, recibí en oración esta Palabra Bíblica que fue para mí como su despedida personal y comunitaria, y que describe con maravillosa nitidez al padre Emiliano:

> *'Estando en Mileto, Pablo mandó llamar a los ancianos de la iglesia de Éfeso. Cuando llegaron les dijo: 'Ustedes saben cómo me he portado desde el primer día que vine a la provincia de Asia. Todo el tiempo he estado entre ustedes sirviendo al Señor con toda humildad, con muchas lágrimas y en medio de muchas pruebas que me vinieron por lo que me querían hacer los judíos. Pero no dejé de anunciarles a ustedes nada de lo que era para su bien, enseñándoles públicamente y en sus casas. A judíos y a no judíos les he dicho que se vuelvan a Dios y*

crean en nuestro Señor Jesús. Y ahora voy a Jerusalén, obligado por el Espíritu, sin saber lo que allí me espera. Lo único que sé es que, en todas las ciudades a donde voy, el Espíritu Santo me dice que me esperan la cárcel y muchos sufrimientos. Para mí, sin embargo, mi propia vida no cuenta, con tal de que yo pueda correr con gozo hasta el fin la carrera y cumplir el encargo que el Señor Jesús me dio de anunciar la buena noticia del amor de Dios.

Y ahora estoy seguro de que ninguno de ustedes, entre quienes he anunciado el reino de Dios, me volverá a ver. Por esto quiero decirles hoy que no me siento culpable respecto de ninguno, porque les he anunciado todo el plan de Dios, sin ocultarles nada. Por lo tanto, estén atentos y cuiden de toda la congregación, en la cual el Espíritu Santo los ha puesto como pastores para que cuiden de la Iglesia de Dios, que él compró con su propia sangre. Sé que cuando yo me vaya vendrán otros que, como lobos feroces, querrán acabar con la Iglesia. Aun entre ustedes mismos se levantarán algunos que enseñarán mentiras para que los creyentes los sigan. Estén alerta, acuérdense de que durante tres años, de día y de noche, no dejé de aconsejar con lágrimas a cada uno de ustedes.

Ahora, hermanos, los encomiendo a Dios y al mensaje de su amor. El tiene poder para hacerlos crecer espiritualmente y darles

todo lo que ha prometido a su pueblo santo. No he querido para mí mismo ni el dinero ni la ropa de nadie; al contrario, bien saben ustedes que trabajé con mis propias manos para conseguir lo necesario para mí y para los que estaban conmigo. Siempre les he enseñado que así se debe trabajar y ayudar a los que están en necesidad, recordando aquellas palabras del Señor Jesús: 'Hay más dicha en dar que en recibir'
(Hechos 20:17-35 B. Dios habla hoy).

Hoy creo poder afirmar que sus palabras de 1993, relativas a que volvería a Santa Marta, fueron proféticas y su invitación a predicar con él, ha sido respondida a través del don de la Comunidad Siervos de Cristo Vivo en Santa Marta, cuyos miembros sentimos que estamos predicando con él. Aquí se ha quedado el padre Emiliano, en los corazones de cada uno de sus hijos amados y en los de todos aquellos a quienes su predicación y oración hicieron tanto bien.

Gracias, padre Emiliano, por haber sido un testigo fiel de Jesús vivo, por haber cumplido a cabalidad la misión de proclamarlo por todo el mundo, y muy especialmente entre nosotros, mostrándonos el Camino y animándonos a seguirlo en comunidad.

Hoy continuamos más que nunca unidos al padre Emiliano, mediante la fe y la seguridad de que su intercesión infinitamente más cercana al Señor nos cobija. Qué el Señor lo colme de infinitas bendiciones".

Gustavo Manrique Gómez
Comunidad Siervos de Cristo Vivo
Casa de la Misericordia, Santa Marta, Colombia

Momentos de la Eucaristía celebrada en la casa de la Anunciación, el día 6 de junio de 1.999 con ocasión del cumpleaños del padre Emiliano Tardif.

Los regalos, traídos con tanto amor por los hermanos, fueron llenando una carretilla, pero no tuvo tiempo de abrir ninguno, porque partió ¡a evangelizar!

Llegada del féretro del padre Emiliano desde Argentina al aeropuerto de Santo Domingo y a la parroquia Sagrado Corazón de los Prados.

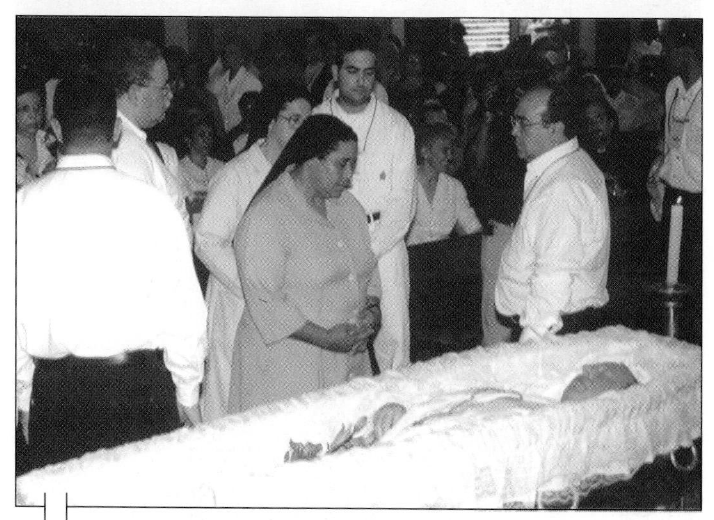

Fieles y miembros de la Comunidad Siervos de Cristo Vivo rinden su tributo de respeto y dolor, frente al cuerpo del padre Emiliano en la Parroquia de Los Prados.

"Despedimos hoy a un excelente sacerdote que ejerció con gran dignidad su sacerdocio". Funeral del padre Emiliano en el Polideportivo del colegio Loyola.

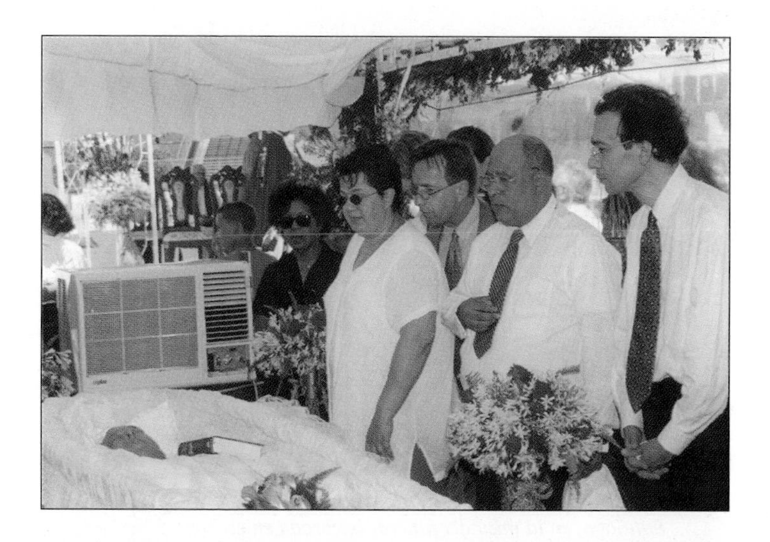

Familia y amigos del padre Emiliano durante el sepelio en el Estadio Cibao de la ciudad de Santiago, República Dominicana.

Monseñor Juan Antonio Flores, arzobispo de Santiago, en la misa del funeral celebrada en el estadio Cibao de Santiago, el día 13 de junio de 1.999.

Panteón de los Misioneros del Sagrado Corazón en el cementerio de El Ingenio en la ciudad de Santiago, donde descansan los restos del padre Emiliano Tardif.

Multitud de fieles congregados en el polieducativo del colegio Loyola en Santo Domingo, durante la última misa de novenario en memoria del padre Emiliano.

María A. Sangiovanni entrega a monseñor Francisco José Arnaiz el calzado del padre Emiliano, como ofrenda y símbolo de su peregrinar por setenta y dos países, llevando el mensaje del Evangelio.

"Y les dijo: Vayan por todo el mundo y anuncien la Buena Nueva a toda la creación" (Marcos 16:15).
¡Gracias, padre Emiliano, por la herencia que nos has dado con tu ejemplo!
¡Jesús está vivo y nosotros somos sus testigos!

"¡Murió el misionero, pero la misión sigue!"
¡Ánimo! ¡Todos a evangelizar!

Oración final

Padre celestial:
Al terminar estas páginas no puedo hacer otra cosa que decirte: **¡gracias!**

Gracias porque desde todos los tiempos quisiste escoger a tu hijo Emiliano para hacerlo sacerdote del Altísimo.

Gracias porque lo llamaste y le diste, no sólo la gracia de escuchar tu llamado, sino también de responder afirmativamente con generosidad y entrega total.

Gracias porque le diste un corazón fiel a tu amor de Esposo, a lo largo de toda su vida, aún en medio de las dificultades.

Gracias por todo lo que hiciste en él y a través suyo, llenándolo de dones para su propia santificación y carismas para el servicio de tu Iglesia.

Gracias porque, a través de tu Divino Espíritu, encendiste su corazón con fuego ardiente de amor, que lo hizo amar más y más a Jesús y a todos sus hermanos. Un fuego que no sólo quemó su corazón, sino que nos contagió a todos como carbón encendido.

Gracias porque lo hiciste pequeño en medio de la grandeza de la obra a la que le llamaste, y le diste la gracia de darte la gloria que sólo Tú te mereces.

Gracias porque su testimonio entre nosotros nos ha dado una referencia más perfecta de cómo es tu corazón amoroso.

Gracias porque a través suyo hemos entendido, Padre de bondad, que bien vale la pena entregarte a Ti toda nuestra vida.

Padre, hoy, de una manera más plena, reconocemos que eres un Padre de amor y de misericordia.

Qué tanto nos has amado, que nos has dado a tu Único Hijo para que, creyendo en Él, no perezcamos sino que tengamos la vida eterna.

Gracias porque has querido estar tan cerca de nosotros que, a través de Jesús, nos has dado el Espíritu Santo que habita dentro de nosotros.

Gracias porque nos has llamado a vivir en comunidad, unidos en un sólo corazón; para que así, todos juntos, podamos seguir nuestra peregrinación hacia tu casa, la casa de nuestro Padre. ¡Gracias por todo, Señor!

María A. Sangiovanni